Damhegion y Deyrnas

GAN

TREBOR LLOYD EVANS

TREFORUS

1949

Undeb yr Annibynwyr,
7 Northampton Place,
Abertawe

CYNNWYS

RHAGAIR

HOFFWN i'r llyfr hwn gael ei ystyried fel math o argraffiad modern o *Dammegion Crist* y Dr. Owen Evans (1873). Gwasanaethodd hwnnw ei genhedlaeth yn dda, ond y mae eisiau un tebyg iddo erbyn hyn, llyfr syml, hawdd ei ddarllen, ar gyfer y werin honno y credodd O. M. Edwards gymaint ynddi, ac y darparodd mor helaeth er ei mwyn. Fel Daniel Owen, iddi hi yr ysgrifennais. Gwn fod llawer o ysgolheigion Beiblaidd a phregethwyr yng Nghymru a allai lunio ac ysgrifennu llyfr cyfoethocach ar y Damhegion na mi, ond gan na wnânt, mentrais.

Nid wyf am ymddiheuro dros drin y Damhegion yn null pregethwr lawn cymaint ag yn null yr athro. Arfau'r pregethwr ydynt o'r dechrau ac o safbwynt pregethwr y dylid eu hesbonio. Bydd y sawl a flinodd ar hynny yn fy ngweld " yn ddwfn yn rhigol rhag- ymadrodd a thri phen," ond y mae'r Cymry wedi arfer meddwl mewn Trioedd, ac oni ofynnodd Homer, Pa beth a ddywedaf yn gyntaf ; pa beth a ddywedaf wedyn, a pha beth yn olaf ? Ni raid cywilyddio dros ffurf draddodiadol y bregeth Gymraeg.

Bu cynulleidfa Eglwys Soar, Pen-y-groes, Arfon, mor hynaws â gwrando ar y rhan fwyaf o'r pregethau esboniadol hyn mewn ffurf ddigon amrwd. Gwrandaw- odd cynulleidfa Eglwys y Tabernacl Treforus, hwythau, arnynt yn y " Cyfieithiad Diwygiedig." Oni ddaeth y dydd eto y dylai pregethwyr Cymru wneuthur mwy o ddefnydd o'r Wasg yn ogystal â'r Pulpud ?

Gosodwyd y damhegion ar ddechrau pob pennod yn ôl Cyfieithiad y Brifysgol gan fod hwnnw yn darllen yn well fel stori, ond y mae'r dyfyniadau yng nghorff y penodau yn y Cyfieithiad Awdurdodedig.

Dymunaf ddiolch yn ddiffuant iawn i'r rhai a'm cefnogodd ac a'm cynorthwyodd i osod y llyfr wrth ei gilydd. Bu fy hen athro Mr. J. E. Daniel, H.M.I., M.A., mor hynaws â darllen y llawysgrif a'm swcro i gyhoeddi'r gwaith. Yr wyf yn ddyledus iawn i'r

Athro Henry Lewis, M.A., Abertawe, am gywiro'r iaith o'r brychau mwyaf. Yn ôl ei arfer bu'n drugarog wrth bregethwr ! Mawr yw fy nyled a'm diolch i'm cyfaill, y Parchedig O. M. Lloyd, Mynydd Bach, am gymorth i deipio'r llawysgrif a chywiro'r proflenni. Cefais gymorth parod hefyd gan y Parchedig E. Lewis Evans, M.A., cadeirydd pwyllgor Llenyddiaeth yr Ysgol Sul, Undeb yr Annibynwyr, a chan y Parchedig E. Curig Davies, B.A., goruchwyliwr Llyfrfa'r Undeb, a diolchaf iddynt.

Hyderaf nad cwbl ddi-fudd a fydd fy ymdrech i gyfarfod â'r hyn a ystyriaf yn un o anghenion crefyddol gwerin Cymru heddiw.

Gŵyl Dewi, 1949.

T. LLOYD EVANS,
Tabernacl, Treforus.

RHAGYMADRODD

i.

GWAREDWR Y BYD YN ATHRO

PE GOFYNNID i blentyn beth oedd gwaith Iesu Grist mae'n debyg yr atebai mai saer coed oedd. A hynny yn ddiau sydd gywir amdano am y rhan helaethaf o'i ddyddiau ar y ddaear. Ond "ar ôl traddodi Ioan, yr Iesu a ddaeth i Galilea, gan bregethu efengyl teyrnas Dduw" (Mc. i. 14). A'r disgrifiad cymhwysaf ohono ar ddechrau Ei weinidogaeth yw Pregethwr neu Efengylydd megis Ioan Fedyddiwr neu un o broffwydi mawr Israel. Dyna'r argraff a roddai ar ddynion, a phe gofynnid iddynt pwy oedd Ef, dywedai "rhai, mai Ioan Fedyddiwr, a rhai, mai Elïas, ac eraill, mai Jeremïas, neu un o'r proffwydi" (Math. xvi. 14). Ond yn gynnar yn ystod Ei weinidogaeth fer newidiodd rywfaint ar Ei ddull, a daeth yn fwy o Athro i'w ddisgyblion ac i'r bobl a ddeuai i wrando arno. Ac fel Athro, tebyg o ran ymddangosiad i Rabbiniaid Iddewig Ei ddydd, y treuliodd y rhan fwyaf o'i weinidogaeth gyhoeddus. Fel Athro yr adwaenid Ef gan bobl Ei gymdogaeth a'i oes, ac felly y cyferchid Ef gan ddieithriaid a chyfeillion. "Rabbi," meddai Nicodemus wrtho, "nyni a wyddom mai dysgawdwr ydwyt ti wedi dyfod oddi wrth Dduw" (Ioan iii. 2). "Ac efe a gyfododd oddi yno, ac a aeth i dueddau Jwdea, trwy'r tu hwnt i'r Iorddonen; a'r bobl a gydgyrchasant ato ef drachefn: ac fel yr oedd yn arferu, efe a'u dysgodd hwynt drachefn" (Mc. x. 1). Ac fel gyda'r bobl, yn fwy felly gyda'i ddisgyblion "efe a agorodd ei

enau, ac a'u dysgodd hwynt " (Math. v. 2). "Yna y
llefarodd yr Iesu wrth y torfeydd a'i ddisgyblion . . .
Ac na'ch galwer yn athrawon : canys un yw eich
Athro chwi, sef Crist " (Math. xxiii. 1, 10). Y mae'n
wir na chollodd Ef yr enw a oedd iddo ar ddechrau
Ei weinidogaeth fel proffwyd, oblegid pan orym-
deithiodd ar ebol asyn i Jerwsalem cyn gŵyl y Pasg,
(a chymryd mai ar derfyn Ei weinidogaeth y dig-
wyddodd hynny) tystiolaeth y torfeydd oedd mai
"Hwn yw Iesu y proffwyd o Nasareth yng Ngalilea "
(Math. xxi. 11). Er hynny Rabboni, Athro, ydoedd i
Fair Magdalen fore'r trydydd dydd. Yr Athro-Bre-
gethwr yw'r teitl sy'n cyfleu galwedigaeth Iesu Grist.

Ac y mae'n amlwg oddi wrth dystiolaeth yr Efeng-
ylau ddarfod i'r Iesu roddi pwys mawr ar Ei ddysgeid-
iaeth, llawer mwy o bwys nag y gellid ei gasglu oddi
wrth epistolau'r Testament Newydd ac ysgrifeniadau
diweddarach yr Eglwys. Wrth gerdded oddi amgylch
i wneuthur daioni ni chollai gyfle i gyhoeddi Ei neges,
a chyfrifai Ei eiriau'n brif gyfrwng Ei waith achubol.
Nid ar arwyddion a rhyfeddodau y dibynnai Ef i
achub dynion, er Ei demtio y ffordd honno, ond
ar Ei eiriau grasusol. Ac er iddo weled cyn y diwedd
mai trwy'r Groes y tynnai Ef bawb ato Ei Hun,
nid yw hynny'n golygu na allai Ef achub, ac nad
achubodd Ef neb, cyn Ei ddyrchafu ar y pren. Fe
ddysgodd er mwyn achub ac fe achubodd drwy
ddysgu. Ac nid yw pwysleisio gwerth a phwysig-
rwydd Ei neges a'i ddysgeidiaeth yn tynnu dim oddi
wrth ein dyled i'w aberth drud ar fryn y Groes.

Felly, dylid cadw'r Ddysgeidiaeth a'r Groes yn
ymyl ei gilydd, a dehongli'r naill yng ngolau'r llall.
Nid eu cyferbynnu sydd eisiau ond eu cymathu,

oblegid y mae'r ddwy yn rhan hanfodol o'r Datguddiad
dwyfol. Ar un llaw dylid gweled egwyddor y Groes
yn holl ddysgeidiaeth Iesu Grist, ac ar y llaw arall
dylid dehongli Ei Groes yng ngolau Ei ddysgeidiaeth.
Buasai'r oesau wedi cael eu harbed rhag mwy nag
un athrawiaeth drychinebus o'r Iawn pe rhoddai'r
diwinyddion fwy o le i feddwl yr Arglwydd Iesu
fel y mynegir ef yn Ei ddysgeidiaeth.

Wrth gwrs yr oedd pwyslais y pregethu Apostol-
aidd ar y Crist Croeshoeliedig a'r Crist Atgyfodedig.
Baich y pregethu cynnar oedd " ddarfod i Dduw
wneuthur yn Arglwydd ac yn Grist, yr Iesu hwn a
groeshoeliasoch chwi " (Actau ii. 36). Ac ni fynnai'r
Apostol Paul bregethu neb " ond Iesu Grist, a hwnnw
wedi ei groeshoelio." Ond y mae modd esbonio eu
pwyslais hwy. Nid dysgeidiaeth yr Iesu oedd y
maen tramgwydd i Iddewon a Groegiaid, ond Ei
farw ar y Groes, ac am hynny y Groes oedd yn gofyn
am fwyaf o'i hamddiffyn a'i hegluro, a dangos ei lle
hanfodol yn nhrefn iachawdwriaeth. Canlyniad hyn
oedd rhoddi mwy o sylw i'r arwyddion a'r rhyfeddodau
ynglŷn â Iesu Grist, mwy o sylw i'w atgyfodiad, ac i
amlygiadau rhyfeddol o ddawn Ei Ysbryd yn yr
Eglwys.

Ond y mae dibristod diwinyddion oesau diwedd-
arach o feddwl yr Iesu fel y ceir ef yn Ei ddysgeid-
iaeth yn fwy anesboniadwy ac anesgusodol, oherwydd
cywirwyd y pwyslais Apostolaidd gan yr Eglwys Fore
ei hun, fel y gwelir oddi wrth Efengylau Mathew a
Luc. Cyn diwedd y ganrif gyntaf daeth y Ddysg-
eidiaeth yn rhan bendant ac amlwg o " addysg ac
athrawiaeth yr Arglwydd," ac yn rhan mor werth-
fawr â'r arwyddion hynod i fynegi'r datguddiad o

Dduw yng Nghrist. Daeth hawl yr Iesu i'w gyfrif
yn Feseia ac yn Waredwr y Byd i ddibynnu'n fwy ar
Ei wybodaeth o ewyllys Duw, ac ar Ei ddawn i gyf-
ryngu meddwl Duw i ddynion, nag ar yr arwyddion
hynod a oedd o'i amgylch. Nid cywir dywedyd bod
yr Efengyl yn mynd yn fwy dogmataidd ynghylch
Person Crist a'i waith po bellaf y cerddwn i'r ganrif
gyntaf. Y mae mantell yr athro yn amlycach o lawer
am Iesu Grist yn Efengyl Luc (80–85 O.C.) ac Efengyl
Mathew (85–90 O.C.) nag yw yn Efengyl Marc
(65–70 O.C.).

Eglura'r Dr. T. W. Manson yn ei lyfr gwerthfawr
ar *Jesus, the Messiah,* mor bwysig oedd y datblygiad
hwn o osod dysgeidiaeth yr Iesu yng nghanol y tra-
ddodiad Cristionogol :

> " The upthrust of the teaching of Jesus to a place at
> the heart of the Messianic Kerygma was thus an event of
> far reaching consequence. In the form of the incorporation
> of Q (Dywediadau'r Iesu) into the Gospels of Matthew and
> Luke it represents perhaps the most important single
> incident in the history of Christian literature. For thereby
> there was secured for the gospel of the ' signs ' of Jesus,
> and above all for the supreme sign of the Cross the inward
> and spiritual significance which inhered in the events." [1]

Ac y mae cadw dysgeidiaeth Crist yng nghanol
yr athrawiaeth Gristionogol yn waith y dylid ei
wneud yn barhaus ; oblegid pan flino dynion ar ddog-

---

[1] Op. cit., t. 55. Yr un yw barn C. H. Dodd pan eglura yn ei
esboniad ar Epistolau Ioan ei bod yn eglur drwy'r Testament
Newydd fod dwy brif linell i neges yr Eglwys, sef Efengyl Crist
a bregethid (*Kerygma*), a Chyfraith neu Orchymyn Crist a
ddysgid (*didache*). (Yn rhannol, mater o fethod a threfniad-
aeth weinidogaethol yw eu gwahaniaethu). Yn ei hanfod,
dyna yw Efengyl Crist, cyhoeddi'r hyn a wnaeth Duw drwy
Grist yn Ei ras tuag at ddynion ; a dyna yw Cyfraith Crist,
gosodiad o'r hyn a gais Duw oddi ar y rhai sy'n wrthrychau

mâu, a phan gollant eu Harglwydd yn y fframiau a
osodir amdano gan y diwinyddion, gallant droi at
Ei eiriau ac yfed o'u rhin fel o ffynnon y dyfroedd
byw, a chanu wrth y ffynnon :

" Hyfryd eiriau'r Iesu
Bywyd ynddynt sydd."

Ni olygir wrth hyn y gall detholiad o ddysgeidiaeth
Crist fynegi neges yr Eglwys yn llawn ; ac y mae'n
werth cofio nad yw'r traddodiad Cristionogol erioed
wedi datgysylltu geiriau'r Iesu oddi wrth holl arwydd-
ocâd Ei fywyd a'i farw drud, a'u cynnig fel Efengyl
gyflawn i'r ddynolryw. Ond y mae eisiau dweud wrth
ein hoes ni nad achubir mohonom i fywyd glân yr
Iesu heb wrando ar Ei eiriau, a gwrando yn yr ystyr o
ufuddhau. A phan fyddwn mewn anawsterau yng-
hylch meddu meddwl Crist ar lawer o bynciau dyrys
ein dydd, nid oes yr un ddisgyblaeth a dâl yn well
inni na myfyrio uwchben y geiriau a lefarodd Ef.
Y mae'n amheus a ddichon neb feddu meddwl Crist
ar unrhyw bwnc onid yw ei argyhoeddiad yn gorffwys
ar fyfyrdod addolgar o'i eiriau ; ac y mae'n rhyfeddol
o drist fel y gall llawer honni dweud beth sy'n Grist-
ionogol heb air o eiddo'r Iesu i gefnogi eu syniadau :—

" It may be said that the world and that Christendom has
no profounder need than to listen anew to this teaching,
to take that ' yoke ' upon it and learn of Him . . . It is
so easy to cast our burden upon a stronger than ourselves,
to embra e a Saviour who has died for us, to accept a sacri-
fice or ransom offered for us, to glow with relief and comfort
in the assurance that all that is needed has been done
for us. But to step out as followers along the way, meeting

---

gweithred Ei ras. Y mae'r ddwy wedd i neges yr Eglwys yn
un, er y gellir eu gwahaniaethu.

Gweler yr Esboniad yng nghyfres Moffatt, t. xxxi.

each day's temptations and emergencies in the Name,
calls for constant discipleship, for the wearing of His yoke
that is easy because well fitted to our need, but may mean
a cross.   Just as behind the Cross there stretched the
patient ministry, so behind the Sacrifice there sounds the
spoken Word."[1]

Greddf gywir yng nghalon pob Cristion yw honno
sydd am roddi'r teitlau uchaf i'r Iesu.   Ond wrth
Ei goroni Ef yn ben ni raid i neb dybio mai teitl
israddol iddo yw Ei alw yn Athro.   Clywais am
Gymro hysbys yn egluro i ddieithr-ddyn ei fod ef
yn Brifathro coleg arbennig, ond mai fel yr Athro
Hwn-a-hwn yr hoffai gael ei alw !   Prin iawn y gallwn
glywed yr Iesu yn mynd i'r drafferth i egluro i neb
fod holl deitlau'r nefoedd iddo pe dymunai, ond
tybiaf mai cystal ganddo yntau Ei alw yn Athro
ag unrhyw enw.   Ac ni raid i ninnau fod â chywilydd
o'r teitl, oblegid gall cadair yr athro fod yn orsedd,
a ffordd yr athro yn ffordd sicr i deyrnasu ar galonnau
dynion.

Ac nid oes angen unrhyw ymddiheuro dros yr
Athro a gerddodd lannau môr Tiberias ac a ddysgodd
yn y synagogau ac ar lethrau'r bryniau, fel pe bai
Ef yn ail i Rabbiniaid enwog megis Hillel neu Gamaliel.
Y mae pob lle i gredu bod yr Iesu yn ysgolhaig.
Gwnaeth enw iddo Ei Hun yn Jerwsalem yn ddeuddeg
oed.   Rhag i neb anghredu'r stori amdano yn y Deml
purion fyddai cofio bod plant yn datblygu'n gyn-
harach yn y Dwyrain nag yn y Gorllewin, a bod
deuddeg oed yno yn eyfateb i ddwy ar bymtheg neu
ddeunaw i ni.   Ond hyd yn oed yn yr oedran cynnar
hwnnw yr oedd Ef yn syndod doctoriaid cyfarwydd

---

[1] Gweler *Jesus Christ the Teacher*, W. A. Curtis, tt. 14, 15.

yn y Gyfraith. A chasgliad hollol resymol i ddod
iddo yw ddarfod iddo dreulio'r blynyddoedd na
wyddom ni ddim o'i hanes ynddynt, yn astudio ar
gyfer gwaith mawr Ei fywyd.

Nid yw'r ffaith fod yr Iesu wedi Ei ddwyn i fyny
mewn cartref cyffredin yn ddadl yn erbyn credu Ei
fod yn ysgolhaig. Dynion a fagwyd ar aelwydydd
cyffredin ydoedd y rhan fwyaf o'r Rabbiniaid enwocaf,
dynion a'u cynhaliai eu hunain a'u teuluoedd drwy
lafurio am eu bara, ac ar yr un pryd yn trefnu amser
i astudio yn ysgolion y Gyfraith.[1] Dylem ni'r Cymry
ddeall peth felly yn well na llawer. A chasglwn fod
yr Iesu, fel llawer o Gymry dysgedig, yn ddwyieithog.
Aramaeg oedd ei famiaith. Ynddi hi y gweddïai,
ac yr ymgomiai â phobl gyffredin. Ond gallai drafod
dyrysbynciau'r Gyfraith gyda'r Rabbiniaid yn eu
Hebraeg hwythau. Nid oes dim sy'n sicrach na bod
yr Iesu yn gyfarwydd iawn yn llyfrau'r Gyfraith,
oherwydd ceir cynifer â saith a phedwar ugain o
gyfeiriadau at yr Hen Destament yn Ei eiriau sydd
ar gof a chadw. A phrawf o'i safle uchel fel dysgawdwr
yn Israel ydoedd iddo gael mynediad i'r synagogau
ar y dechrau, a'i gydnabod a'i gyfarch fel Athro
nid yn unig gan Ei ddisgyblion (Mc. iv. 38 ; ix. 38)
a chan y dyrfa (Mc. ix. 17), ond gan y doctoriaid eu
hunain (Mc. xii. 14, 32). Gallai Ef eu cyhuddo hwy
" am nad ydych yn gwybod yr ysgrythurau " (Mc.
xii. 24). A phrawf yw hyn Ei fod yn gwbl abl i'w
cyfarfod hwy ar eu tir eu hunain. " A bu ar ryw
ddiwrnod, fel yr oedd efe yn athrawiaethu, fod
Phariseaid a doctoriaid y gyfraith yn eistedd yno,

---

[1] Gweler *The Teaching of Jesus*, T. W. Manson. t. 49.

y rhai a ddaethent o bob pentref yng Ngalilea, a Jwdea, a Jerwsalem " (Luc. v. 17).

A rhan o'i arbenigrwydd fel Athro yr athrawon yw na ellir astudio Ei ddysgeidiaeth i bwrpas heb aros yn Ei gwmni Ef ei Hun. Gellir astudio *Moeseg* Platon neu Spinoza heb wybod ond y nesaf peth i ddim amdanynt hwy eu hunain ; ond y mae adnabod Pregethwr y Mynydd yn anhepgor i ddeall y Bregeth ar y Mynydd, a gwybod am Lefarwr damhegion y Deyrnas yn hanfodol i ddehongli'r damhegion. Y mae Ei fywyd a'i farw Ef yn esboniad ar Ei ddysgeidiaeth, a'i ddysgeidiaeth yn fynegiant o'i fywyd ac o ystyr Ei aberth ar y Groes.

ii.

LLEFARU AR DDAMHEGION

Nodwedd amlycaf yr Arglwydd Iesu fel Athro ydoedd Ei ddawn i lefaru ar ddamhegion. Nid oes a gystadlo ag Ef ar y llwyfan hwn. A phe na wyddem ddim ond hynny am yr Iesu fel Athro, gallem gasglu Ei fod yn Athro mawr. Camp pob dysgawdwr yw ei wneud ei hun yn glir, yn syml ac yn gofiadwy. A dyna werth y ddameg. Llefaru ar ddamhegion yw hongian darluniau ar barwydydd y cof, a thra arhoso'r darlun yn y cof caiff y sawl a'i cofia gyfle i feddwl am ei ystyr a'i neges. A darlun mewn geiriau yw dameg, mwy effeithiol i bwrpas dysgu na llawer o ymresymu a diwinydda. Oblegid y ddameg sy'n gofiadwy, fel y clywodd yr hen bregethwr hwnnw gan ŵr ffraeth y tŷ capel. Digwyddodd y pregethwr fod yn yr un ' daith ' yr eilwaith o fewn rhyw chwe Sul i'w gilydd, a digwyddodd bregethu'r un bregeth yn y bore. Amser cinio, meddai gŵr y tŷ capel,

" Wyddoch chi, Mr. Jones, eich bod wedi pregethu'r bregeth yna chwech wythnos yn ôl yn y capel yma ? " " Taw, fachgen, wyt ti'n siŵr ? " " Yn berffaith siŵr," ebe gŵr y tŷ capel, " ond pe baech chi heb ddweud yr hen stori Llanllyfni yna, ni fuasai neb wedi deall." Eithr nid aeth yr Arglwydd Iesu erioed i brofedigaeth gyda'i ddamhegion. Yr oedd Ef yn wastadol yn newydd.

Mor gyson yr arferai Ef ddameg fel y dywed Marc ar ôl gosod nifer ohonynt wrth ei gilydd, " Ac â chyfryw ddamhegion lawer y traethodd efe iddynt y gair, hyd y gallent ei wrando : Ond heb ddameg ni lefarodd wrthynt : ac o'r neilltu i'w ddisgyblion efe a eglurodd bob peth " (Marc iv. 33, 34). Cyffelyb yw tystiolaeth Mathew pan ddywed, " Hyn oll a lefarodd yr Iesu trwy ddamhegion wrth y torfeydd ; ac heb ddameg ni lefarodd efe wrthynt " (xiii. 34). A'r un yw tystiolaeth Luc : " Yntau a ddywedodd, I chwi y rhoddwyd gwybod dirgeloedd teyrnas Dduw ; eithr i eraill ar ddamhegion " (viii. 10).

Y mae'n wir nad oedd dim yn newydd yn y dull hwn fel dull o ddysgu. Llefarai'r Rabbiniaid hwythau ar ddamhegion. Ac astudiaeth ddigon diddorol yw astudio damhegion y Rabbiniaid.[1] Ond ar eu llaw hwy collasai hyd yn oed y dull yma, nad oes mo'i ragorach at wasanaeth yr athro, lawer o'i rin ac o'i apêl at glustiau'r gwrandawyr. Clywsoch bregethwr o dro i dro yn defnyddio stori yr oeddech wedi ei chlywed lawer gwaith o'r blaen, a phenllwydni wedi tyfu drosti ers llawer dydd. Dro arall clywsoch bregethwr arall (neu'r un un !) yn defnyddio

---

[1] Gweler *The Gospel Parables in the Light of their Jewish Background*. W. O. E. Oesterley. S.P.C.K.

stori yr oedd eisiau cryn straen arni i egluro'r pwnc
yr oedd ef am ei egluro. Rhywsut felly yr oedd
pethau ar y Rabbiniaid yn oes Iesu Grist,—dim
newydd-deb, dim ffresni, dim byd yn gafael. Ond
amdano Ef, yr oedd yn wastadol yn newydd ac yn
afaelgar, hyd yn oed pan ddefnyddiai hen thema y
Rabbiniaid eu hunain. Llefarai ar ddamhegion yn
gyson, ond amrywiai Ei ddull. Ambell dro gair
syml a fyddai ganddo. " Chwi yw halen y ddaear."
" Chwi yw goleuni'r byd." Dro arall defnyddiai
gyffelybiaeth seml, gartrefol, megis dameg y lefain
yn y blawd. Mae'n sicr hefyd iddo ddefnyddio
alegori, a'i gweithio allan bwynt ar ôl pwynt, megis
am y Defaid a'r Geifr. Ac y mae'r rhan fwyaf o'i
ddamhegion yn gyfuniad medrus o'r amrywiaethau
hyn. Pa ryfedd fod y bobl gyffredin yn Ei wrando
yn ewyllysgar ac yn llawen ?

Cyrhaeddai eu clust a'u calon drwy siarad yn
nhermau eu bywyd bob dydd hwy eu hunain. Dyna'r
cynfas y tynnai Ef Ei ddarluniau arno. Mor gyf-
arwydd ydoedd ag amgylchiadau ac amodau a helynt-
ion bywyd gwerin Ei wlad ! Ni cheir darlun naturiol-
ach na chywirach o fywyd fel yr oedd yn oes a gwlad
Iesu Grist nag a geir yn Ei ddamhegion Ef. Yn
wir, barn yr ysgolhaig ydyw nad oes yn holl lenydd-
iaeth yr Ymerodraeth Rufeinig ddarlun mor berffaith
o fywyd y bobl gyffredin o dan ei llywodraeth hi ag
a geir yn namhegion y Testament Newydd.

Os mynnwch, gellwch ystyried y gwahanol ddam-
hegion fel gwahanol *snaps* o'r bywyd hwnnw ; a
llun naturiol iawn yw *snap* fel rheol. Casglodd C. H.
Dodd y lluniau bach hyn i gyd at ei gilydd, a gwneuthur
un darlun mawr ohonynt, er mwyn i ni weld y byd a'r

bywyd y daeth yr Iesu iddo, ac y bu fyw drwyddo pan oedd yma ar y ddaear,—ei weld yn ei symlrwydd a'i gyffredinedd a'i naturioldeb i gyd. Da o beth yw hyn rhag i neb feddwl mai mewn rhyw dŷ gwydr y bu Iesu Grist byw ar y ddaear, a than amodau gwahanol i'n bywyd ni.

Dyma rydd-gyfieithiad o'r darlun a osododd ef wrth ei gilydd.[1]

"Gosodir y llwyfan mewn tref fechan mewn ardal amaethyddol. Canolig a brith yw'r cymeriadau. Cymeriad nodweddiadol yw'r gŵr o berchen tŷ sydd yn trin gwinllan, ef a'i feibion, ac yn llogi garddwr ar dro i'w helpu. Ceidw ychydig bennau o ychen, ac asyn neu ddau, a rhaid eu gollwng i'r dŵr Sul, gŵyl a gwaith. Y mae'n aredig rhyw gornel o gae, ac yn tyfu llysiau yn ei ardd. Tir digon gwael sydd ganddo gan mwyaf, ac yn dioddef oddi wrth felltith tir erioed, sef drain ac ysgall a mieri, ond ambell lain go rywiog hefyd a dâl ar ei chanfed am ei thrin.

"Y mae'r tyddynnwr hwn yn ddyn sydd ynghylch ei fusnes. Ni welir mohono yn gwastraffu ei amser i yfed te os bydd siawns am fargen mewn ffair yn rhywle, neu os bydd galw am ddal pâr o ychen wrth yr aradr. Y maent yn malu'r ŷd gartref, ac yn tylino a phobi yn y gegin. Bara cartref fydd ar y ford, gydag ambell wy neu bysgodyn. Dyna'r arlwy arferol, er y bydd yno ddarn o gig rhost ar ddiwrnod gwledd.

"Un ystafell, ond odid, a fydd yn y tŷ, a'r teulu i gyd yn ymgasglu yno gyda'r hwyr, a'r lamp ynghynn. Eithr y maent yn byw yn eithaf cyfforddus drwy ddarbodi gyda'r dillad a gofalu nad â dim i golli. Bydd aml glwt ar lodrau'r llanc, ond fel yna y daw deupen y llinyn ynghyd.

"Y mae gan ambell dyddynnwr ' hen hosan ' bur lawn, a esyd demtasiwn i ladron Jericho, ac nid peth anghyffredin fydd i'r ysbeiliwr dorri i mewn i dŷ wedi bo nos, rhwymo'r perchen wrth bost ei wely, a dianc gyda'r ysbail ! Gall ddigwydd ar dro iddo ddyfod o hyd i drysor

---

[1] *The Authority of the Bible*, tt. 148–151.

yn y ddaear,—trysor a guddiwyd yno gan rywun ar gyfer
diwrnod glawog, ac â yntau at berchen y darn hwnnw o
dir a'i brynu ar *spec*. Gwyr, yn ôl cyfraith y wlad, mai
ef a fydd berchen arno wedyn. A bydd hynny yn foddhad
mawr iddo, oherwydd un o'i ofnau mwyaf yw disgyn i
ddwylo'r echwynnwr neu'r cyfreithiwr. Pe digwyddai
hynny gallai ei gael ei hunan heb grys ar ei gefn. Y mae'r
cyfreithwyr yma mor gydwybodol ! Y peth doethaf yw
ceisio setlo'i helyntion y tu allan i'r cwrt. Cadw draw
oddi wrth swyddogion a threthwyr yw'r peth callaf. Sarhad
ar ddyn yw bod yn gyfeillgar â neb ohonynt hwy.

" Ceir aelodau mwy cefnog yn yr ardal, mae'n wir,
ambell un sy'n gorfod cyflogi rhagor o weithwyr at y
tymhorau prysur, a'r ffermwr mawr sydd yn cadw caethion
i aredig a hau ei feysydd. Ac mewn ambell fan bydd beili
yn edrych ar ôl y gweision. Wedyn dyna ddyn yr arian
mawr sydd yn marchnata mewn gwinoedd ac olew, ac yn
gorfod mynd ar deithiau pell ynglŷn â'i fusnes, gan ddisgwyl
i'w weision ofalu am y stad gartref. Ac yn eu plith ceir y
dyn a wnaeth ei ffortiwn, a'i fyd da yn helaethwych beu-
nydd, tra cura'r cardotyn yn ofer wrth ei ddôr. Nid yw'r
gymdeithas hon heb adnabod y meistr tir sydd yn byw
ymhell o dre, hwnnw sydd yn gosod ei dir i denantiaid, ac
yn degymu cynnyrch y tir fel rhent. Ni fedd yr ardalwyr
fawr o gariad tuag at y drefn hon chwaith. Gwell ganddynt
feddu eu tyddyn bach eu hunain, ac nid unwaith na dwy-
waith y gwelwyd y tenantiaid yn cyhoeddi rhyfel y degwm,
a hyd yn oed yn maeddu a lladd gweision y meistr tir. Nid
eu bod yn ennill rhyw lawer drwy hynny, oblegid gall y
landlord gael help byddin y brenin i roddi taw ar y gwrth-
ryfelwyr.

" Daw cymeriadau eraill i'r llwyfan o dro i dro,—y
bugail a'r pysgodwr, y marchnatawr a'r adeiladydd, y
meddyg a'r offeiriad, a'r lleidr pen-ffordd . . . Ac ar y
cyfan cymdeithas fach gymdogol yw hi, lle mae pawb â'i
fys ym mrywes pawb arall, a'r drws yn agored. Pan foch
ar daith fe elwch i edrych am eich cyfaill, a chewch groeso
at y bwrdd. Pe digwyddech alw a'r cwpwrdd yn wag,
caiff eich ffrind fenthyg gan ei gymydog. A bydd yno

gryn wledda o dro i dro, yn enwedig os daw un o'r plant adref neu ar ddiwrnod priodas."

Tebyg i hynyna oedd bywyd yng Ngalilea yn y cylchoedd y troai Iesu Grist ynddynt, cymysgfa fawr o drefn ac anhrefn, a'r cyfan yn hollol naturiol ac yn hollol ddynol.

Oddi wrth y darlun cyfan gwelwn mor hoff oedd yr Arglwydd Iesu o Natur, ac mor gyfarwydd ydoedd â'i dirgelion. Iddo Ef, fel i Islwyn, yr oedd y greadig-aeth yn gysegredig, yn sacrament, ac yn ddrych o'r byd ysbrydol. Y mae'r egwyddor hon yn sail i'w holl gymariaethau :

> " This sense of the divineness of the natural order is the major premise of all parables, and it is the point where Jesus differs most profoundly from the outlook of the Jewish apocalyptists with whose ideas He had on some sides much sympathy".[1]

(Byddai'n fuddiol i ddiwinyddion o dueddiadau apocalyptaidd osod hyn at eu calon). Sylwai Ei lygad craff ar ffyrdd yr adar. Gwyddai pa le y casglai'r eryrod, a pha le y disgynnai'r brain. Hoffai'r golomen, a'r iâr yn casglu ei chywion o dan ei hadenydd. Ac nid oedd adar y to islaw Ei sylw. Yr oedd Iesu Grist yn adnabod dafad a chi, asyn a chamel, bleiddiaid a moch, seirff ac ysgorpionau, a dysgai'r rhain rywbeth iddo i gyd. Gwyliodd y tymhorau a'u heffaith ar ddaear Palesteina. Siaradai'r pren crin a'r ffigys-bren diffrwyth ag Ef, a gwyddai am ddifrod drain ac ysgall. Yn wir, dengys Ei ddamhegion, lawer ohonynt, ffrwyth sylwadaeth anghyffredin o Natur, ac o gariad tuag ati.

---

[1] *Parables of the Kingdom*, Dodd. t. 22.

Eithr nid prennau crin na diffrwyth yw Ei ddam-
hegion Ef. Parhânt yn fythol wyrdd. Er gwaethaf
yr esbonio medrus ac anfedrus a fu arnynt yng
nghwrs y canrifoedd, er yr holl faeth a dynnwyd
ohonynt o oes i oes, y mae eu rhin yn parhau.
Pan gofir am yr holl bregethwyr ac athrawon a fu,
ac y sydd, o Saboth i Saboth yn eu trin a'u trafod,
yn eu haralleirio a'u moderneiddio ac yn rhoi teitlau
newydd iddynt, rhyfedd na flinasai pobl arnynt.
Ond cânt gystal blas ar wrando'r ddameg ag a gânt
ar ddim arall.

A'r rheswm pennaf am hynny yn ddiau yw mai
geiriau yr Iesu Ei Hun ydynt. Gallwn fod yn sicrach
o'u dilysrwydd fel geiriau'r Iesu nag o unrhyw eiriau
eraill a briodolir iddo yn yr Efengylau. Dylid cofio
mai ar lafar y cafwyd geiriau'r Iesu i ddechrau, ac
mai ar lafar y cadwyd hwynt am chwarter canrif ar
ôl Ei farw. Mewn Aramaeg, ond odid, y llefarwyd
hwynt ; ond yn ôl pob tebyg mewn Groeg y rhoddwyd
hwynt ar gof a chadw. Cam diweddarach wedyn
oedd eu gosod mewn trefn gan yr Efengylwyr, fel
mai trydedd neu bedwaredd law ydynt erbyn ein
cyrraedd ni yn y Testament Cymraeg. Ond er y
trosglwyddo, ac er pob perygl sydd i stori yn y tros-
glwyddo ohoni, gallwn fod yn sicrach o ddilysrwydd
y damhegion nag o unrhyw eiriau eraill a briodolir
i'r Iesu. Dyna farn yr ysgolheigion.

"Certainly," ebe   C. H. Dodd, "there is no part
of the Gospel record which has for the reader a clearer
ring of authenticity".[1]

---

[1] *Parables of the Kingdom.* t. 11.

A'r un yw **barn** Oesterley :

" The parables so far as their essence is concerned are in
their present form substantially the same as when first
uttered by our Lord ".[1]

Os felly, y mae rhyfeddod parhad rhin Ei eiriau yn
rhan o'i ryfeddod Ef Ei Hun :

" Rhyfeddod a bery'n ddiddarfod
Yw'r ffordd a gymerodd Efe "

ar air fel ar weithred.

Cwestiwn y trafodwyd llawer arno yw'r cwestiwn
paham y llefarodd Iesu Grist ar ddamhegion. Gall-
esid meddwl bod yr ateb yn syml a digamsyniol,—
er mwyn dysgu, er mwyn gwneud Ei feddwl yn glir
ac yn gofiadwy, ac er mwyn argyhoeddi.   Ond y
mae'r ateb yn gwrthdaro yn erbyn geiriau a groniclir
ym Marc iv. 10–13. A'r adnod sy'n peri tramgwydd
yw'r unfed ar ddeg. " Ac efe a ddywedodd wrthynt,
I chwi y rhodded gwybod dirgelwch teyrnas Dduw :
eithr i'r rhai sydd allan, ar ddamhegion y gweir pob
peth." Amcan llefaru ar ddamhegion yn ôl yr adnod
hon, fel y mae, yw cuddio'r gwirionedd oddi wrth
y gwrandawyr. Ac yn ôl rhai esbonwyr dyna yw
amcan dameg. Felly y dywed y Parch. J. Roger
Jones " [2]

" Camgymeriad ydyw meddwl mai amcan dameg ydyw
gwneud gwirionedd yn haws i'w ddeall fel y gwna egureb
mewn pregeth.   Amcan cyntaf dameg ydyw cuddio'r
gwirionedd oddi wrth bawb ond y rhai sy'n gymwys i'w
dderbyn."

Mae'n wir yr ychwanega'r Parch. J. Roger Jones
mai dros dro y mae'r cuddio er mwyn datguddio'r

---

[1] Op. cit., t. 12.
[2] *Esboniad ar Efengyl Mathew xiii.–xxviii.*, t. 8.

gwirionedd yn y man "mewn ffordd a'i gyr adref
â mwy o rym i galon y gwrandawyr." Ond prin y
gwna hyn gyfiawnder â'r rhan fwyaf o ddamhegion
yr Iesu, a phrin iawn y deil fel eglurhad ar Ei amcan
yn llefaru ar ddamhegion. Y mae'r eglurhad hwn yn
awgrymu nad oedd yr Arglwydd Iesu yn awyddus iawn
i gael Ei ddeall ar unwaith, a hefyd fod arno ofn i'w
elynion Ei ddeall yn rhy fuan.

Pa fodd yr esbonnir yr adnodau yn Efengyl Marc
ynteu ? Awgrym rhai fel Dodd ac A. T. Cadoux
yw eu hesbonio i ffwrdd. Nid geiriau'r Iesu mohonynt
meddent hwy, ond eglurhad yr Eglwys Fore ar baham
na ddeallwyd yr Iesu yn Ei ddydd, ac i'r efengylydd
eu priodoli i'r Iesu. Ateb yw Marc iv. 10–13 i gwestiwn
a gyfododd ar ôl marw Iesu Grist, sef, paham na
lwyddodd Ef i ennill yr Iddewon. Ond ceir llawer
o esbonwyr yn anfodlon ar yr esboniad rhwydd hwn.
Y ffordd rwyddaf gan rai i ddatod cwlwm yw ei
dorri !

Awgryma Manson fod dameg yn arwyddocaol mewn
dwy ffordd. Y mae iddi ei hystyr fel stori ar yr wyneb,
ac y mae iddi ystyr o dan yr wyneb, ac o safbwynt
llefarwr y ddameg yr ail ystyr sydd yn bwysig. Ond
gall gwrandawr ddeall a mwynhau'r ddameg fel
stori a bod yn gwbl ddiddeall o'i hystyr a'i neges iddo
ef yn bersonol. Dibynna effeithiolrwydd dameg yn
gyfan gwbl ar y llygad i weld a'r glust i wrando ar ran
y gwrandawr. A hynny oedd yn ddiffygiol mewn
llawer o wrandawyr yr Iesu yn Ei ddydd. Nid oedd
holl siarad yr Iesu am Deyrnas Dduw yn ddim ond
storïau difyr iddynt hwy ; ni welent drwyddynt i
ddirgelion y Deyrnas. Ystyr yr adnodau Marc iv,
10–13 felly yw bod popeth ar ddamhegion i'r torfeydd

nid er mwyn iddynt beidio â deall, ond am na fynnant ddeall.[1] Nid caledu calonnau'r gwrandawyr yw pwrpas y damhegion, ond caledwch calonnau'r gwrandawyr sydd yn peri i'r ddameg fethu yn ei phwrpas.

Dichon mai camddealltwriaeth o feddwl yr Iesu ar ran yr efengylydd yw'r geiriau fel y maent ym Marc iv. 10–13, ond mwy na thebyg mai'r Cyfieithiad Awdurdodedig sy'n gamarweiniol. Dileir yr anhawster gan gyfieithiad y Brifysgol. "A phan gafwyd ef wrtho'i hun, dechreuodd y rhai oedd o'i gylch gyda'r deuddeg ei holi am y damhegion. Ac meddai wrthynt, 'I chwi y rhodded cyfrinach teyrnas Dduw; ond i'r rhai acw sydd allan, ar ddamhegion y bydd y cwbl, fel

> er gweled a gweled, na chanfyddont,
> ac er clywed a chlywed, na ddeallont,
> rhag ysgatfydd iddynt droi a maddau iddynt, "

Yn bersonol, methaf weld y gwahaniaeth a awgrymir gan rai esbonwyr rhwng dameg ac eglureb mewn pregeth. Amcan stori'r pregethwr (o leiaf, dyna a ddylai ei hamcan fod) yw gyrru'r gwirionedd adref i galonnau'r gwrandawyr. Nid y stori ynddi ei hun sydd yn bwysig, ond ei hail ystyr, ei neges. Ac felly'r ddameg hithau. Y mae'r Dr. Curtis yn llygad ei le pan ddywed :

> "It is of the essence of a parable that, in relation to the subject which it is spoken to illustrate, it should not need a final explanation. It should indeed be self explaining, self-evident, in its application to the general theme. But, in practice, it presupposes what Jesus calls

---

[1] Am eu bod yn berchen yr hyn a eilw yr Archesgob Trench yn "the dulled ear, and the filmed eye." (Gweler ei *Notes on the Parables*, t. 17). Ac onid oes ystyr ddwbl i "the filmed eye" yn ein hoes ni ?

the hearing ear and the seeing eye, *i.e.*, willing attention, eagerness to learn, and intelligent insight".[1]

iii.

DEHONGLI'R DAMHEGION

Prawf o ddyfnder yr ail ystyr sydd i ddamhegion yr Arglwydd Iesu yw'r dehongli amrywiol a di-baid a geir ohonynt. Gallesid meddwl y ceir digon o lyfrau ar y damhegion heb ychwanegu un arall atynt, ond dyma un ar ôl y llall o hyd yn bwrw ei hatling i drysorfa'r esboniadaeth arnynt. Ac er bod gan bob un ryddid i ddehongli'r damhegion i'w fodlonrwydd ei hun, credwn fod rhai pwyntiau y dylid eu cadw mewn cof os ydym am gael gafael ar feddwl Crist ynddynt.

(*a*) Pe byddai gennyf ddawn Sarnicol i lunio epigram, ychwanegwn un arall at ei Ochelion ef, rhywbeth fel hyn :

Trin y Ddameg

Gochel yr esboniadau newydd, newydd,
Mae'r hen yn llawn tebycach o fod ar y trywydd !

Ceir mewn ambell esboniwr a phregethwr ryw awydd anniwall am fod yn newydd, a chynnig esboniad ar ddameg sy'n gwbl groes i'r esboniad arferol. Nid yw bod yn newydd o angenrheidrwydd yn gywir nac yn dda. A gaf fi daro tant yr hen ragymadroddwyr ? —' Os wyt ti, ddarllenydd mwyn, yn disgwyl dod ar draws rhywbeth newydd sbon yn y tudalennau sy'n dilyn, bydd barod yn awr i'th siomi. Nid oes dim clyfar yn dy aros.' Fy meddwl i yw, os yw

---

[1] Op. cit., t. 83.

Luc yn dweud mai wrth bublicanod a phechaduriaid
y llefarodd yr Arglwydd Iesu ddameg y Mab Afradlon,
ac os cydsyniodd yr Eglwys Gristionogol ar hyd yr
oesau yn bur unol i'w galw hi yn ddameg y Mab
Afradlon, i beth yn y byd mawr y mae eisiau ei galw
yn ddameg y Brawd Hynaf, neu'n ddameg y Tad ?
Ac os yw'r ddameg honno, fel y mae, yn un o glasuron
llenyddiaeth grefyddol, beth sydd i'w ennill wrth
ei moderneiddio hi yn ddidrugaredd ?   Dim !

(b) Ac eto rhaid i'r esboniad beidio â bod yn rhy
hen ei ddull !   Y cam mawr a gafodd y damhegion
hyd ddyddiau'r Archesgob Trench (a'r Dr. Owen
Evans yng Nghymru) oedd eu trin i gyd fel alegorïau.[1]
Fel enghraifft glasurol o hyn, cymerer dehongliad
Awstin Sant o ddameg y Samariad Trugarog.

Rhyw ddyn	—Adda.
Jerwsalem	—Y Ddinas nefol lawn o hedd y cwympodd Adda ohoni.
Jericho	—y lleuad, sy'n arwydd ein marwoldeb, am ei bod yn cael ei geni, yn cynyddu, yn edwino ac yn marw.
Lladron	—y diafol a'i lengoedd.
Gan ei ddiosg	—*h.y.*, o'i anfarwoldeb.
A'i guro	—*h.y.*, drwy ei berswadio i bechu.
Hanner marw	—oherwydd, mor bell ag y medr dyn ddeall ac adnabod Duw, y mae'n fyw, ond cyhyd ag y bo dan orthrwm pechod, y mae'n farw.
Offeiriad a Lefiad	—Offeiriadaeth a gweinidogaeth yr Hen Destament, diymadferth er iachawdwriaeth.

---

[1] Teg yw nodi, er hynny, fod dysgawdwyr enwog fel Ter-
tullian, Origen a Chrysostom, yn y canrifoedd Cristionogol
cynnar, yn anghymeradwyo dehongli'r damhegion fel alegorïau.
Cytuna esbonwyr diweddar yn well â hwy nag a wnânt ag es-
bonwyr o Awstin Sant hyd yr Archesgob Trench.

Samariad   —Gwarcheidwad, *h.y.*, yr Arglwydd ei
                   Hun.

Rhwymo doluriau—atal pechod.

Olew   —cysur gobaith da.

Gwin   —anogaeth i weithio gydag ysbryd egnïol.

Anifail   —y cnawd, y darostyngodd Ef ei Hun
                   iddo.

Gosod ar gefn   —cred yn yr Ymgnawdoliad.
  anifail

Llety   —yr Eglwys, lle caiff y pererinion ad-
                   gyfnerthu ar eu ffordd yn ôl i'r nefol
                   wlad.

Yfory   —ar ôl atgyfodiad yr Arglwydd.

Dwy geiniog   —y ddau orchymyn mawr, neu'r ddau
                   addewid am y bywyd hwn a'r bywyd
                   tragwyddol.

Lletywr   —Yr Apostol (Paul).

Y talu ychwaneg—cyngor yr Apostol ynghylch gwyryfdod,
                   neu'r ffaith iddo weithio â'i ddwylo
                   ei hun rhag bod yn faich ar neb o'i
                   frodyr gwan pan oedd yr Efengyl yn
                   newydd, er ei bod yn gyfreithlon iddo
                   fyw wrth yr Efengyl.

Dyna'r ffordd gymeradwy o ddehongli'r dam-
hegion a fu mewn bri yn yr Eglwys am ganrifoedd
lawer, ac oddi wrth yr enghraifft eithafol uchod hawdd
gweld cymaint o dreisio a fu arnynt. Y mae'r method
hwn o'u trafod yn lladd eu holl symlrwydd, eu natur-
ioldeb a'u huniongyrchedd, ac yn difetha eu blas
llenyddol. Mwy na thebyg, er hynny, i'r hen dadau
crefyddol yng Nghymru gael cystal hwyl â neb, onid
gwell, ar ddadgymalu'r damhegion a gweld rhyw
ystyr ddofn ym mhob cymal, a phwy a warafunai
iddynt eu hwyl mewn Ysgol Sul a Chymanfa Bwnc ?
Yr oedd y Dr. Owen Evans yn drwm o dan ddylan-
wad y dehongliad alegorïaidd o'r damhegion, er iddo
ef ymdeimlo ag anawsterau'r method hwn :

" Ni ddylid," meddai, "sylfaenu athrawiaeth ar bob
ymadrodd mewn dammeg, oblegid ni cheir unrhyw gym-
hariaeth i gyfateb yn mhob peth i'r hyn yr amcenir ei
osod allan trwyddi"[1]

Dadl arall, a dadl gref, yn erbyn y dull hwn yw
iddo arwain fwy nag unwaith i gamddefnydd echrydus
o eiriau'r Iesu, er mwyn cyfiawnhau gweithredoedd
hollol groes i'w feddwl Ef. Er enghraifft, ymaflodd
Awstin Sant yn y frawddeg "a chymell hwynt i
ddyfod i mewn " yn nameg y Swper Mawr, a thynnodd
hi allan o'i chysylltiadau er mwyn cyfiawnhau gorfodi'r
Donatistiaid i ddyfod i mewn i'r Eglwys yng Ngogledd
Affrica. Dyma'i eiriau :

" Yr ydych chwi o'r farn na ddylid gorfodi neb i ddilyn
cyfiawnder ; ac eto fe ddarllenwch i ŵr y tŷ ddweud wrth
ei weision : ' Pwy bynnag y deuwch o hyd iddynt, gor-
fodwch hwynt i ddyfod i mewn.' . . . Weithiau daw'r
bugail â'r defaid crwydrol yn ôl i'r ddiadell gyda'i ffon . . .
Yr hyn y dylid ei ystyried yw nid y ffaith o orfodaeth fel
y cyfryw, ond pa un ai da ai drwg o ran ei natur yw'r hyn
y gorfodir dyn iddo".[2]

Ac y mae sôn am Bab a ddefnyddiodd yr un geiriau
yn union i gyfiawnhau erledigaeth.

Wrth sôn am gamddefnydd o'r damhegion yn
codi oddi ar gamddehongliad ohonynt, gochelwn
rhag tynnu casgliadau cyffredinol oddi wrth gymer-
iadau yn y damhegion. Nid oedd pob Samariad
yn drugarog, ac nid oedd pob Offeiriad a Lefiad fel
y rhai a gerddai o Jerwsalem i Jericho. Nid yw
pob Gŵr Goludog fel hwnnw a anwybyddai Lasarus
y cardotyn wrth ei ddrws, ac nid yw pob dyn tlawd
yn mynd i fynwes Abraham. Nid yw'r mab ieuangaf

---

[1] *Dammegion Crist*, t. 126.

[2] Awstin, Llythyr xciii. I Vincentius, adrannau 5 a 16.

mewn teulu yn debycach na'i frawd hynaf o angen-
rheidrwydd o fynd yn afradlon; a cheir digon o
frodyr da, a fu gartref yn ffyddlon gyda'u tad, a lawen-
ychodd fel yntau o weld yr afradlon yn dod yn ôl.

Y peth doethaf o safbwynt gwneud chwarae teg
â'r damhegion yw anwybyddu'r dull alegorïaidd, a
chwilio am ffordd arall i'w dehongli.

(c) Gwnaed hynny yn feistraidd ddechrau'r ganrif
hon gan yr Almaenwr Adolf Jülicher yn ei waith mawr
ar y damhegion a gyhoeddodd o 1899 i 1910. (A
ddichon dim da ddyfod o'r Almaen!) A'i ddilyn ef,
mwy neu lai, a wna pob esboniwr er hynny. Ei
bwyslais yw mai un pwynt mawr sydd i ddameg,
un neges, un gwirionedd canolog. Dyna'r gwahan-
iaeth rhwng dameg ac alegori. Un neges fawr sydd
i ddameg a ddaw yn amlwg drwy'r stori gyfan, ond
y mae alegori yn arwyddocaol ym mhob cymal ohoni.
Yn ôl Jülicher dylid delio â phob dameg fel stori
a'i gwrando hi i gyd, ac yna ystyried ei neges yn ei
chyfanrwydd. A'i awgrym ef yw mai'r dehongliad
tebycaf o fod yn gywir yw'r gwirionedd mwyaf cyff-
redinol a ellir ei dynnu o'r ddameg. Er enghraifft,
yn ei esboniad ar ddameg y Talentau, dywed, " Rhaid
i ni ochri dros y cymhwysiad lletaf posibl, sef ffydd-
londeb ym mhob peth a ymddiriedodd Duw i ni".[1]

Tuedd pob ysgol newydd mewn diwinyddiaeth a
Beirniadaeth Feiblaidd yw mynd i eithafion, a dyna
farn esbonwyr diweddarach am ysgol Jülicher erbyn
hyn. Cytuna pawb y dylid yn gyntaf geisio dod o
hyd i wirionedd sylfaenol, canolog y ddameg, ond
nid yw'n dilyn mai dyna'r unig addysg a goleuni a

---

[1] Dyfynnir gan C. H. Dodd, op. cit., t. 24.

geir ohoni. Amcan manylion y ddameg yw, nid
sefyll dros ryw wirionedd annibynnol ar bwynt y
stori gyfan, ond gwasanaethu ei phrif neges. Eithr
gan mor gelfydd y lluniwyd y damhegion gan y Meistr
mawr, egyr y manylion hwythau yn fynych ddorau
o wirionedd a doethineb o'n blaen, ac y mae'n rhydd
inni fyned i mewn drwyddynt. Dyfynnwn eto eiriau'r
Dr. Curtis :

> " and though in general they have each one truth to
> teach, they excite the imagination so that vistas are opened
> up to speculation and inference as well as to immediate
> application. Provided their first meaning and purpose
> are grasped in their simplicity, we are at liberty to explore
> those vistas and to discern fresh applications of the principles
> so convincingly set forth, and there is endless profit in the
> process. Alike for theology and for life their guidance is
> inexhaustible. Nothing in them has aged and weathered
> but the fashion of their language and their racial setting".[1]

(*ch*) Daw'r gair olaf a ddyfynnwyd â ni at fater
cefndir y damhegion, ac y mae hwnnw'n fater pwysig
iawn i bwrpas eu dehongli, eu " cefndir mewn bywyd "
ys dywed C. H. Dodd. (Cyfrannodd C. H. Dodd ac
A. T. Cadoux yn wych ar y llinell yma). Y mae
dameg yn hollol berthnasol i'r sefyllfa y llefarwyd
hi ynddi gyntaf, a pho bellaf yr awn oddi wrth y
sefyllfa honno, po fwyaf a anghofiwn arni, mwyaf
dieithr ac annealladwy yr â'r ddameg. Er enghraifft,
y mae dameg Nathan y proffwyd am y gŵr tlawd a'r
oenig fechan yn hollol berthnasol i gysylltiad Dafydd
frenin â Bathseba gwraig Urïas yr Hethiad (2 Samuel
xii. 1–7). Dylid cofio'n wastadol mai yn nhŷ Simon y
Pharisead ac yng ngŵydd Mair Magdalen y llefarodd

---

[1] Op. cit., t. 87.

yr Arglwydd Iesu ei ddameg am y ddau ddyledwr.
Gwaith anodd iawn yn fynych yw dod o hyd i'r cefn-
dir cywir, ac ni ellir dod yn nes i'r ' sefyllfa ar y pryd '
y llefarwyd ambell ddameg ynddi na chefndir cyff-
redinol gweinidogaeth yr Iesu. Tasg dehonglydd y
damhegion, er hynny, yw gwneud ei orau i'w ɔsod ei
hun wrth ochr gwrandawyr cyntaf y damhegion o
enau'r Meistr a'u llefarodd, a cheisio gwerthfawrogi'r
cymhwysiad a awgrymai'r ddameg i'r sawl a'i clywodd
hi gyntaf.

Y mae hyn yn bwysig am mai un o nodweddion
amlycaf dameg yw argyhoeddi a dwyn gwrandawyr
i farn. Nid brws yn llaw y peintiwr yw dameg yn
gymaint â saeth yn llaw y saethwr. Ac y mae gan
saethwr ɩywun neu rywbeth i anelu ato'n wastadol.
Felly'r Arglwydd Iesu gyɗa'i ddamhegion,—yr oedd
Ei eiriau yn "llymach nag un cleddyf daufiniog, ac
yn cyrhaeddyd trwodd hyd wahaniad yr enaid a'r
ysbryd, a'r cymalau a'r mêr ; ac yn barnu meddyliau
a bwriadau'r galon." Gan hynny ceir Tŷ Dehonglydd
y damhegion ar y ffordd sydd yn arwain drwy ein
barn am y sefyllfa y llefarwyd y damhegion ynddynt,
ac nid ar lwybr ein gallu i ddadgymalu pob elfen yn
y stori.

(d) Amrywiol iawn yw barn esbonwyr ar y cwestiwn
a ddehonglodd yr Arglwydd Iesu Ei ddamhegion
Ei hunan. Fel y gwyddys, priodolir rhai cymwys-
iadau iddo yn yr Efengylau, megis o ddamhegion
yr Heuwr a'r Efrau a'r Rhwyd. Ai eiddo Iesu Grist
ynteu'r Efengylwr yw'r dehongliadau hyn ? Barn
bendant A. T. Cadoux yw mai gwaith athrawon a
phregethwyr yr Eglwys Fore ydynt, wedi eu croniclo
a'u cadw gan yr Efengylwr. Nid yw C. H. Dodd mor

bendant, ac awgryma ef y gallant berthyn i'r tra-
·ddodiad cynharaf o eiriau'r Iesu, er y gwêl yntau ôl
llaw yr Efengylwr yn drwm arnynt. Y mae W. O. E.
Oesterley yn sicrach ei feddwl mai geiriau'r Iesu
ydynt. A hanerog ei farn yw McNeile. Cred ef fod
yr Iesu wedi dehongli dameg yr Heuwr, ond mai
geiriau a briodolir iddo yw'r esboniadau ar yr Efrau
a'r Rhwyd. Gwneir sylw fel hyn gan C. G. Montefiore
ar Marc ix. 28 : " When Jesus gives private explana-
tions, we suspect that the Evangelist himself is at
work",[1] ac y mae hwn yn osodiad cyffredinol.

Dadl esboniwr fel Cadoux yw, os oedd yr Arglwydd
Iesu yn arfer dehongli Ei ddamhegion Ei Hun, paham
na chadwesid mwy ohonynt ? Barna hefyd nad yw'r
dehongliad o ddameg yr Heuwr, er enghraifft, hanner
mor gelfydd â'r ddameg ei hun. Yn wir, meddai ef,
y mae'r dehongliad yn gŵyrdroi holl bwyslais y
ddameg. Y mae pwyslais y ddameg ar sicrwydd
cynhaeaf er gwaethaf yr anawsterau. Ar yr anaws-
terau a'r methiant y mae pwyslais yr esboniad. At
hyn, bradycha'r esboniad sefyllfa ac amgylchiadau
cyfnod diweddarach nag eiddo'r Iesu, pan gyfeiria
at erledigaeth a pheryglon bydolrwydd, ac yn y
blaen.

Tyn C. H. Dodd, yntau, sylw at y ffaith fod rhai
damhegion yn awgrymu eu cymhwysiad ar y pryd,
a chred ef fod hyn yn perthyn i'r traddodiad cynharaf,
i ffynonellau yr Efengylau. Eithr mewn achosion
eraill cawn le i amau a yw'r cymhwysiad yn wreiddiol
ynteu gwaith yr Efengylwr ydyw, yn cynrychioli
esboniadaeth yr eglwys lle trigai. Ceir damhegion

---

[1] *The Synoptic Gospels*, Vol. 1, t. 213.

a metafforau heb gymhwysiad mewn un Efengyl,
ond gyda chymhwysiad yn y llall. Er enghraifft,
y mae Mathew yn cymhwyso metaffor y gannwyll
(v. 16), eithr ni wneir hynny gan Marc (iv. 21) na
Luc (viii. 16). Sylwer hefyd y ceir yn yr Efengylau
fwy nag un cymhwysiad o'r un ddameg neu fetaffor,
a hynny weithiau gan yr un Efengylwr (Luc xvi. 8–12).

Ynglŷn â hyn oni ddylid barnu nad unwaith na
dwywaith y llefarodd Iesu Grist ei wahanol ddam-
hegion, ond iddo lefaru yr un ddameg ar achlysuron
gwahanol i ddysgu gwersi gwahanol ? Er esiampl,
gellid credu'n rhwydd iddo lefaru dameg y Goruch-
wyliwr Anghyfiawn un tro i ddysgu callineb i blant
y goleuni oddi wrth blant y byd hwn (Luc xvi. 8) ;
dro arall i gyhoeddi'r gwirionedd " Y neb sydd ffydd-
lon yn y lleiaf, sydd ffyddlon hefyd mewn llawer ;
a'r neb sydd anghyfiawn yn y lleiaf, sydd anghyfiawn
hefyd mewn llawer " (adnod 10). A thrydydd tro
hefyd i argyhoeddi rhywrai, " oni buoch ffyddlon
yn y mamon anghyfiawn, pwy a ymddiried ichwi
am y gwir olud ? " (adnod 11).

Ar yr holl fater hwn anodd yw myned heibio i
ddoethineb geiriau'r Dr. Oesterley :

> " We do not for a moment deny that . . . . re-
> interpretations are to be discerned in connexion with
> some of the parables ; but we cannot get away from the
> conviction that in some cases, at any rate, these re-
> interpretations are based on some actual explanatory
> words of our Lord. That the interpretation is not con-
> sistent with itself, and does not really fit the parable,
> does not necessarily contradict this, for it may reflect
> what was uttered by our Lord, though inadequately re-
> corded by the evangelist".[1]

---

[1] *The Gospel Parables*, t. 39.

(dd) Arweinia hyn ni at gwestiwn trosglwyddiad
yr Efengylau, a'r damhegion sydd ynddynt yn ar-
bennig. Yn ychwanegol at chwilio am gysylltiadau
dameg a chofio ei chefndir mewn bywyd, rhaid cofio'n
wastadol mai stori a gadwyd ar lafar ydoedd am
gyfnod, a'i thraddodi o dad i'w blentyn ac o athro
i ddisgybl. Aeth mwy na deng mlynedd ar hugain
heibio cyn i'r Efengylwyr " ysgrifennu mewn trefn,"
" megis y traddodasant hwy i ni, y rhai oeddynt
eu hunain o'r dechreuad yn gweled, ac yn weinidogion
y gair " (Luc i. 2–3). Cofier felly mai mewn Aramaeg
y llefarwyd y damhegion a diau mai mewn Groeg
(a hwnnw yn Roeg arbennig) yr ysgrifennwyd hwynt
gyntaf, ac mai proses diweddarach wedyn oedd eu
gosod allan mewn trefn gan yr Efengylwyr.

" Chwedl a gynydda fel caseg eira," ebe Theophilus
Evans, a hawdd fuasai i rywrai farnu'n frysiog na
ellir dod o hyd i eiriau'r Iesu o gwbl yn yr Efengylau,
mai chwedl yw'r cyfan i gyd. Gwelsom eisoes mor
gyfeiliornus fyddai barn o'r fath, ac fel y cytunir mor
unair i gydnabod dilysrwydd damhegion Crist. Nid
yw cydnabod hynny yn rheswm dros anwybyddu
problem eu trosglwyddiad. A dylem ddeall erbyn
hyn nad yn eu cywirdeb llythrennol air am air fel
geiriau'r Iesu y mae gwerth y damhegion, ond yn
eu dawn i fynegi Ei feddwl Ef. Ac fel y dywedodd
Sylwedydd yn ei Sylwadau yn *Y Goleuad*,[1] " Onid y
gwir yw bod grym ergyd ambell ddigwyddiad yn
dallu dyn i fanylion llythyren y stori amdano ? "
A chyfeiria ef at enghraifft ddiddorol o hynny yn
llyfr y Parch. G. Wynne Griffith *Datblygiad a Dat-*

---

[1] Gorff. 10, 1946.

guddiad. Rhydd Mr. Griffith hanes cyfarfod o'r Gymdeithas Brydeinig yn Rhydychen yn 1860, lle bu gwrthdrawiad cofiadwy rhwng yr Esgob Wilberforce a T. H. Huxley ar bwnc athrawiaeth datblygiad :

" Dyma fel yr edrydd ysgrifennydd yn y *Macmillan's Magazine* stori'r hyn a ddilynodd : ' Cododd Mr. Huxley yn araf a hamddenol. Gŵr tal, eiddil, llwyd a llym ei wedd, yn dawel iawn ac yn ddifrif iawn, safodd o'n blaen a siaradodd y geiriau aruthr—geiriau nad oes neb yn hollol sicr ohonynt yn awr, ac na allai neb, mi dybiaf, eu cofio'n llythrennol gan i'w hystyr ddwyn ein hanadl ymaith, er nad oedd unrhyw amheuaeth ym meddwl neb beth ydoedd . . . Nid amheuodd neb ystyr ei eiriau ac yr oedd yr effaith yn ysgubol'."[1]

Os oedd geiriau gŵr a amddiffynnai'r gwirionedd mor syfrdanol ac aruthr, pa faint mwy syfrdanol oedd geiriau Gwirionedd ei Hun !

---

[1] op. cit., t. 38.

DAMEG YR HEUWR

Y dydd hwnnw aeth yr Iesu allan o'r tŷ, ac eistedd ar lan
y môr ; ac ymgasglodd ato dyrfaoedd lawer, nes iddo fynd i'r
llong ac eistedd ynddi, a safai'r holl dyrfa ar y lan. A llefarodd
wrthynt lawer ar ddamhegion gan ddywedyd, " Wele, aeth yr
heuwr allan i hau ; ac wrth iddo hau, syrthiodd rhai o'r had ar fin
y ffordd, a daeth yr adar a'u difa. Ac eraill a syrthiodd ar y
creigleoedd lle nid oedd iddynt fawr ddaear ; ac yn ebrwydd
y tarddasant am nad oedd iddynt ddyfnder daear. A phan
gododd yr haul[1] fe'u deifiwyd ; ac am nad oedd iddynt wreiddyn,
gwywasant. Ac eraill a syrthiodd ar y drain, a thyfodd y
drain, a'u tagu. Ac eraill a syrthiodd ar y tir da ; a rhoi ffrwyth,
peth gant, a pheth drigain, a pheth ddeg ar hugain. Y neb
sydd ganddo glustiau, gwrandawed." . . . " Chwychwi gan
hynny, clywch ddameg yr heuwr. Pan glywo neb air y deyrnas
a heb ei ddeall, fe ddaw'r un drwg, a chipio'r hyn a heuwyd yn
ei galon ef. Hwn yw'r un a heuwyd ar fin y ffordd. A'r un a
heuwyd ar y creigleoedd, hwn yw'r un a glyw'r gair ac yn
ebrwydd gyda llawenydd a'i derbyn ef ; ond nid oes ganddo
wreiddyn ynddo'i hun, eithr dros amser y mae, a phan ddêl
gwasgfa neu erlid o achos y gair, yn ebrwydd y rhwystrir ef.
A'r un a heuwyd yn y drain, hwn yw'r un a glyw'r gair, a phryder
y byd a hudoliaeth golud a dag y gair, a diffrwyth fydd. A'r
un a heuwyd ar y tir da, hwn yw'r un a glyw'r gair ac a'i deall,
a hwnnw a ddwg ffrwyth ac a rydd beth gant, peth drigain,
a pheth ddeg ar hugain."

—Mathew xiii. 1–9, 18–23.

DAMEG YR HEUWR

Mathew xiii. 1–9, 18–23 ; *Marc iv.* 1–9, 13–20 ;
Luc viii. 4–8, 11–15.

DYMA un o'r ychydig ddamhegion yn y Testament
Newydd y priodolir dehongliad ohoni i'r Arglwydd
Iesu Grist ei Hun. Gwelsom eisoes[1] mor rhanedig eu

---

[1] Gweler y Rhagymadrodd t.xxx.

barn yw esbonwyr ar ddilysrwydd y dehongliad
hwnnw. Y mae'r ddameg ei hun, fodd bynnag, yn un
o'r rhai mwyaf naturiol ac agos at fywyd. Er mai
heuwr yn y Dwyrain, yn Ei wlad ei Hun, oedd ym
meddwl yr Iesu, nid oes dim a ddigwydd iddo yn
ddieithr i heuwr yng Nghymru. Ac y mae'r ddameg
yn un o'r rhai mwyaf ffrwythlon eu hawgrymiadau
ac yn un o'r rhai rhwyddaf i'w halegoreiddio.

Ond dylid cymhwyso safon yr un neges ati hithau,
a cheisio cael gafael ar y gwirionedd canolog y bwriad-
wyd hi yn wreiddiol i'w ddysgu. Ac o wneuthur
hynny, credwn mai ei hamcan yw egluro un o ddirgel-
ion Teyrnas Nefoedd, sef, paham y mae'r Deyrnas mor
araf yn cael derbyniad gan ddynion. Daeth Iesu
Grist gan gyhoeddi Efengyl y Deyrnas (Mathew iv.
17, 23), a galw ar ddynion i edifarhau a myned i
mewn iddi. Ac ar y dechrau cafodd Ei apêl dderbyn-
iad croesawgar. "Ac o bob parth y daethant ato
ef," meddai Marc wrth adrodd hanes dechreuad Ei
weinidogaeth (i. 45). "Ac wedi ei ddyfod ef i waered
o'r mynydd, torfeydd lawer a'i canlynasant ef" yw
tystiolaeth Mathew (viii. 1). Ond yn fuan aeth y
dyrfa'n llai, aeth yr arweinwyr crefyddol (a gellid
disgwyl am gefnogaeth ganddynt hwy o bawb) yn
elyniaethus.

A dyma ddirgelwch. Paham ? Os yr Iesu yw'r
Gwaredwr paham na chred pobl ynddo ? Paham nad
ymatebant yn eiddgar a diolchgar i'w neges ? Ar
bwy y mae'r bai? Ymh'le y mae'r bai ? Ai ar y neges
ei hun ? Ai ar y ffordd y cyflwynir hi, ynteu ar y
bobl sydd yn ei gwrando ?

Ergyd dameg yr Heuwr yw mai ar y bobl y mae'r
bai. Dyma, ynteu, neges i'r gwrandawyr.

Ac y mae Iesu Grist, yn gyffelyb i athrawon Iddewig Ei ddydd, yn rhannu'r gwrandawyr i bedwar dosbarth. Felly y gwnâi'r Rabbiniaid. Y mae pedwar math o fyfyriwr yn perthyn i'r coleg, meddent. (1) Y rhai sydd yn mynd yno, ond byth yn gweithio. (2) Y rhai sydd yn gweithio, ond byth yn mynd yno. (3) Y rhai sydd yn mynd yno ac yn gweithio. (4) Y rhai sydd byth yn mynd yno na byth yn gweithio. A dyma ddarn arall o'u doethineb : y mae pedwar cymeriad i'r rhai sydd yn eistedd wrth draed y doethion, cyffelyb i ysbwng, twmffat, hidlen, a nithiwr. Y mae ysbwng yn sugno bopeth ; y mae twmffat yn derbyn drwy un pen, ac yn gollwng y cyfan drwy'r pen arall ; y mae hidlen yn gollwng y gwin ac yn cadw'r gwaddod ; y mae nithiwr yn gwrthod yr us ac yn cadw'r gwenith.

Yn gyffelyb y rhannai Iesu Grist Ei wrandawyr yn bedwar dosbarth, ac yr eglurai ddirgelwch arafwch Ei fuddugoliaeth.

Ystyriwch :—

1. Y *gwrandawyr caled.*

" Peth a syrthiodd ar fin y ffordd."

Golygfa gyffredin ym Mhalesteina, mae'n debyg, fyddai ffordd yn myned drwy ganol caeau heb glawdd na gwrych o boptu iddi. Ac wrth i'r heuwr hau'r had, syrthiai peth ar fin y ffordd, ac yn fuan byddai'r adar wedi ei lygadu a'i ddifa, neu fe'i sethrid dan draed y fforddolion a'i falu gan y cerbydau. Ni chaffai'r had gyfle i egino o gwbl ar fin y ffordd.

Pwy oedd ym meddwl Iesu Grist pan gyfeiriai fel hyn at yr hyn a heuwyd ar fin y ffordd ? Y Phariseaid,[1] yn bennaf, yn ddiau, Ei wrandawyr hunan-gyfiawn, calon-galed, nad oedd Ei neges yn mennu dim arnynt. Ni fuasai waeth iddo siarad wrth y wal na siarad wrthynt hwy. Clywent, ond ni wrandawent, ac ni chymerent ddim i'w clustiau.

Ac ni ddarfu gwrandawyr o'r fath o'r byd gydag oes yr Iesu ar y ddaear. Y maent yma o hyd, ac yn cyfrif am arafwch sylweddoli'r Deyrnas. Am amrywiol resymau caledwyd eu calonnau, caeasant eu meddyl-iau, ac nid oes iddynt ddiddanwch yn Iesu Grist a'i waith. Soniwch wrthynt am bethau ysbrydol dech-reuant ocheneidio ac agor eu cegau'n ddioglyd. Cod-wch unrhyw gwestiwn o bwys i'w drafod, y maent hwy yn *fed-up*. Byddai'n dreth arnynt fod ar eu pennau eu hunain am bum munud i ddarllen a myfyrio, rhaid cael digon o sŵn a digon o fynd a digon o newid i basio'r amser.

Yn wir, gwaith digalon yw cyhoeddi'r Efengyl i wrandawyr caled min y ffordd. Cofiaf gyd-fyfyriwr yn dychwelyd o'i gyhoeddiad y Sul i Goleg Bala-Bangor yn ddigon penisel. Dywedasai rhyw ddiacon yn " y seiat ar ôl " : " Mae'n debyg y dylem ni ddiolch i'r bachgen ifanc yma am ei sylwadau ; ond y mae'n ofnus fod y pethau da a glywn ni o Sul i Sul fel dŵr ar gefn hwyaden yn mynd i mewn drwy un glust ac allan drwy'r llall." Yr oedd y cymysgu ffigurau ar ran y diacon wedi diddanu rhyw ychydig ar y myfyr-iwr, ond ofnai mai'r gwir a ddywedwyd y noson honno.

---

[1] Ond er mwyn cael syniad cytbwys am y Phariseaid, gweler erthygl ragorol arnynt yn y *Traethodydd*, Ionawr 1946, gan y Parch. R. Gwilym Hughes.

Mor arwynebol yw diddordebau llu o bobl, fel y
darganfu'r genhades honno wrth bregethu i nifer o
ferched yn y Congo ! Buont yn syllu'n astud arni am
oddeutu hanner awr, ac yn ymddangos fel pe baent
yn cymryd y cyfan i mewn ; ond pan orffennodd hi
siarad, meddai un o'r gwrandawyr wrthi, " Beth
yw'r pethau gwydr yna ar ben eich trwyn chi ? "
Nid oedd eu holl astudrwydd ar ddim dyfnach na'i
sbectol hi !

Ond y mae hwn yn gyflwr difrifol i fod ynddo, ac,
yn ddi-ddadl, yn un o bechodau mawr ein dyddiau
ni, hunan-ddigonolrwydd, balchder ysbrydol, an-
edifeirwch,—pechodau'r calon-galed. Mor ddigalon
yw cyhoeddi maddeuant Duw i bobl heb ymdeimlad
o bechod ! Mor ddieffaith yw cynnig " goleuni gwybod-
aeth gogoniant Duw " i bobl sy'n gwybod pob peth !
Gweddïwn am i Haul y Cyfiawnder dywynnu'n
ddisglair eto ar ein heneidiau i doddi'r galon galed.

2. *Y gwrandawyr ansefydlog, di-ddal :*

" Peth arall a syrthiodd ar greigleoedd, lle ni chawsant
fawr ddaear : ac yn y man yr eginasant . . . ac am nad oedd
ganddynt wreiddyn, hwy a wywasant."

Y mae'n sicr fod nifer mawr o bobl felly'n gwrando
yr Arglwydd Iesu. Pobl felly wrth natur oedd y
Galileaid, gogleddwyr Palesteina, pobl frwd danbaid
am ysbaid, ond yn fuan yn llosgi allan. Dyn felly,
o bosibl, oedd Jwdas Iscariot, er nad Galilead oedd
ef. Ond ceir y bobl hyn yn y Gogledd a'r De yng
Nghymru fel ym Mhalesteina. Enw cyffredin arnynt
mewn rhai ardaloedd yw ' tân shiafins ' ! Ceid hwy
yn Athen gynt,—pobl barod i wrando ac i redeg ar
ôl rhyw newydd, cyhyd â'i fod yn newydd.

Yn eglwysi Cymru daw'r bobl hyn i'r amlwg yn fynych gyda gweinidog newydd. Y maent ar dân drosto, cyhyd â'i fod yn newydd. Ond y mae eisiau gweinidog newydd arnynt o leiaf bob dwy flynedd ! Buasai'n well i'r cyfryw rai beidio â thanio o gwbl na diffodd mor swta, neu weddïo am ddeuparth o ysbryd yr hen flaenor hwnnw yn Sir Fôn a dystiodd, pan oedd llawer o bobl yn yr ardal yn gadael y Meth-odistiaid, " Mi ddalia'i fy ngafael yn yr Hen Gorff tra bo blewyn ar ei gynffon o ! " Crefydd a ddeil yw angen mawr crefyddwyr y creigleoedd, a ddeil wawd a dirmyg, a ddeil demtasiynau ac amhoblog-rwydd.

3. Y gwrandawyr â gormod ar eu meddwl :

" A pheth arall a syrthiodd ymhlith y drain."

Ceir gair da yn Saesneg i ddisgrifio'r rhain,—the pre-occupied listeners. Yr oedd siawns gan yr had a heuwyd ymhlith y drain i dyfu, ceid digon o ddyfnder yno, eithr nid oedd yno ddigon o le, oblegid bod drain yno hefyd. Ac ni ellir tyfu drain a gwenith yn yr un maes. Os am wenith rhaid diwreiddio'r drain.

Cynifer o wrandawyr yr Efengyl sydd i'w cael â rhywbeth arall ar eu meddwl, rhywbeth arall yn mynd â'u hamser a'u bryd, fel na wnânt gyfiawnder â'r Efengyl ei hun. Un dosbarth felly ymhlith gwrandawyr yr Arglwydd Iesu oedd y tlodion. Ac yn nyddiau a gwlad yr Iesu yr oedd tlodi yn dlodi gwirioneddol, a rhywrai yn gorfod treulio eu holl ddyddiau yn brwydro am eu bara beunyddiol. Nid oes ddiben mewn sôn am y bara a bery byth wrth bobl ar eu cythlwng am fara beunyddiol. Ac ni wnâi Iesu Grist. Dangosai Ef bob cydymdeimlad â'r newynog a'r tlawd, a'i air i'w ddisgyblion ydoedd, " Rhoddwch chwi iddynt beth i'w fwyta."

Eithr prin y mae tlodi yn rheswm dros i lawer esgeuluso gwrando'r Efengyl yng Nghymru heddiw. Tlodi yw'r esgus yn aml, ond diogi yw'r rheswm.

Dosbarth arall â gormod ar eu meddwl yw'r *cyfoethogion.* " Mor anodd," meddai Iesu Grist, " yr â'r rhai y mae golud ganddynt i mewn i deyrnas Dduw." Cynifer o bobl sydd yn eu hesgusodi eu hunain er mwyn myned ynghylch yr ychen a brynwyd ganddynt, neu'r tyddyn y maent am ei feddiannu. Y mae ariangarwch, yn ôl Iesu Grist, yn gymaint, onid yn fwy, o rwystr i sylweddoli Teyrnas Nefoedd ag unrhyw bechod, ac nid oes un math o Gristion mewn enw yn fwy atgas na'r cybydd.

Onid oes eisiau chwynnu llawer ar faes bywyd pawb ohonom ? Yr ydym yn ofalus a thrafferthus ynghylch llawer o bethau, heb ofalu meithrin yr " un peth sydd angenrheidiol " i ni. Gweddïwn weddi arall : " Crea galon lân ynof, O Dduw, ac adnewydda ysbryd uniawn o'm mewn."

4. *Y gwrandawyr parod, derbyngar,*

"Peth arall a syrthiodd mewn tir da, ac a ddygasant ffrwyth."

A chysur pob heuwr yw bod peth tir felly i'w gael wedi'r cyfan. Er gwybod yr â llawer o'r had ar goll i'r brain nid yw'r heuwr yn digalonni. Os yw'n ddoeth fe fwria ychydig dros ben ar gyfer y brain. Anodd gwybod yn fynych paham y crewyd brain, ond y maent hwythau'n byw ar drugaredd Arglwydd y cynhaeaf. Cânt eu bwyd yng nghysgod y cynhaeaf. Ac ni allodd yr holl frain a fu'n ysglyfaethu'r meysydd

erioed atal un cynhaeaf. Lleol yw'r difrod a wnânt
hwy. Nid oes iddynt allu ar y *grand scale*. Ac ar y
grand scale y mae Duw'n gweithio. "Canys fel
hyn y dywed yr Arglwydd, creawdydd y nefoedd,
y Duw ei hun a luniodd y ddaear, ac a'i gwnaeth ;
efe a'i sicrhaodd hi, ni chreodd hi yn ofer, i'w phres-
wylio y lluniodd hi " (Eseia xlv. 18).

A gofalodd Duw fod "tir da " yn Ei greadigaeth,
ac am hynny fe wêl Iesu Grist, Ei unig-anedig Fab,
o lafur Ei enaid. Nid yw Iesu Grist wedi dysgu na
byw na marw nac atgyfodi'n ofer.

Gwir nad yw pawb sydd yn cyfansoddi'r "tir da "
yn gallu dwyn cymaint o ffrwyth â'i gilydd, rhai ar
ar eu canfed, eraill ar eu tri ugeinfed, eraill ar eu
degfed ar hugain ; ond yr hyn sy'n bwysig yw bod
pawb yn dwyn ffrwyth yn ôl y mesur a roed iddo.

Pwy bynnag sy'n methu deall paham y mae neges
yr Iesu mor araf yn cael ei derbyn a'i byw, ystyried
i ba ddosbarth o wrandawyr y perthyn ef. Y mae
pedwar dosbarth yn ysgol Iesu Grist. Beth pe bait
ti sydd wedi gwrando cymaint ond yn *Standard I*
o hyd ?

DAMEG YR EFRAU

Dameg arall a osododd ef ger eu bron, gan ddywedyd,
" Cyffelyb i deyrnas nefoedd oedd dyn a heuodd had da yn ei
faes ; a phan oedd dynion yn cysgu daeth ei elyn, a heuodd
efrau hefyd ymysg yr ŷd, ac aeth ymaith. A phan dyfodd yr
eginyn a dwyn ffrwyth, yna'r ymddangosodd hefyd yr efrau.
A phan ddaeth gweision y penteulu dywedasant wrtho, ' Meistr,
onid had da a heuaist yn dy faes ? o ba le, ynteu, y mae iddo
efrau ? ' Ebe yntau wrthynt, ' Gŵr o elyn a wnaeth hyn.'
Ac medd y gweision wrtho, ' A fynni di, ynteu, i ni fynd i'w
casglu hwynt ? ' Medd yntau, ' Na, rhag ofn i chwi wrth gasglu'r
efrau ddiwreiddio'r ŷd gyda hwynt. Gedwch i'r ddau gyd-
dyfu hyd y cynhaeaf ; ac yn amser y cynhaeaf mi ddywedaf
wrth y medelwyr, ' Cesglwch yn gyntaf yr efrau, a rhwymwch
hwynt yn sypiau i'w llosgi, ond crynhowch yr ŷd i'm hysgubor', "
. . . Yna wedi gollwng y tyrfaoedd, fe aeth i'r tŷ. A daeth ei
ddisgyblion ato, gan ddywedyd, " Eglura i ni ddameg efrau'r
maes." Atebodd yntau, " Heuwr yr had da yw Mab y dyn ;
a'r maes yw'r byd ; yr had da, y rhain yw meibion y deyrnas,
a'r efrau yw meibion yr un drwg, a'r gelyn a'u heuodd yw'r
diafol ; y cynhaeaf, terfyniad yr oes yw, a'r medelwyr yw'r
angylion. Megis, ynteu, y cesglir yr efrau a'u llosgi yn tân,
felly y bydd yn nherfyniad yr oes. Denfyn mab y dyn ei
angylion, a chasglant allan o'i deyrnas ef bob rhwystrau a
gwneuthurwyr anghyfraith, a bwriant hwynt i'r ffwrn dân ;
yno y bydd wylofain a rhincian danedd. Yna y rhai cyfiawn
a ddisgleiria fel yr haul yn nheyrnas eu Tad. Y neb sy ganddo
glustiau, gwrandawed."

—*Mathew* xiii. 24–30, 36–43.

DAMEG YR EFRAU

Mathew xiii. 24–30, 36–43.

YN EFENGYL Mathew yn unig y ceir y ddameg hon,
a chydnabyddir yn gyffredinol ei bod yn un o'r rhai
mwyaf anodd eu hesbonio. Y debycaf iddi yn Efengyl
Marc yw *Dameg yr had yn tyfu'n ddiarwybod* (Marc
iv., 26–29), ac awgryma'r Dr. T. W. Manson mai
helaethiad ar honno yw hon, ond y mae'r Dr. C. H.
Dodd yn bendant yn erbyn hynny. Cred y rhan
fwyaf o esbonwyr diweddar fod ôl llaw'r Efengylwr
yn drwm ar y ddameg, ac, yn ei ffurf bresennol, ei
bod yn delio ag anawsterau a gododd ym mywyd
yr Eglwys yn ddiweddarach na dyddiau'r Iesu. Cytuna
amryw i briodoli'r eglurhad (adnod 36–43) yn gyfan
gwbl i'r Efengylwr. Ond y mae'r Dr. W. O. E.
Oesterley yn derbyn y ddameg a'r eglurhad fel eiddo'r
Iesu. Cymered pob un ei ddewis !

Un arall o ddirgelion y Deyrnas i'r disgyblion
ydoedd pa fodd y gall y Deyrnas ddod, a chymaint
o bechod a drygioni yn y byd. Gellir casglu na fu
pregeth Ioan Fedyddiwr heb ei heffaith arnynt, ac
am hynny disgwylient Deyrnas lân. Disgwylient am
"yr hwn y mae ei wyntyll yn ei law, ac efe a lwyr
lanha ei lawr dyrnu, ac a gasgl ei wenith i'w ysgubor ;
eithr yr us a lysg efe â thân anniffoddadwy " (Mathew
iii. 12). Ond yn feunyddiol gwelent o'u cylch, a mwy
na thebyg, ynddynt hwy eu hunain, ddynion cwbl
annheilwng o Deyrnas felly. Gwelent rai yn fwriadol
yn rhwystro'r Deyrnas i ddod. Pa fodd y daw, ynteu,
a chynifer o rwystrau ar ei ffordd ?

I egluro'r dirgelwch hwn y llefarwyd y ddameg, a phortreada sefyllfa a oedd yn bod yn nyddiau Iesu Grist yn ogystal ag yn ddiweddarach ym mywyd yr Eglwys. Yn wir erys y dirgelwch i lawer hyd y dydd hwn.

Nid yw'n hawdd gennym dderbyn esboniad Emrys ap Iwan arni. Dilyn y Dr. A. B. Bruce a wnâi ef, yn bur fanwl. (Yr oedd llyfr Bruce, *The Parabolic Teaching of Jesus* yn newydd yn 1882). Yn ôl yr esboniad hwn pwrpas y ddameg yw egluro y bydd cymysgfa o ddrwg a da yn y byd "hyd ddiwedd y byd"[1] ac y didolir hwy yn nydd y Farn. Nid rhyfedd bod Emrys ap Iwan yn dweud mai dameg brudd yw dameg yr Efrau, am y golygir Teyrnas Dduw ynddi fel rhywbeth amherffaith a siomedig. Os dyna ei phwrpas, prin yr oedd yn werth y drafferth i'r Iesu ei llefaru.

Dychmyger eto benbleth y disgyblion. Pa fodd y dichon y Deyrnas ddod, a chymaint o ddrygioni yn y byd ? A ddaw hi byth ? Yr ateb yw dameg yr Efrau. A dyma ei neges. Daw, fe ddaw'r Deyrnas er gwaethaf drygioni'r byd. Gwir fod yma gymysgfa fawr o ddrwg a da ymhlith dynion, ond nid yw hynny yn mynd i atal y Deyrnas. Teyrnas a gynigir i bobl gymysgryw yw hi. Nid yw'r amaethwr yn anobeithio am gynhaeaf er gwybod bod efrau yn gymysg â'r gwenith. Â i'w faes yn hyderus, ac fe gasgl y cyfan ynghyd. A chyn y gorffennir y proses â'r cyfan drwy'r dyrnwr mawr i "nithio'r gau a nythu'r gwir." Nid dameg brudd mo hon gan hynny ond dameg gysur-

---

[1] Cymh.: "This does not, for the Hebrew mind, necessarily carry with it the abolition of the material world. It may mean a transformation of it." *The Mission and Message of Jesus*, t. 486.

lawn iawn i rai mor gymysg o ddrwg a da â ni. Nid
yw Duw o'i fawr drugaredd a'i ras yn aros hyd oni
ddeuwn yn well cyn cynnig Teyrnas Nefoedd inni.
Cynigia Ei Deyrnas inni yn awr, fel yr ydym, yn
gymysgfa fawr o dda a drwg.

Wrth gwrs, nid yw'r gwirionedd hwn heb ei berygl.
Wrth ei glywed rhuthra rhai i'r casgliad fod pob
peth yn dda, y daw'r Deyrnas sut bynnag y byddwn
ni yn ymagweddu tuag ati, ac nad oes raid inni ym-
drechu dim i fyned i mewn iddi. Ceir rhywrai o hyd
sydd yn barod i fanteisio ar garedigrwydd gŵr bon-
heddig, a rhai felly yw'r rhai sydd am fanteisio ar y
ffaith fod Duw yn cynnig Ei Deyrnas i ni fel yr ydym.
Nid hynny'n sy'n anrhydeddus.

Ac yn y ddameg y mae tri safbwynt o edrych
ar y drwg sydd yn y byd, tair agwedd tuag at yr
efrau.

1. *Agwedd y gweision.*

Gellir canmol y rhain ar lawer cyfrif. Sylwch
fel y disgwylient i'r maes fod yn lân. Dyma eu
cwestiwn a'u disgwyliad, " Arglwydd, oni heuaist ti
had da yn dy faes ? " Eu gobaith oedd gweled maes
toreithiog, diefrau, glân.

Dylai gweision Duw amcanu'n dda, dylai eu
disgwyliad fod yn fawr, a'u gobaith yn wyn. A
gweithwyr felly a ddylai fod yn yr Eglwys. Y ffasiwn
yn ddiweddar yw dilorni pob delfrydu, pob breu-
ddwydio, pob gobaith gwyn am lanach byd. ' Rialiti '
yw'r gair mawr yn awr, a beth bynnag yw hwnnw,
rhoddir ar ddeall inni nad oes ynddo na gobaith
na breuddwyd na dyhead. Da y gwnaeth y Dr.

T. Gwynn Jones dipyn o hwyl am ben y ffasiwn hon—

" Pan fo hwyl go sâl iti,
Gwaedda " Rialiti ! "—
Odid na thâl iti."

Gwae ni o'r dydd y peidiwn â disgwyl pethau gwych
i ddyfod, y peidiwn â dymuno a dyheu am ddyddiau'r
nefoedd ar y llawr. Bu arwyr yr oesau yn ddelfrydwyr
mawr. " Arglwydd," meddent, " oni heuaist ti had
da yn dy faes? " Ac " y mae'r rhai sydd yn dywedyd
y cyfryw bethau, yn dangos yn eglur eu bod yn ceisio
gwlad . . . Eithr yn awr gwlad well y maent hwy yn
ei chwennych, hynny ydyw, un nefol " (Heb. xi.
14, 16). Canmoler y gweision am eu disgwyliad.

Sylwch eto fel yr oedd yr efrau yn eu blino. Cyn
gynted ag y gwelsant yr efrau ymhlith y gwenith
aethant i ddweud hynny wrth eu meistr, a dangos pob
awydd a pharodrwydd i'w symud o'r maes. Da iawn.
Canmoler hwy eto.

Un o'r pethau tristaf a all ddigwydd i weision Duw
yw myned yn fodlon ar bethau fel y maent, yn am-
ddiffynwyr y *status quo.* Dylai'r efrau eu blino,
a dylent hwythau fod yn awyddus i'w symud. Cofiaf
am ffermwr ger fy nghartref a gerddai ei feysydd yn
wastadol gyda phwt o raw fechan ysgafn fel gwn o
dan ei gesail, ac ni châi'r un ddeilen dafol na danadl
poethion godi eu pennau ar ei faes o gwbl. Cyn
gynted ag y gwelai hwynt, i lawr â'r rhaw at eu
gwreiddiau,—ie, at eu gwreiddiau, sylwch, ac nid
torri eu pennau, ond i lawr at eu gwreiddiau, a'u
casglu i'r moch. Dyna'r math o weithiwr y mae ei
eisiau yng ngwinllan Duw. Gwae ni o'r dydd pan
na welwn ddim o'i le mewn rhyfel, a thlodi, a diweith-
dra, ac anghyfiawnder cymdeithasol, mewn diota a

gamblo ac anlladrwydd. Yr unig ymateb sy'n gweddu i was yr Arglwydd wrth weld y cyfryw bethau yw gofyn, " A fynni di gan hynny i ni fyned a'u casglu hwynt ? "

Ond gwaith anodd iawn yw symud yr efrau. Pan ymosodir ar y dasg cyfyd aml sefyllfa ddyrys. Doethineb mawr ar ran gweision y ddameg oedd ymofyn â'u harglwydd cyn ymosod ar yr efrau o'u pen a'u pastwn eu hunain, ac felly y dylai fod bob amser. Gallwn wneud mwy o ddrwg nag o les, gyda'r amcan goreu, heb arweiniad a chyfarwyddyd yr Arglwydd.

Eithr y mae un cyfrif yn erbyn y gweision. " A thra oedd y dynion yn cysgu, daeth ei elyn ef." "The price of liberty is eternal vigilance," a phris y Deyrnas yw gwyliadwriaeth ddiorffwys. Os awn yn esgeulus ynghylch egwyddorion a safonau ac ysbryd teyrnas yr Iesu, â'n Gantre'r Gwaelod arnom bob tro.

Yn ymagweddiad y gweision tuag at yr efrau, ynteu, gwelir esiampl a rhybudd.

2. Agwedd y gelyn ddyn :

" Y gelyn ddyn a wnaeth hyn." Hwn, yn ôl y ddameg, sydd yn gyfrifol am yr efrau, er na ellir dweud ei fod yn gwbl gyfrifol amdanynt. Er enghraifft, gellir gofyn o ba le y cafodd ef hadau'r efrau.

Nid oes neb erioed wedi gallu esbonio i fodlonrwydd paham y mae drygioni yn y byd, ac o ba le y daeth i galon dyn. Y ddau esboniad arferol yw, ar un llaw, mai dyn ei hunan sydd yn gyfrifol am bechod y byd, ac ar y llaw arall, mai rhyw allu neu alluoedd y tu allan i ddyn sydd yn gyfrifol amdano. Ceir

y ddau esboniad yn y Beibl, heb eu cysoni â'i gilydd.[1]
Yn nhermau'r ddameg gellwch ddal mai gwenith wedi
tyfu'n wyllt, wedi llygru, yw efrau, neu bod gan
efrau ei hedyn gwreiddiol ei hun.

P'run bynnag (ac nid oes unrhyw fudd mewn
ymryson ynghylch y pwnc) y ffaith y mae'n rhaid i
ni ei hwynebu a dod i delerau â hi yw bod yr efrau
yma. Yma y mae'r gelyn ddyn, fel petai'n cael rhyw
hwyl afiach ar ddifrodi meysydd pobl eraill a gosod
tramgwydd i Dduw a phob daioni. Nid oes ddiben
mewn sôn am hwn er mwyn dysgu dim ganddo,
ond er mwyn dysgu oddi wrtho, a'n gosod ein hunain
ar ein gwyliadwriaeth rhag efelychu ei driciau gwael.

Sylwch i ddechrau mai un o adar y nos yw hwn.
" A thra oedd y dynion yn cysgu, daeth ei elyn ef."
Nid yw hwn byth yn gwneud ei hen driciau gwael
yng ngolau dydd. Ni all hwn ddal golau dydd heb
sôn am olau Duw. Deallwn hyn, ynteu, oni allwn
ni ddwyn ein busnes ymlaen yn y goleuni gwell inni
gau'r siop ! Oni allwn fyned drwy fywyd yn agored
ac yn onest fel na bydd arnom ofn i'r un llygad ein
canfod, aethom i wasanaeth y diafol. A chythraul
yw pob dyn sydd yn gallu gwneud hen driciau isel-
wael â'i gymydog yn ei wrthgefn.

Gwaeth eto, y mae'n peri drygioni yn fwriadol.
Teg yw casglu mai ym maes ei *gymydog* yr heuodd y
gelyn ddyn hwn yr efrau, oblegid trigai'n ddigon agos
ato i gyflawni ei anfadwaith mewn noswaith. Ac nid
oedd heb wybod, mae'n sicr, fod ei gymydog wedi
hau gwenith yn y maes. A ddichon dyn ddisgyn yn
is na hyn,—myned yn erbyn ei gymydog yn fwriadol ?

---

[1] Cymh.: Effes. vi. 12, â Rhuf. vii. 16–17. Hefyd Math.
xiii. 28 â xv. 19, 20.

Â llawer ohonom yn anghymdogol ar ddamwain, ond dyma ddyn yn torri pen ei gyd-ddyn yn fwriadol. *Gelyn ddyn* ? Ie, gelyn i ddyn ![1] Sarhad ar y ddynoliaeth yw hwn, *blot* ydyw ar greadigaeth Duw. Creffwch ar ei ffalster. Fe heuodd bethau digon tebyg i wenith[2] fel na allai neb wybod yn amgen am ysbaid. A chymerodd arno fod popeth fel o'r blaen. Y cenau ffals !

Soniwn am hwn yn unig i'n rhybuddio ein hunain a'n gilydd. Er mwyn enw da'r ddynoliaeth gwyliwn rhag disgyn i lefel y gelyn ddyn.

3. *Agwedd gŵr y tŷ, arglwydd y gweision.*

Amlwg yw mai rhyw oddefgarwch ac amynedd mawr sydd yng nghalon gŵr y tŷ tuag at yr efrau. Barna'n ddaeth beidio â'u casglu yn awr "rhag i chwi, wrth gasglu'r efrau, ddiwreiddio'r gwenith gyda hwynt." Nid am ei fod yn caru gweld efrau yn ei faes y mae'n eu goddef, ond oherwydd ei ofal am y gwenith.

Un felly yw Duw. Blinwyd llawer erioed gan y cwestiwn paham y goddef Duw y fath ddrwgweithredwyr yn y byd. Paham na thorrai Ef eu coffa oddi ar wyneb y ddaear ? Nid yw'r ffaith fod gŵr y tŷ yn goddef yr efrau yn golygu bod ei safon yn is na safon y gweision. Na, mae'n sicr ei fod ef am i'r gweision wylio'r maes, a'i wylio'n gyson, ond wedi

---

[1] "What man ! Defy the devil ? Consider he's an enemy to mankind."—*Shakespeare*.

[2] " The plant is now generally identified with the ' darnel,' *Lolium temulentum*, which grows to a height of about two feet and closely resembles wheat. It produces grain similar to that of wheat in size, but of a dark colour."—*The Mission and Message of Jesus*, t. 484–5.

iddynt hwy wneud eu gorau erys pechod. A'r dirgel-
wch yw paham y mae Duw yn goddef hynny ?

Ceir rhai awgrymiadau yn y ddameg.

(a) Gwaith anodd yn fynych yw gwahaniaethu
rhwng gwenith ac efrau. Yn eu dechreuad, fel y
sylwyd, y mae'r ddau dyfiant yn gwbl debyg i'w gilydd.
A byddai'n dda inni gofio na feddwn ni mo'r gallu i
ddyfarnu'n derfynol pwy sy'n addas a phwy sy'n
anaddas. Pwy sydd yn barod i ddweud amdano'i
hun, ' Gwenith wyf fi, gwenith pur, dilychwin ' ?
A phwy sydd yn barod i ddweud am arall, ' Efrau
yw ef, efrau anobeithiol ' ? Cofiwn, gyda'r Apostol
Paul, mai yr Arglwydd sydd i farnu. " Am hynny
na fernwch ddim cyn yr amser, hyd oni ddelo'r
Arglwydd, yr hwn a oleua ddirgelion y tywyllwch,
ac a eglura fwriadau'r calonnau : ac yna y bydd y
clod i bob un gan Dduw " (1 Cor. iv. 5).

(b) Awgrymir hefyd y goddefir yr efrau rhag,
wrth eu diwreiddio hwy, i'r gwenith gael cam. Clym-
odd gwreiddiau'r ddau dyfiant mor glos am ei gilydd
fel na ellir yn rhwydd ddiwreiddio'r naill heb y llall.
Ond ni thyr yr un amaethwr ei galon o weld efrau yn
ei faes. Gŵyr, os gwna ef ei ran, mai gwenith i'r
ysgubor fydd diwedd yr ymdrech.

Y mae Duw yn ddigon mawr i allu fforddio gadael
i'r gelyn ddyn fyned drwy ei gampau, ac y mae'n
ddigon bonheddig i adael iddo. Fe flagura daioni
er gwaethaf y dichellion a'r ystrywiau i gyd. " Yna
y llewyrcha'r rhai cyfiawn fel yr haul, yn nheyrnas
eu Tad." Dyna ddiwedd y stori. Os aethom ninnau,
yn ein hanobaith, i gredu mai efrau a orchuddia'r
ddaear maes o law, collasom olwg ar fawredd a gallu
Amaethwr y cread. Gwell ganddo Ef fentro'r gwenith

yn y maes agored, er pob perygl, na'i dyfu fel teg
ros mewn tŷ grisial, oblegid gofalodd Ef fod y cread
o blaid gwenith.

(c) Ac ni wnawn gam â'r ddameg wrth awgrymu,
ym myd moesol Duw, ym myd dynion, fod modd i'r
efrau ddod yn wenith. Nid yw hynny'n bosibl yn
ôl trefn natur, ond y mae peth felly yn bosibl yn ôl
trefn gras. Gwir fod yr awgrym hwn yn torri ffordd
arall hefyd. Y mae modd i'r gwenith fynd yn efrau,
ac nid oes ddadl nad yw drygioni yn heintus. Ond
os credwn yn Nuw, ac ym mhwêrau Ei ras, fel y
datguddiwyd hwy yn Iesu Grist, Ei ddaioni, a'i gariad,
a'i gyfiawnder, a'i sancteiddrwydd, nid oes ddadl
ychwaith nad gan y pwêrau hyn y mae'r oruchafiaeth
yn y diwedd. Dyma'r galluoedd sydd wedi eu magnet-
eisio fwyaf o holl rymusterau'r cread. "Minnau,"
meddai Iesu Grist, a oedd yn ymgnawdoliad perffaith
o'r galluoedd hyn, "os dyrchefir fi oddi ar y ddaear,
a dynnaf bawb ataf fy hun."

A rhag i greadur mor ddrud â dyn fyned i golli,
goddefir y drwg sydd mor barod i'w amgylchu gan
Dduw, yn y gobaith y bydd i'r daioni cynhenid sydd
ynddo ddwyn ffrwyth, ac i'r dylanwadau da sydd
yn curo arno ei buro a'i lanhau, a rhoddi llawenydd
ymhlith "angylion Duw am un pechadur a edifarhao."

Newyddion da i bechaduriaid sydd yn nameg yr
Efrau. Diolchwn fod Duw yn trugarhau wrth rai
mor gymysg, ac yn ein goddef cyhyd :

"Rhyfedd amynedd Duw
Ddisgwyliodd wrthyf c'yd."

DAMEG Y RHWYD

"Drachefn cyffelyb yw teyrnas nefoedd i rwyd a fwriwyd i'r
môr, ac a ddaliodd bysg o bob math ; a phan lanwodd, tynasant
hi i'r lan, ac wedi eistedd cynullasant y rhai da i lestri, a bwrw
ymaith y rhai sâl. Felly y bydd yn nherfyniad yr oes ; fe â'r
angylion allan a didolant y rhai drygionus o blith y cyfiawn,
a bwriant hwynt i'r ffwrn dân : yno y bydd wylofain a rhincian
dannedd."

—Mathew xiii. 47–50.

DAMEG Y RHWYD

Mathew xiii. 47–50.

MEWN PARAGRAFF cynhwysfawr yn ei esboniad ar
Efengyl Mathew cais McNeile[1] osod y damhegion
hyn, a osodwyd gyda'i gilydd yn y drydedd bennod
ar ddeg, yn eu cefndir yng ngweinidogaeth yr Arglwydd
Iesu a'i ddisgyblion. Llefarwyd hwy, tybia ef, ar ôl
i'r Iesu bregethu Efengyl y Deyrnas i'r torfeydd a
chyn i'r arweinwyr crefyddol benderfynu cael gwared
ohono. Disgrifia'r damhegion hyn Ei brofiadau
amrywiol. Cymysg fu'r ymateb i'w bregethu Ef a'r
disgyblion (Yr Heuwr a'r Rhwyd) ; gellid priodoli'r
aflwyddiant i ddylanwad gwrthwynebus yr un drwg
(Yr Efrau) ; er hynny, rhoddodd y pregethu gychwyn
i fywyd a dyfai ac a ledai (Yr Had Mwstard a'r Lefain) ;
a byddai cael rhan yn y bywyd hwnnw yn werth
unrhyw aberth (Y Trysor a'r Perl).

Os felly, eglurhad ar bregethu'r Efengyl sydd yn
nameg y Rhwyd, a goleuni ar y cwestiynau : I bwy

---

[1] *Op. cit.*, t. 204.

y dylid pregethu ? Pwy sydd i wneud y gwaith ?
Pa ganlyniadau a ellir eu disgwyl? Os felly drachefn,
ni ellir dal bod y dehongliad a geir yn adnodau 49, 50
yn berthnasol i'r ddameg fel y llefarwyd hi gan yr
Iesu. Yn ôl y ddameg y pysgodwyr sy'n didoli'r
pysgod. Yn ôl y dehongliad yr angylion a'i gwna.
Ystyr y pysgota, mae'n amlwg, yw ennill pobl i'r
Deyrnas, ond cenhadu rhyfedd fyddai troi pobl allan
yn union ar ôl eu hennill. Casglwn, gan hynny,
mai adnodau 47 a 48 sy'n cynnwys y ddameg wreiddiol
a lefarwyd gan yr Iesu, ac mai dehongliad diweddarach
a ychwanegwyd gan yr efengylydd Mathew yw
adnodau 49, 50. Sylwer eu bod bron air am air ar
ddiwedd dameg yr Efrau hefyd (xiii. 40–42).

Dameg i'r disgyblion, ynteu, yw hon, oblegid oni
alwodd yr Iesu hwynt i fod " yn bysgodwyr dynion " ?
Ei phrif neges yw, Daliwch ati ! *I bwy y dylid pregethu?*
Mae'r ateb yn eglur,—i bawb. " Cyffelyb yw teyrnas
nefoedd i rwyd a fwriwyd yn y môr." Nid rhwyd
i'w thynnu drwy " ryw aber gul," chwedl y Dr. Owen
Evans, yw rhwyd yr Efengyl, ond rhwyd i'w bwrw
i'r môr.

Ac nid yw pysgodwr yn y môr yn dethol ei bysgod.
Deil ei rwyd beth bynnag a ddaw, a'r unig beth sydd
gan bysgodwr i'w wneud yw dilyn cyngor yr Arglwydd
Iesu i Simon Pedr, " Gwthia i'r dwfn, a bwriwch eich
rhwydau am helfa".[1] Ei gyfrifoldeb ef yw gofalu
bod y rhwyd yn dal a'i thynnu hi i'r lan.

Amhosibl yw camddeall na pheidio â chlywed
y pwyslais hwn o eiddo yr Arglwydd Iesu, sef bod

---

[1] Luc v. 4.

Efengyl y Deyrnas i'w chynnig i bawb. Gweinidog-
aeth felly oedd gweinidogaeth yr Iesu Ei Hun ym
Mhalesteina. Pregethai i bawb : " lliaws mawr o
bobl o holl Jwdea a Jerwsalem, ac o duedd môr Tyrus
a Sidon, y rhai a ddaeth i wrando arno, ac i'w hiacháu
o'u clefydau . . . A'r holl dyrfa oedd yn ceisio
cyffwrdd ag ef ; am fod nerth yn myned ohono allan,
ac yn iacháu pawb".[1] Ac fel y pregethodd Ef ei Hun
y dymunodd i'w ddisgyblion wneuthur, " Ewch i'r
holl fyd, a phregethwch yr efengyl i bob creadur."[2]

Ceir yr un pwyslais mewn damhegion eraill, ac
yn arbennig felly yn Nameg y Swper Mawr. " Dos
allan ar frys," meddai gŵr y tŷ wrth ei was, " i heolydd
ac ystrydoedd y ddinas, a dwg i mewn yma y tlodion,
yr anafus, a'r cloffion a'r deillion . . . Dos allan i'r
priffyrdd a'r caeau, a chymell hwynt i ddyfod i mewn".[3]
Gwers anodd ei dysgu oedd hon i ddisgyblion a fagwyd
mewn Iddewaeth, ac nid oes dim sy'n bradychu mwy
o annealltwriaeth o feddwl yr Arglwydd Iesu hyd
y dydd hwn na'r meddwl ' Iddewig ' hwnnw sydd yn
gwrthwynebu cenhadu yr Efengyl i'r holl fyd. Gwyn
fyd nad elai pob gwrthwynebwr o'r fath ar hyd y
ffordd i Ddamascus ac y torrai'r goleuni dwyfol ar
ei enaid yntau, megis Saul o Tarsus, goleuni Crist
ar Dduw " ein Ceidwad, yr hwn sydd yn ewyllysio
bod pob dyn yn gadwedig, a'u dyfod i wybodaeth
y gwirionedd " (1 Tim. ii. 3, 4).

Pwy sydd i bregethu'r Efengyl ? Pawb o'r disgyblion.
Sonnir yn y Beibl am dair gwahanol rwyd i bwrpas
pysgota, ond y rhwyd-dynnu (*drag-net*) yw'r un y
soniodd yr Iesu amdani wrth ddamhegu ynghylch y

---

[1] Luc vi. 17–19.   [2] Marc xvi. 15.   [3] Luc xiv. 21–23.

gwaith o ennill dynion i Deyrnas Nefoedd.   A hon
oedd y fwyaf priodol, oblegid ei maint a'i chym-
hwyster i ddal pob math o bysgod.   Ni allai un dyn
drafod y rhwyd-dynnu, oblegid pan lenwid honno yr
oedd yn rhaid cael *all hands on deck.*   Gwelodd y Dr.
Thomson bysgodwyr Galilea yn ei thrafod lawer
gwaith ac fel hyn y disgrifia ef y gorchwyl.[1]

> " Rhaid wrth rai i rwyfo'r cwch a rhai i daflu'r rhwyd
> allan ; rhai i sefyll ar y traeth i dynnu'r rhaff â'u holl
> egni ; eraill i daflu cerrig a churo'r dwfr er mwyn atal y
> pysgod rhag dianc ; ac fel y tynnir y rhwyd i dir mae pawb
> yn brysur yn dal ei hymylon, yn ei thynnu tua'r lan ac yn
> dal y pysgod."

I bwrpas ennill y byd i Grist cymdeithas gyd-
weithredol yw'r Eglwys, ac nid yw ei hymraniadau
yn fwy o rwystr iddi mewn un peth nag yn ei gwaith
o genhadu.   Pa beth a feddyliem o bysgodwr a laesai
ei ddwylo wrth weld gormod o fecryll yn y rhwyd
a rhy fach o ysgadan ?   Fe'n temtid yn fawr i'w alw'n
granc !   Yr oedd sylfaenwyr Cymdeithas Genhadol
Llundain ar ganol llinell meddwl y Meistr pan gy-
hoeddasant fel egwyddor sylfaenol y Gymdeithas—

> " Na byddai iddynt anfon Henaduriaeth, Anymddibyn-
> iaeth, Esgobaethyddiaeth, nac un dull arall o drefn neu lyw-
> odraeth eglwysig (ynghylch yr hwn y dichon dynion duwiol
> amrywio yn eu meddyliau) ond anfon Efengyl ogoneddus y
> bendigedig Dduw i blith y Paganiaid ; gan ei adael (fel
> y dylai gael ei adael) i farn y sawl y rhyngai bodd i Dduw i
> alw i gymdeithas ei Fab ef, i ddewis iddynt eu hunain y
> cyfryw drefn a llywodraeth eglwysig a ymddengys iddynt
> yn fwyaf cytunol a gair Duw." [2]

Pa ganlyniadau a ellir eu disgwyl ?   Cymysg iawn.

---

[1] *The Land and the Book* (1883), t. 348.
[2] Gweler *Cymru a'r Gymdeithas Genhadol*, E. Lewis Evans,
t. 45.

Pan dynnir y rhwyd i'r lan gwelir iddi gasglu " o bob rhyw beth," rhai mawr a rhai bach, rhai gwych a rhai gwachul, rhai da a rhai drwg. Ac felly'n union gyda'r gwaith o bysgota dynion, daw rhai amrywiol iawn i'r ddalfa, rhai doeth a rhai annoeth, tlawd a chyfoethog, diwylliedig a dwl, Phariseaid a phechaduriaid. Ond :

> " Ni ddigalonna pysgodwr am nad yw cynnwys y rhwyd i gyd yn dda, yn hytrach llawenhâ am bob pysgodyn da a gafodd. Dyletswydd y disgyblion yw parhau i fwrw'r rhwyd a thynnu popeth a ddaw iddi i'r lan". [1]

Yn union fel na ddigalonna'r amaethwr pan wêl efrau ymhlith y gwenith, na'r pysgodwr pan wêl bysgod gwael ymhlith rhai da, felly ni ddylai cenhadon hedd ddigalonni pa mor gymysg bynnag yw'r ymateb i'w gwaith. Dyna'r awr i edrych ar yr ochr olau i bethau a chyfrif ein bendithion, yn union fel y gwna'r Parch. E. Lewis Evans wrth sôn am sylfaenwyr Cymdeithas Genhadol Llundain :

> " Os oedd ambell frycheuyn ar gymhellion y planwyr hyn, nid yr eiddom ni yw barnu, ond gwyddom i ffrwyth lawer ddilyn eu llafur, a gwynfyd yw drachtio o orfoledd y cenhadon â fagwyd yng ngwres eu ffydd". [2]

Y *mae* barn er hynny. Nid oes dim sy'n eglurach na bod Teyrnas Nefoedd yn barnu ac yn didoli dynion, ond, megis gyda'r efrau ymhlith y gwenith, gwaith peryglus yw'r didoli. Cyfeiliornodd yr Eglwys lawer gwaith wrth gymryd arni ei hun yr hawl i farnu pwy sy'n deilwng o Deyrnas Nefoedd. Gwell i ni beidio ag ymhél â'r farn ; fe â pob pysgodyn i'w le ei hun wrth ei bwysau. Pe cerddai yr Iesu ein daear heddiw

---

[1] Efengyl Mathew i.–xiii., R. H. Hughes, t. 149.

[2] Op. cit., t. 45.

gallwn gredu y defnyddiai ddameg arall i gyfleu'r
gwirionedd hwn, dameg Graddio'r Wyau. Yn yr
Egg-Grading Station gwelsom broses sy'n gosod pob
wy yn ei ddosbarth ei hun yn ôl ei bwysau, ac fel y
gyrrir yr wyau o amgylch, disgyn pob un i'w le ei hun.
Cyffelyb i hynny yw'r didoliad y sonnir amdano
yn nameg y Rhwyd, mae'r alwad i holl ddynolryw,
ond penderfynir tynged pawb gan ei ymateb i alwad
Crist. Rhwng pob dyn a'i Dduw am hynny. Busnes
pysgodwyr dynion yw dal ati.

DAMEG YR HAD MWSTARD

Dameg arall a osododd ef ger eu bron, gan ddywedyd, "Cyffelyb yw teyrnas nefoedd i ronyn mwstard, a gymerth dyn a'i hau yn ei faes ; hwnnw, lleiaf yw o'r holl hadau ; ond pan dyfo, mwy na'r llysiau yw, ac fe ddaw'n bren nes dyfod adar yr awyr, a nythu yn ei gangau."—*Mathew xiii*. 31, 32.

DAMEG YR HAD MWSTARD

Mathew xiii. 31, 32 ; *Marc iv*. 30–32 ; *Luc xiii*. 18, 19.

SYLWASOM EISOES[1] fel y gwelai'r Iesu gyffelybrwydd rhwng teyrnas Natur a Theyrnas Dduw. Mewn Natur gwelai ddrych o Deyrnas Dduw, o'i chynnydd ac o'r rhwystrau sydd iddi. A delio â dirgelwch cynnydd y Deyrnas y mae'r damhegion o fyd maes a heuwr a hadau. Gwelsom yn nameg yr Heuwr Ei oleuni ar arafwch sylweddoli'r Deyrnas, a gwelsom hefyd yn nameg yr Efrau Ei eglurhad ar sicrwydd buddug-oliaeth y Deyrnas er gwaethaf y rhwystrau sydd i'w herbyn. Yn nameg yr Had Mwstard wynebir y dirgelwch pa fodd y gall Teyrnas mor fawr ddatblygu o gychwyn mor fach a di-nod.

Dyma broblem yn sicr i'r disgyblion cyntaf. Rhowch eich hunan yn eu plith. Ar ddechrau gweinidogaeth yr Iesu gwelsant y tyrfaoedd yn tynnu ar Ei ôl, ond yn fuan iawn aeth y dyrfa yn llai. Gallai pob rhyw bregethwr bach gadw'i gynulleidfa am ddwy neu dair blynedd ond Hwn ! Anffafriol y cymharai â Ioan Fedyddiwr, er i hwnnw ddweud, "Rhaid ydyw iddo ef gynyddu, ac i minnau leihau" (Ioan iii. 30). Yn wir, cafodd Ioan ei hun le i betruso yn Ei gylch,

---

[1] Gweler y Rhagymadrodd. t. xix.

a gofyn, " Ai tydi yw'r hwn sydd yn dyfod, ai un
arall yr ydym yn ei ddisgwyl ? " (Mathew xi. 3).
Ac meddai Ei gydnabod yn·amheus, " Onid hwn yw
mab y saer ?   onid Mair y gelwir ei fam ef ? . . .
A hwy a rwystrwyd ynddo ef " (Mathew xiii. 55, 57).
Ar un achlysur bu Ei ddysgeidiaeth o gymaint tram-
gwydd i'r dyrfa oni chodasant " i fyny, ac a'i bwr-
iasant ef allan o'r ddinas, ac a'i dygasant ef hyd ar
ael y bryn yr hwn yr oedd eu dinas wedi ei hadeiladu
arno, ar fedr ei fwrw ef bendramwnwgl i lawr "
(Luc iv. 29).[1]

Ac yr oedd yr Iesu ei Hun yn ddigalon ynghylch
y rhagolygon ambell dro, wrth weld gwerin Ei ddydd
fel plant yn chwarae yn y farchnadfa ; gweld y meys-
ydd mor wynion i'r cynhaeaf a'r gweithwyr mor
anaml.   Yn ddiau, gorfu i'r Arglwydd Iesu wynebu'r
cwestiwn pa fodd y dichon Teyrnas mor fawr, mor
eang â'i Deyrnas Ef, ddeillio o ddechreuad mor fach
a disylw.   Ac yr oedd y cwestiwn yn sicr o fod yn
blino'r disgyblion.

Pwnc byw iawn o hyd yw cwestiwn cynnydd
Teyrnas Nefoedd, a phwysa'n drwm ar feddyliau
disgyblion yr Iesu yn ein dyddiau ni.   Tybiwn ei bod
yn llawer haws cyflwyno a derbyn neges dameg yr
Had Mwstard yn oes Victoria nag ydyw heddiw.
Geiriau mawr y bedwaredd ganrif ar bymtheg oedd
cynnydd a datblygiad, ond geiriau mawr yr ugeinfed
ganrif yw argyfwng, problem, methiant, siom, dad-
rithio.   Ac wele ddydd y " dynion sydd yn ceulo
ar eu sorod ; y rhai a ddywedant yn eu calon, Ni wna
yr Arglwydd dda, ac ni wna ddrwg " (Seffaneia i. 12).

---

[1] Gweler *The Gospel Parables in the Light of their Jewish
Background*, Oesterley, t.t. 74, 75.

" Canys," meddant, " er pan hunodd y tadau, y mae pob peth yn parhau fel yr oeddynt o ddechreuad y creadigaeth " (2 Pedr iii. 4). Bob Nadolig byddwn yn canu am ddyfod y Gwaredwr i'r byd, " goleuni i oleuo y Cenhedloedd " ; ond ym mhen agos i ddwy fil o flynyddoedd ar ôl Ei ddyfod, pa sawl un sydd yn barod i ofyn, Beth a ddaeth ohono ? Pa faint o'i ôl a wnaeth ar ein byd ? Y mudiad a gychwynnodd, a dyfodd ? Ac os tyfodd mewn rhai cyfnodau, onid edwino yw ei hanes yn awr, ac, yn y man, ei " le nid edwyn ddim ohono ef mwy " ?

Cystal inni gofio mai wrth ddynion mewn argyfwng y llefarwyd dameg yr Had Mwstard ar y cyntaf. Nid wrth ddynion yn gweld pethau'n datblygu a chynyddu, ond wrth ddynion siomedig, yn gorfod wynebu methiant Crist yn eu hoes, a'r methiant hwnnw yn broblem iddynt. Ac yr oedd y methiant ymddangosiadol hwn yn fwy o broblem nag a ddylai fod i'r disgyblion am eu bod hwythau, fel y rhelyw ohonom ninnau, yn camgymryd Teyrnas Nefoedd am ffyniant a llwyddiant y byd hwn. Un o'r syniadau mwyaf cyffredin am Deyrnas Nefoedd yn nyddiau Crist oedd teyrnas ddaearol, lwyddiannus, iau Rhufain wedi ei thorri, ac Israel yn rhydd o bob caethiwed, a hwn, ond odid (Marc x. 37) oedd syniad y disgyblion hyd oni ddysgwyd hwynt yn wahanol gan Iesu Grist.

Gwnaed yr un camgymeriad lawer gwaith ar ôl y ganrif gyntaf, yn arbennig felly yn y bedwaredd ganrif ar bymtheg, pryd yr uniaethwyd Teyrnas Nefoedd â gwareiddiad y Gorllewin. Aeth dynion i feddwl eu bod yn myned i mewn i'r Deyrnas wrth fyned i mewn i agerlong a cherbyd modur. Credasant y byddai eu plant yn Nheyrnas Nefoedd pan ddysg-

ent ehedeg. Digon, i bwrpas etifeddu'r Deyrnas,
ydoedd i John ennill ei B.A. a Mary ei B.Sc. Ac y
mae'r camgymeriad yn ein dilyn o hyd. I filoedd o
Brydeinwyr y mae Teyrnas Nefoedd yn gyfystyr â'r
Ymerodraeth Brydeinig. I filoedd eraill, Teyrnas
Nefoedd yw Rwsia, fel yr awgrymodd Mr. Winston
Churchill i Mr. G. B. Shaw :

> "Therefore he must invent the Life-Force, must twist
> the Saviour into a rather half-hearted Socialist, and estab-
> lish Heaven in his own political image".[1]

Coleddu'r syniad bydol, daearol hwn am Deyrnas
Nefoedd sydd yn cyfrif am lawer o anobaith yr
ugeinfed ganrif. Oni fydd ein gwlad ni, a'n gwareidd-
iad ni, yn llwyddo, gwelwn Grist yn methu, ac oher-
wydd bod pob teyrnas ddaearol a phob gwareiddiad
heddiw yn gwegian, yr ydym yn anobeithio am
Deyrnas Nefoedd.

Nid yw Teyrnas Dduw ynghlwm wrth unrhyw
wareiddiad. Gall ddod ar draws gwareiddiadau, a
dod yn eu dadfeiliad hwy.[2] Credai Gibbon yr hanes-
ydd fod Cristionogaeth wedi chwalu hen wareiddiad
Groeg a Rhufain, ac, fel pagan, yr oedd hynny yn
ofid iddo ef. Gall Teyrnas Dduw ddod mewn ar-
gyfwng yn hanes y byd ac ym methiant bydol-ddynion.
Yn wir, y mae lle cryf i gredu ei bod yn debycach o
ddod ym methiant dynion bydol nag yn eu llwyddiant.

Am hynny cymerwn gysur a chalondid oddi wrth
ddameg yr Had Mwstard. A yw Teyrnas Nefoedd yn

---

[1] *Great Contemporaries*, t. 39.
[2] " The breakdowns and disintegrations of civilisations might
be stepping-stones to higher things on the religious plane."
   " If religion is a chariot, it looks as if the wheels on which
it mounts towards Heaven may be the periodic downfalls of
civilisations on earth."—Arnold Toynbee, *Christianity and
Civilisation*, S.C.M., tt. 20 a 22.

myned ar gynnydd ? Ydyw, meddai'r ddameg, yn wyrthiol, yn rhyfeddol, fel pe cymerai dyn ronyn o had mwstard a'i hau yn ei faes, " yr hwn yn wir sydd leiaf o'r holl hadau ; ond wedi iddo dyfu, mwyaf un o'r llysiau ydyw." Beth oedd, a beth yw, neges y ddameg i ddisgyblion Crist ? [1]

1. *Rhybudd rhag iddynt ddiystyru dydd y pethau bychain.*

Ni ddywedai neb wrth edrych ar hedyn mwstard fod y fath bosibiliadau ynddo, ond nid wrth ei faint y dylid ei farnu, ond wrth yr egnïon cudd sydd ynddo. Pan aned baban bach i Fair a Joseff yn ninas Dafydd yn nyddiau Herod frenin ac Awgustus Cesar, ni ddywedai neb fod y fath ddyfodol iddo, ond weithian ceir tyrfa fawr mewn llawer gwlad yn barod i dystio mai enw'r Iesu yw'r " enw mwyaf mawr erioed a glywyd sôn." Ni wyddai'r Cesar fod y fath berson â Iesu o Nasareth yn bod, ond fe oroesodd Teyrnas yr Iesu ymerodraeth Cesar, ac estynnodd ei therfynau ymhellach o lawer na'r eiddo hi. Y mae'r peth yn rhyfeddol, yr Oen yn mynd ymhellach na'r Eryr !

Bodlonodd yr Arglwydd Iesu ar gychwyn achub y byd gyda deuddeg o ddynion cyffredin, a dywedodd wrthynt, " Nac ofna, braidd bychan ; canys rhyngodd bodd i'ch Tad roddi i chwi y deyrnas " (Luc xii. 32). Ac am werth pethau bychain y dysgodd hwynt gan mwyaf,—cwpanaid o ddŵr oer, dwy hatling, un dalent. Tybir gan lawer o hyd mai'r unig ffordd i ennill y byd yw drwy ddeuddeng miliwn o ddynion cryfion na bo " ynddynt ddim gwrthuni," fel dewis-

---

[1] Gwêl y cyfarwydd pa mor ddyledus wyf i Hugh Martin, *The Parables of the Gospels* . . . S.C.M. tt. 89–93.

ddynion Nebuchodonosor gynt, a rhoi'r arfau an-
ferthaf yn eu dwylo, ond diflanna teyrnas pob rhyw
Nebuchodonosor yn ei thro, a theyrnas yr Iesu yn
aros.

Aros yn ei hunfan y mae hithau, ebe'r amheuwr a'r
synic ! Aeth dwy fil o flynyddoedd ymron heibio er
pan heuwyd yr hedyn Cristionogol cyntaf, ac nid oes
fawr o'r pren yn y golwg ! Efallai, yn wir, ond y mae
mwy yn y golwg nag a wêl amheuwr hefyd. Eithr
caniatewch nad oes rhyw lawer o gynnydd yn y
golwg, priodol yw ateb,—rhowch amser i Dduw.
Y mae ein hoes ni yn fodlon iawn cydnabod y cymer-
wyd miloedd ar filoedd o flynyddoedd i *greu'r* byd,
ond disgwyliwn i Grist ei *ail-greu* mewn llai nag ugain
canrif. Yng ngolau'r unig syniad am Amser sydd
yn gymeradwy gan feddwl gwyddonol ein hoes, nid
yw hi ond dydd y pethau bychain eto ar Gristionog-
aeth. Yn ôl Arnold Toynbee, digwyddiad diweddar
yw'r Croeshoeliad, ''perhaps the most recent signi-
ficant event in history.''[1] Gan hynny, na ddiystyrwn
ddydd y pethau bychain.

Gwelwn hefyd yn nameg yr Had Mwstard

2. *Ffydd Iesu Grist yn Ei ddisgyblion, ac yn yr
achos a ymddiriedai iddynt.*

Wynebodd yntau, mae'n rhaid, y gwrthgiliad, a'r
amhoblogrwydd, a'r elyniaeth a oedd ar lwybr sefydlu
Ei Deyrnas. Mewn byr amser gwelodd i nifer Ei
ddilynwyr fynd yn fychan iawn, ond yn y ddameg hon
y mae fel petai'n dweud : '' Ydyw, y mae'r nifer yn
fychan, y mae'r mudiad yn ymddangos yn ddibwys,
fel hedyn bychan ; ond, fel hedyn, y mae'n fyw,

---

[1] Op. cit, t. 26.

ac fe dyf a dod yn bren mawr, a daw adar y nefoedd i nythu yn ei gangau."

Defnyddio ffigur cyfarwydd a wnaeth Iesu Grist wrth sôn am Ei Deyrnas fel pren mawr. Fe'i def-nyddiwyd gan Eseciel a chan awdur llyfr Daniel i sôn am fawredd rhai o deyrnasoedd y ddaear. (Cym-harer Eseciel xvii. 22, 23 ; xxxi. 6 ; Daniel iv. 12). Ond cwympo a wnaethant hwy. Teyrnas Iesu (dyna ffydd ei Brenin) yw'r unig deyrnas a gaiff lywodraeth o fôr hyd fôr ac o'r afon hyd derfynau'r ddaear, a dyma'r unig deyrnas a rydd gysgod i drigolion De a Gogledd, Dwyrain a Gorllewin. "A daw rhai o'r dwyrain, ac o'r gorllewin, ac o'r gogledd, ac o'r deau, ac a eisteddant yn nheyrnas Dduw" (Luc xiii. 29).

Dyna ffydd Iesu Grist yn Ei achos Ei Hun. A gyfiawnhawyd hi ? A yw dwy fil o flynyddoedd wedi cyfiawnhau rhywfaint arni ? Canwn yn fynych gyda hwyl :

> " Maent i ddod, medd addewidion,
> O bob ardal dan y nen."

Ond a ydynt yn dod ? Ydynt, medd y canrifoedd. Ar ddiwedd gyrfa ddaearol Iesu Grist nid oedd namyn dyrnaid bach o bobl yn Jerwsalem yn credu ynddo, heb fawr arian ar eu helw, na dysgeidiaeth na safle mewn cymdeithas i hyrwyddo eu crwsâd. Ond yn fuan aeth y dyrnaid yn chwech ugain, a'r chwech ugain yn bum mil. Cyn bo hir dacw lysgennad mawr Teyrnas Nefoedd, yr Apostol Paul, yn cychwyn allan i sefydlu trefedigaethau dan faner yr Iesu ; a byth er hynny dilynwyd ef gan ardderchog lu yn y gwaith.

Du iawn oedd y rhagolwg i achos yr Iesu y pryn-hawn y croeshoeliwyd Ef ar bren y Groes tu faes i fur Caersalem. Ond yn 1928 yr oedd tyrfa fawr o

fwy na hanner cant o wledydd y ddaear wedi ym-
gynnull yn yr un ddinas o dan arwydd y pren hwnnw,
a'r Groes oedd eu hymffrost hwy. Yn 1939 cyfarfu
dros bymtheg cant ohonom, yn bobl ieuainc o 67 o
wledydd y ddaear, yn Amsterdam, i dystio ein teyrn-
garwch i'r Iesu Croeshoeliedig. Cerdded wnaeth rhai
yno, eraill wedi morio yno, a rhai wedi ehedeg yno,—
fel adar y nefoedd. A chawsom y teimlad i bren y
Groes fyned yn bren mawr iawn, ac adar y nefoedd
o'r Dwyrain ac o'r Gorllewin, o'r Gogledd ac o'r Deau,
yn dyfod i nythu yn ei gangau ef.

Ond, meddai'r synic, eto, nid yr un peth yw'r
Eglwys weledig yn mynd ar gynnydd a chynnydd
Teyrnas Nefoedd. Nage, yn hollol, bid siŵr, ond yma
eto y mae nes perthynas rhyngddynt nag a wêl y
synic. Ymddiriedodd yr Arglwydd Iesu allweddau
Ei Deyrnas i'w Eglwys, ac er iddi hi syrthio'n fyr o'r
ymddiriedaeth honno lawer gwaith, credwn na chym-
erodd y Meistr yr allweddau oddi arni hyd yn hyn.
Gwaith hawdd yw bod yn llawdrwm ar yr Eglwys,
ond ystyriwn pa sawl sefydliad sydd wedi goroesi
ugain canrif,[1] ac y mae'r Eglwys mor fyw heddiw yn
ei gwaith cenhadol ag y bu erioed. Gwir fod ambell
gangen wedi mynd yn ddiffrwyth, ac eraill wedi crino.
O rai cyfeiriadau ymddengys Pren y Bywyd yn foel
a digysgod, ond fe ddaw gwanwyn eto i'n daear drist ;
fe â'r pren yn uwch a'i gangau'n lletach nag erioed,
a daw cangau newydd yn lle'r cangau crin.

---

[1] Darllener, *The Bible Today,* Dodd, t. 65.

DAMEG Y LEFAIN

Dameg arall a lefarodd ef wrthynt : "Cyffelyb yw teyrnas nefoedd i surdoes a gymerth gwraig a'i guddio mewn tri phecaid o flawd, hyd oni surodd y cwbl."—*Mathew xiii.* 33.

DAMEG Y LEFAIN YN Y BLAWD

(*Mathew xiii.* 33 ; *Luc xiii.* 20, 21)

Er mor debyg ydoedd Iesu Grist, ar lawer cyfrif, i Rabbiniaid cyffredin Ei ddydd, ac er iddo ddewis llefaru drwy ddamhegion, fel y gwnaent hwythau yn fynych, eto ceir byd o wahaniaeth rhyngddo Ef a hwy. Ac yn y ddameg hon gwelwn pa mor anni-bynnol arnynt hwy oedd Ei feddwl, ac fel y torrai sianelau newydd i'w neges y modd y mynnai. Meddwl rhydd, agored, annibynnol, oedd meddwl Iesu Grist, heb ei gaethiwo'n ormodol gan draddodiad, ond "yn dwyn allan o'i drysor bethau newydd a hen."

Ni feddyliai neb o'r Rabbiniaid Iddewig am gyffelybu dylanwad daionus fel dylanwad Teyrnas Nefoedd i lefain. Yn ôl eu traddodiad hwy ystyr ddrwg oedd i lefain, dylanwad yn chwerwi ac yn suro ydoedd. "Na wneler yn lefeinllyd ddim bwyd-offrwm a offrymoch i'r Arglwydd : canys dim surdoes, na mêl, ni losgwch yn offrwm tanllyd i'r Arglwydd" (Lefiticus ii. 11). Ac ambell dro defnyddiai'r Iesu y ffigur o lefain yn yr ystyr draddodiadol a oedd iddo, megis pan rybuddiai Ei ddisgyblion i ymogelyd "rhag surdoes y Phariseaid a'r Sadwceaid" (Mathew xvi. 6). Peth newydd a beiddgar, ynteu, ar Ei ran oedd cyffel-ybu Teyrnas Nefoedd i lefain. Nid oedd dim llwydni ar fara'r bywyd fel y torrid ef gan Iesu Grist.

Ac y mae neges y gymhariaeth yn amlwg, sef, bod Teyrnas Nefoedd,—y bywyd hwnnw sydd yn tarddu o dan orseddfainc yr Arglwydd Iesu, ac yn ffynnu o dan Ei lywodraeth Ef,—yn rym treiddgar, dylanwadol ym mywyd y byd, i'w godi a'i ddyrchafu a'i achub rhag llygredd a diflastod.

Gan hynny ceir yn y ddameg amryw wirioneddau y byddai'n dda i bawb sydd yn chwennych myned i mewn i Deyrnas Nefoedd eu cofio.

1. *Cyfrinach y lefain yw ei fod yn ddylanwad dirgel, mewnol, yn y blawd.*

Dyna gyfrinach dylanwad yr Efengyl[1] ar fywyd y byd. Grym yn gweithio o'r tu mewn tuag allan yw lefain, nid o'r tu allan tuag i mewn. Ni waeth pa faint o dylino ac o guro a fydd ar y toes, ni waeth pa mor wych fydd y tyn bara, ni waeth pa mor boeth fydd y ffwrn, oni bo'r lefain yn y blawd, ni chyfyd y dorth byth.

Grym mewnol yng nghalonnau ac ysbrydoedd a chydwybodau dynion yw'r Efengyl yn gyntaf ac yn bennaf, ac nid cyfundrefn i'w gosod ar fywyd y byd. Y mae apêl gyntaf yr Efengyl at galon a chydwybod a deall pob dyn yn bersonol. Oni fydd hi yn y galon a'r gydwybod ni bydd hi fyth yn y cartref a'r gymdogaeth a'r wlad. Creu Cristionogion yw amcan cyntaf a phennaf yr Efengyl, geni dynion o newydd i fuchedd a bywyd Iesu Grist.

Anghofir y gyfrinach hon gan lawer o bobl dda eu hamcan sydd am wella'r byd. Cred llawer o ddyngarwyr a diwygwyr cymdeithas, mae'n amlwg, y gellir sylweddoli Teyrnas Nefoedd drwy blaniau a deddfau

---

[1] Am y tro defnyddiwn " yr Efengyl," " Cristionogaeth," a " bywyd Teyrnas Nefoedd " yn gyfystyron.

allanol yn unig. Ac y maent yn brysur iawn yn
cynnig gwelliannau mewn cyngor a senedd, cynnig
trwsio'r peiriant cymdeithasol fel hyn ac fel arall,
heb sylweddoli, fel aml fodurwr wedi torri i lawr
ar y ffordd, mai'r diffyg sylfaenol yw diffyg petrol.
Mor hoff ydynt o dynnu allan blaniau dirifedi, ac yna
eu trosglwyddo i'r Wladwriaeth i'w gosod ar fywyd
y wlad ! Ond gwaredwr gwael yw'r Wladwriaeth
hollalluog.

Nid honyna yw priffordd yr Efengyl. Gwneud
bara heb lefain yw peth felly o safbwynt yr Efengyl.
Nid bod yr Efengyl yn condemnio planio a chyfun-
drefnu, canys rhaid i'r Efengyl hithau wrth blan i
ddylanwadu ar fywyd y byd. Nid planio neu beidio
â phlanio o gwbl yw'r dewis, ond rhwng planio da a
phlanio drwg. Eithr neges dameg y Lefain, a neges
fawr yr Efengyl, yw mai ofer pob planio oni bo ysbryd
yr Arglwydd yn yr olwynion. Achub enaid, sanct-
eiddio ysbryd, goleuo cydwybod a deall gan y gwared-
wr Iesu Grist,—dyna yw lefain Teyrnas Nefoedd.

Y mae'n dilyn, gan hynny, o safbwynt yr Efengyl
na ellir achub y byd drwy orfodaeth, drwy rym
allanol. Ni ellir gorfodi neb i fod yn dda. Y mae
pawb sy'n dda yn dda o'u gwirfodd. Teyrnas yr
ewyllys rydd a'r meddwl rhydd yw Teyrnas Nefoedd,
a'i deiliaid yn ymateb o gariad pur yn helaeth i alwadau
a gorchmynion eu Harglwydd. Nid yw *conscription*
mewn unrhyw ffurf arno. yn perthyn i fethod Teyrnas
Nefoedd o gwbl, oblegid dibynna hi ar wirfoddolwyr.

A chan mai dylanwad mewnol yw dylanwad a
grym yr Efengyl y mae'n fynych o'r golwg, fel lefain
yn guddiedig yn y blawd. Ambell dro gallech feddwl
nad yw yno o gwbl, a dyna'r pryd y digalonnwn ni.

Golwg felly sydd ar fywyd y byd yn ein hoes ni, golwg blawd digon tywyll, wedi ei fesur a'i bwyso, yn ddigon cywir mae'n wir, gan fechgyn clyfar, manwl, a digon o bobwyr cymdeithasol yn ei dylino'n ffyrnig, ond heb fawr o lefain Gŵr y Groes ar ei gyfyl. Ond pan fo dyn yn digalonni fel yna ambell waith, dylai geisio cofio mai dylanwad cuddiedig yw dylanwad y lefain, a phery addewid y Meistr yn ei rym o hyd i fod gyda ni "bob amser hyd ddiwedd y byd." Credwn, ynteu, Ei fod Ef yma yn Ei Ysbryd yn gweithio'n dawel-ddistaw mewn modd nas gwelwn ni, canys "cyffelyb yw teyrnas nefoedd i surdoes."

2. *Diben lefain yw ei osod yn y blawd.*

"yr hwn a gymerodd gwraig, ac a'i cuddiodd *mewn* tri phecaid o flawd."

Dyna ddiben yr Efengyl; Efengyl i'w byw a'i gweithio i mewn i fywyd y byd yw hi. Nid oes ddiben i lefain ynddo'i hun. Peth i'w osod ar waith ydyw. Os cedwir ef yn hir heb ei ddefnyddio cyll ei rin, ac fel y manna yn yr anialwch fe â'n atgas. Felly'n union gyda'r rhinwedd sydd yn myned allan o Iesu Grist. "A'r holl dyrfa oedd yn ceisio cyffwrdd ag ef; am fod nerth *yn myned ohono allan*, ac yn iacháu pawb" (Luc vi. 19). A dylanwad i fyned allan a ddylai fod o hyd.

A siarad yn gyffredinol y mae dwy ffordd o edrych ar ddiben Cristionogaeth yn y byd, y sydd, gwaetha'r modd, yn cael eu cadw ar wahân. Un ffordd yw edrych ar Gristionogaeth fel crefydd a'i diben i fagu addolwyr tawel, myfyrgar o Dduw a Thad ein Harglwydd Iesu Grist, crefydd sydd yn ei mynegi ei hun mewn gweddi ac addoliad, mewn capel ac eglwys, mewn penlinio a defosiwn. Y ffordd arall yw edrych ar Gristionogaeth fel crefydd a'i diben i godi safon bywyd, i wella amgylchiadau cymdeithasol, i ryddhau caethion o bob rhyw, ac i ddadlau cam y dyn ar lawr.

Profedigaeth Cristionogion fwy nag unwaith fu bodloni ar y ffordd gyntaf. Yr oedd y lefain yn eu meddiant ond nid oeddynt yn ei osod yn y blawd. Dyna a ddigwyddodd i'r Eglwys yn Rwsia cyn y Chwyldro Comiwnyddol. Bu Eglwys Uniongred y Dwyrain (a honno oedd Eglwys swyddogol Rwsia ar hyd y canrifoedd) yn fwy amharod na'r un eglwys arall i roddi'r lefain Cristionogol ar waith ym mywyd cymdeithas. O ganlyniad blinodd pobl arni a throesant yn ei herbyn. Bwriasant y lefain allan a sathrasant ef dan eu traed. Hynny hefyd fu diffyg mwyaf Eglwys Rufain am fil o flynyddoedd. Y delfryd o Gristion yn ôl y Catholigion oedd y mynach a giliai o'r byd i fyfyrio'r Gair a gweddïo Duw y tu ôl i furiau cau. Ac ymdeimlad o'r diffyg hwn oedd un rheswm, a rheswm go fawr hefyd, dros y brotest Brotestannaidd, a byth er y Diwygiad Protestannaidd bu Cristionogaeth yn llawer mwy gweithredol ym mywyd y byd. Teitl un o'n haneswyr eglwysig diweddaraf ar y canrifoedd o 1500-1800 yw " Three Centuries of Advance."[1] Cofier hyn er hynny, yn enw tegwch. Nid oedd Eglwys Uniongred y Dwyrain a'r Eglwys Babyddol ddim mor gwbl amddifad o ymdrechion i fyw a gweithredu Cristionogaeth ag y myn rhai

---

[1] Gweler : " A History of the Expansion of Christianity." Vol. III. gan K. S. Latourette.

Dylai pob synic ddarllen y cyfrolau nodedig hyn cyn anobeithio am yr Eglwys Gristionogol.

pobl yng Nghymru heddiw gredu. Ond saif y farn
amdanynt, mi gredaf, mai un o wendidau mawr Crist-
ionogaeth yn ei ffurfiau Uniongred a Phabyddol oedd
cadw'r lefain allan o'r blawd.

Tybed fod eisiau dwyn ar gof i Brotestaniaid ac
Ymneilltuwyr unwaith eto y perthynant hwy i dra-
ddodiad a gredodd mewn rhoi'r lefain yn y blawd ?
Un o gymwynasau Protestaniaeth i'r byd fu pwys-
leisio mai crefydd i'w rhoi ar waith ym mywyd y byd
yw Cristionogaeth. Nid bod y Gwirionedd i gyd
gennym ninnau chwaith. Perygl Protestaniaid yw
anghofio ym'hle y ceir y lefain ac anwybyddu'r egnïon
ysbrydol a'u ceidw i ddal i weithio. (Nid yw'r Gwir-
ionedd i gyd gan unrhyw gangen o'r Eglwys Grist-
ionogol, ac nid y *label* eglwysig a wisg sydd yn
penderfynu pa faint o Gristion yw dyn. Nid *labels*
eglwysig a wna Gristionogion, ond ysbryd Crist yn y
galon a goleuni Crist yn y gydwybod).

Eithr fe fydd eisiau'r dystiolaeth Brotestannaidd
o hyd, ac y mae ei heisiau yn ein hoes ni mewn modd
arbennig, sef mai *yn y byd* y mae'r Efengyl i'w byw
ac nid allan o'r byd. "Ewch *i'r* holl fyd," meddai'r
Arglwydd wrth Ei ddisgyblion. A dyna Ei air i
ninnau heddiw. Na'n beier, ynteu, am godi llef yn
erbyn Gwladwriaeth dra-awdurdodol sydd yn hawlio
dynion yn gorff ac enaid o'u crud i'w bedd ; am wylio'n
bryderus ogwyddiadau addysg yn yr ysgolion ; am
geisio creu cydwybod fwy goleuedig ar faterion
cyhoeddus, ac am brotestio yn erbyn rhyfel fel ffordd
o ddatrys cwerylon rhwng cenhedloedd. Dyna'r
traddodiad y'n magwyd ni ynddo, traddodiad an-
niddig, aflonydd, gwrthryfelgar yn erbyn pethau fel

y maent, a rhyw awydd diorffwys i'w llunio ar ddelw
teyrnas Iesu Grist.

3. *Tasg lefain yw lefeinio'r holl does :* "hyd oni
surodd y cwbl."

Dyna dasg yr Efengyl, ei rhaglen yw achub y
byd. Er bod y lefain yn guddiedig yn y blawd, rhowch
ei amser iddo ac y mae'n sicr o wneud ei waith, a
hawdd fydd gweld cyn bo hir ei fod yno. Gwelais fy
mam droeon yn tylino'r noson cynt ac yn gadael
y toes i godi dros nos. Golwg digon swrth a digyffro
fyddai ar y toes yng ngwaelod y badell ond erbyn y
bore byddai wedi codi hyd yr ymylon.

Dylanwad felly oedd dylanwad gweinidogaeth
Iesu Grist pan oedd yma ar y ddaear. Gweithiodd yn
ddistaw a di-rwysg o fewn terfynau y grefydd Iddewig.
Ond erbyn y bore, bore'r trydydd dydd, codwyd
rhywrai yng ngrym Ei lefain Ef, uwchlaw ffiniau
cenedl ac iaith, hyd at ymylon y byd cenhedlig.
Dylanwad felly oedd dylanwad Cristionogaeth o fewn
yr Ymerodraeth Rufeinig. Un gwrthryfelwr ymhlith
cannoedd eraill, a groeshoeliwyd yn nyddiau Pontius
Pilat, oedd Iesu o Nasareth ar gofnodion yr Ymerod-
raeth honno. Mae'n sicr na wyddai'r Cesar ei hun
ddim amdano, ond nid hir y bu swyddogion Cesar
cyn dod i wybod am ddilynwyr Crist. Ymdreiglent
o ddinas i ddinas yn yr Ymerodraeth, mordwyent
o borthladd i borthladd, gwnaent ddefnydd o'i llongau
ac o'i ffyrdd a chyraeddasant hyd at ei llysoedd a'i
phlasau. Ac fel y gwanhai awdurdod y Cesar ar
gyfandir Ewrop tynhau a thynhau a wnâi gafael y
Crist. Trechu'r Cesar a wnaeth y Barbariaid o'r
Gogledd yn y man ; trechu'r Barbariaid a wnaeth
Iesu Grist drwy roi lefain Ei Deyrnas yn eu calonnau.

Dichon hynny ebe'r synic, ond ni wnaeth fawr o wahaniaeth. Ni chododd Ei lefain Ef nemor ddim arnynt. Y mae cyfandir Ewrop mor anwaraidd ag y bu erioed, ac y mae'r ychydig lefain sydd yn aros yn prysur ddarfod amdano !

Peidied y synic â bod yn rhy siŵr. Peidied neb â gadael i ryfeloedd yr ugeinfed ganrif ein dallu i ôl dylanwad Iesu Grist ar wareiddiad y byd. " The picture, I think," ebe C. H. Dodd, am y lefain yn y blawd, " is true to history".[1] Nid 'yw Hanes wedi dirwyn i'r pen eto, bid siŵr, ac y mae llawer iawn o waith yn aros lefain Teyrnas Nefoedd. Ond nid yw hynny yn dirymu'r gwaith enfawr a wnaed. Dyma i chwi rai agweddau arno. Eglwys Iesu Grist fu ysgolfeistres Ewrop am fil o flynyddoedd. Hi oedd yn cyfrannu addysg ac yn diogelu diwylliant. Addysg i'r dosbarth breintiedig oedd honno bid sicr, ond yn y cyfnod Protestannaidd derbyniodd y Werin, hithau, freintiau cyffelyb. A dynion Iesu Grist a fynnodd addysg i'r Werin. Ceir cryn sôn am Ryddid ac am Weriniaeth yn ein dyddiau ni, a'r pwysigrwydd o'u diogelu. Ond, atolwg, pwy a'n dysgodd fod y pethau hyn yn werthfawr ? Pwy ond Iesu Grist a'i ganlynwyr ? Y mae'r Cristion, meddai Martin Luther, yn ddyn cwbl rydd. John Milton, y Piwritan, a ysgrifennodd yr amddiffyniad gwychaf o ryddid y Wasg sydd ar gael.[2] Ac y mae pob rhyddid gwleidyddol a dinesig a feddwn wedi tarddu o egwyddor rhyddid crefyddol fel y mae yn yr Iesu. Ymffrostia'r

---

[1] *Parables of the Kingdom*, t. 192.
[2] " His *Areopagitica* is the noblest plea for liberty of thought in the English language." A. B. D. Alexander yn *The Shaping Forces of Modern Religious Thought*, t. 84. Un o'r llyfrau gwychaf i'r cyfeiriad hwn.

Americanwyr yn eu Gweriniaeth Fawr. Pwy a osododd seiliau eu Gweriniaeth ? Pwy ond y Tadau Pererin ?

Meddylier drachefn am yr ymdrechion i greu amgen a glanach byd ar y ddaear. Pa le y cafodd yr ymdrechion hyn eu symbyliad dyfnaf ? Onid yn yr egni dwyfol sydd yn llifo allan o Iesu Grist ? Cristion mawr oedd Thomas More a ysgrifennodd *Utopia*. Protestant mawr o Holland oedd Hugo Grotius a ddadleuodd mor wych dros gyfraith rhwng cenhedloedd i atal rhyfeloedd. Condemniwyd Rhyfel gan Erasmus yn yr unfed ganrif ar bymtheg, a gwelodd y canrifoedd diweddarach lawer ymdrech i geisio sylweddoli delfrydau yr arloeswyr hyn. Cristionogaeth a gododd safle'r ferch ym mywyd cymdeithas. Cristionogaeth a ddysgodd y cenhedloedd i ofalu'n dirionach am blant bach, ac i ymgeleddu cleifion a thlodion, ac amddifaid ac anffodusion daear.

Do, gweithiodd y lefain a gadawodd ei ôl ar fywyd y byd. Ac os teimlwn ni fod ganddo lawer iawn i'w wneud eto, prawf yw hynny fod y lefain yn dal i weithio ynom ni. Ceidw at ei raglen i ennill y byd i Deyrnas Crist, "hyd oni surodd y cwbl." Deil i weithio yn y rhai hynny sydd yn debyg i'r bachgen bach a oedd am beintio'r byd i gyd i Grist. Yr oedd hwnnw'n drist, meddai'r bardd,[1] am fod lliw'r ddaear mor ddu a chyn lleied o liw y gwaed arni. A phan oedd pawb arall yn cysgu cododd ef o'i wely a pheintiodd y cyfan yn goch.

Pan fyddi dithau'n teimlo mai du yw lliw'r cyfanfyd crwn, deffro o'th gysgu, cyfod o'th wely a dos ati i beintio'r byd i gyd i Grist.

---

[1] *Paentio'r Byd yn Goch,* J. J. Williams

DAMEG Y GORUCHWYLIWR ANGHYFIAWN

Ac meddai hefyd wrth ei ddisgyblion, "Yr oedd rhyw ddyn cyfoethog, a chanddo oruchwyliwr ; a chyhuddwyd hwn wrtho ei fod yn gwastraffu ei eiddo. Ac fe'i galwodd a dywedodd wrtho, ' Beth yw hyn a glywaf amdanat ti ? Dyro gyfrif o'th oruchwyliaeth, canys ni elli fod yn oruchwyliwr mwyach.' A dywedodd y goruchwyliwr ynddo'i hun, ' Beth a wnaf, gan fod fy arglwydd yn dwyn yr oruchwyliaeth oddi arnaf ? Cloddio nis gallaf, ac mae arnaf gywilydd cardota. Mi wn beth a wnaf, fel, pan ddiswyddir fi o'r oruchwyliaeth, y'm derbyniont i'w tai. A galwodd ato bob un o ddyledwyr ei arglwydd, ac meddai wrth y cyntaf, ' Pa faint sydd arnat i'm harglwydd ? ' Dywedodd yntau, ' Can barilaid o olew.' Dywedodd wrtho, ' Cymer dy ymrwymiad, ac eistedd ac ysgrifenna ar unwaith hanner cant.' Yna dywedodd wrth un arall, ' A thithau, pa faint sydd arnat ? ' Dywedodd yntau, ' Can pegaid o ŷd.' Dywedodd wrtho, ' Cymer dy ymrwymiad ac ysgrifenna bedwar ugain.' A chanmolodd yr arglwydd y goruchwyliwr anghyfiawn, am iddo wneuthur yn gall ; canys y mae plant yr oes hon yn gallach na phlant y goleuni tuag at eu cenhedlaeth eu hunain. Ac yr wyf innau'n dywedyd i chwi, Gwnewch i chwi eich hunain gyfeillion trwy'r mamon anghyfiawn, fel pan ballo y'ch derbynier chwi i'r tragwyddol bebyll. Yr hwn sydd ffyddlon mewn ychydig, ffyddlon ydyw hefyd mewn llawer, a'r hwn sydd anghyfiawn mewn ychydig, anghyfiawn ydyw hefyd mewn llawer. Felly, oni buoch ffyddlon gyda'r mamon anghyfiawn, pwy a ymddiried y gwir olud i chwi ? Ac oni buoch ffyddlon gydag eiddo arall, pwy a rydd i chwi yr eiddom ni ? Nid dichon gwas wasanaethu dau arglwydd ; canys un ai casâ'r naill a châr y llall, neu fe lŷn wrth y naill a dirmyga'r llall. Ni ellwch wasanaethu Duw a Mamon."—*Luc xvi.* 1–13.

DAMEG Y GORUCHWYLIWR ANGHYFIAWN

Luc xvi. 1–13.

ER MOR amlwg yw damhegion yr Arglwydd Iesu yn yr Efengylau, ac er mor hysbys ydynt ar gyfrif yr

aml esbonio a phregethu a fu arnynt, eto y mae rhai
ohonynt yn llawer mwy cyfarwydd nag eraill i'r rhelyw
o Gristionogion. A siarad yn gyffredinol gallem
ddweud y gŵyr pawb am y Mab Afradlon ac am y
Samariad Trugarog, ond tybed pa faint o fynychwyr
ein temlau a allai ddweud yn ddirybudd stori y
Goruchwyliwr Anghyfiawn ?

Y mae hon yn un o'r rhai mwyaf anodd a beiddgar
o ddamhegion Iesu Grist, ac yn un hawdd iawn gwneud
cam â hi drwy ei thrin fel alegori. Os ceisiwch ddad-
gymalu hon, a chwilio am ystyr ysbrydol i bob cymal,
yn hytrach na'i thrin fel darlun cyfan, ewch i anawster-
au dybryd. Ac nid yw neges y darlun cyfan yn hollol
ddigamsyniol. A barnu oddi wrth adnodau 8-12
gallem dybio bod o leiaf dair pregeth bosibl ar ddameg
y Goruchwyliwr Anghyfiawn yn eu cynnig eu hunain
i efengylwr yn yr Eglwys Fore. Pa sawl pregeth a
gwers wahanol a awgrymodd y ddameg ar hyd yr
oesau, Duw a gwrandawyr amyneddgar a ŵyr !
Derbyniwn ni awgrym C. H. Dodd mai'r wers yn
niwedd yr wythfed adnod yw'r neges wreiddiol,
sydd yn mynegi bwriad yr Athro mawr. Credwn
mai Ei fwriad oedd gwneuthur defnydd o esiampl
dynion bydol-ddoeth, "plant y byd hwn," i ddysgu
gwers i'w ddisgyblion, "plant y goleuni," "oblegid
y mae plant y byd hwn yn gallach yn eu cenhedlaeth na
phlant y goleuni."

Ceir cymeriadau cyfrwys, athrylithgar yn y stori.
I ddechrau, dyna'r gŵr goludog, segur, da ei fyd, a'i
fryd yn fwy ar yr arian sy'n disgleirio nag ar yr hyn
sy'n iawn. Ac wele'r goruchwyliwr, stiward ei ystad,
a wasgarodd dda ei feistr drwy fyw yn afradlon.

Hefyd, dyledwyr y gŵr goludog, a aeth i ddyled oherwydd eu diffyg anrhydedd eu hunain, a blerwch ac anonestrwydd y goruchwyliwr. Pan alwyd y stiward i roddi cyfrif o'i oruchwyliaeth i'w feistr bu mewn argyfwng blin. Ond cafodd weledigaeth, sef, lleihau dyled y dyledwyr rhag i'r arian fynd yn golled i gyd. Ac yr oedd ei feistr yn ddigon bydol ac ariangar i dderbyn y swm llai rhag iddo golli'r cwbl. "A'r arglwydd a ganmolodd y goruchwyliwr anghyfiawn, am iddo wneuthur yn gall."

Yn y fan hon y gorffen y ddameg, ar ganol yr wythfed adnod, ac â'r Iesu rhagddo i ddysgu gwers arni, "oblegid y mae plant y byd hwn yn gallach yn eu cenhedlaeth na phlant y goleuni."

Gocheler rhag gwneuthur un camsyniad ar unwaith. Na feddyliwn fod Iesu Grist yn canmol _gweithredoedd_ y dynion bydol anonest hyn, ac nad yw anonestrwydd a rhedeg i ddyled a bydolrwydd yn bechod yn Ei olwg Ef. Canmol _callineb_ y bobl hyn a wna, nid y defnydd a wnaethant hwy o'u callineb. Mae'n digwydd yn fynych y ceir ysbryd ac egwyddor sydd yn ardderchog ynddynt eu hunain, ond y defnydd a wneir ohonynt yn hollol gyfeiliornus. Peth ardderchog yw anturiaeth ynddi ei hun, ond y mae gamblo yn fynegiant hollol annheilwng ohoni. Ac nid yw canmol anturiaeth yn golygu bendithio gamblo. Peth ardderchog yw dewrder a gwroldeb, ond nid dynion yn lladd ei gilydd yw'r defnydd gorau ohonynt. Ac ni olyga canmol dewrder a gwroldeb fendithio rhyfel. Peth da yw callineb, meddai Iesu Grist wrth Ei ddisgyblion yn y ddameg hon, ond nid yw'n dilyn Ei fod Ef yn bendithio dull y byd hwn o'i ddefnyddio.

Beth yw'r gwersi, ynteu, y gall " plant y goleuni "
eu dysgu oddi wrth " blant y byd hwn " ?

1. Y *mae* " *plant y byd hwn* " *yn effro ac yn fyw
mewn argyfwng.* " Mi a wn beth a wnaf."

Meddyliwch am yr argyfwng, y cyfyngder y cafodd
y stiward yma ei hunan ynddo,—wedi afradloni
eiddo ei feistr, wedi esgeuluso dyledion mawrion,
a'i feistr wedi clywed ac yn ei alw i gyfrif, ac yntau
mewn perygl o gael y *sack*! Ac er mwyn deall beth
a olygai hynny iddo cofier mai caethwas oedd goruch-
wyliwr yn nyddiau Iesu Grist. Eithr amddiffynnai'r
ddeddf Iddewig gaethwas yn lled dda. Un o deulu
ei feistr oedd, a byddai ei yrru i ffwrdd yn beth difrifol
iawn iddo. Ni fyddai ganddo le i droi iddo ond i'r
comin i lwgu. Nid oes ryfedd felly i'r goruchwyliwr
hwn ofyn, " Pa beth a wnaf ? . . . cloddio nis gallaf,
a chardota sydd gywilyddus gennyf."

Ond dyma wynebu'r sefyllfa yn ei duwch a'i
hanobaith i gyd, dyma gasglu ei *wits* at ei gilydd, a
mynnu ei ffordd allan. Nid awgrymodd o gwbl fod
popeth ar ben a'i fod wedi ei drechu. Na, meddai,
" Mi a wn beth a wnaf," a'i holl gyneddfau ar waith.
Nid yr hyn *a wnaeth* sy'n bwysig, ond iddo wneud
rhywbeth, iddo wynebu ei argyfwng a'i goncro.

Gall " plant y goleuni " ddysgu gwers arhosol
oddi wrth hwn. Pa sawl gwaith y cafodd, ac y caiff
disgyblion Iesu Grist eu hunain mewn argyfwng, wedi
eu dal gan amgylchiadau dyrys, ac y dywedant fod y
byd ar ben ac nad oes obaith am ymwared mwy.
Dyna brofedigaeth amlwg yr Eglwys yn ein hoes
ni. Goddiweddwyd ni gan yr ymdeimlad o argyfwng
ac y mae'r amgylchiadau y cawsom ein hunain yn-
ddynt yn bwyta ein nerth, yn lladd ein gobaith, a'n

gwneud yn ddiymadferth. Pa sawl gwaith yn ystod argyfwng y rhyfel diwethaf y dywedodd crefyddwyr iddi fynd yn amhosibl dal ymlaen gyda gwaith yr Arglwydd yn ôl eu harfer. Ond ni ddywedodd hyr- wyddwyr y sinema a'r dafarn ddim o'r fath. Y mae "plant y byd hwn" yn llawer mwy effro a byw mewn argyfwng na "phlant y goleuni." Mor ddi- ymadferth a digychwyn yr aethom yn yr Eglwysi Ymneilltuol ym mlynyddoedd yr argyfwng i ennill y plant a'r ieuenctid i'r Arglwydd. Iaith y byd yw,— ' Rhaid i ni eu cael ' ; ' mynnwn eu cael ' ; ' ffeindiwn ffordd i'w denu.'

Ac wrth bob un a siaradai felly mewn argyfwng dywedai Iesu Grist, Da, was,—dyna'r ffordd i drafod argyfwng.

Dyma'r ail wers.

2. *Y mae "plant y byd hwn" yn ffyddlon i'w gilydd mewn argyfwng.*

Edrycher eto ar y darlun. Edrycher ar y bydol- ddynion hyn yn chwarae i ddwylo ei gilydd. Aeth y goruchwyliwr i anhawster, y mae'n gyfyng arno, ond cymerth y dyledwyr i'w gyfrinach. Bodlon ydynt hwythau i ddod heb ddadlau nac ymgecru, ac fe weithia'r plan i'r dim !

Ceir anrhydedd ymhlith lladron, meddai'r ddi- hareb.

Ac onid oes gwers i chwi yn hynny, meddai'r Arglwydd Iesu wrth ei ddisgyblion. Y mae "plant y byd hwn " yn gallach na chwi yn hyn o beth. Eich gwendid chwi yw ymdderu â'ch gilydd pwy sydd fwyaf yn Nheyrnas Nefoedd, pwy a gaiff fod yn geffyl blaen, pwy a gaiff eistedd agosaf at yr Arglwydd yn Ei Deyrnas. Edrychwch ar "blant y byd hwn " a dysgwch gymryd y lle sydd ar eich cyfer, dysgwch bartneriaeth.

Un o'r pethau mwyaf andwyol i fywyd yr Eglwys a llwyddiant ei gwaith yw mân genfigennau ac ymrysonau dynion a merched yn gwrthod cefnogi ei gilydd. Y dydd o'r blaen ymgymerodd y saint â chasglu at y *Red Cross*. Ardderchog o waith yn wir. Ond sylwais fod llawer o fân genfigennau yn eu plith. Onid oeddech *chwi* ar fy mhwyllgor *i*, nid oedd eich ymdrech chwi yn cyfrif ! Onid yw Mrs. Jones yn digwydd bod yn ffrindiau gyda Mrs. Hughes fe gaiff y *Red Cross* fynd i Jericho ! Ond fe gasglwyd £150. Do, da iawn. Ond mewn llai na hanner yr amser a gymerwyd i gasglu yr £150 yr oedd " plant y byd hwn" yn anfon cannoedd o bunnau o arian gambl o'r un gymdogaeth heb i neb ymron wybod eu bod wrth y gwaith. Mae'n rhaid bod rhyw bartneriaeth gudd effeithiol iawn rhyngddynt a'i gilydd.

Ac, yn ôl y ddameg, gall " plant y goleuni " ddysgu cymaint â hynyna oddi wrth " blant y byd hwn," dysgu cefnogi ei gilydd a sefyll ochr yn ochr mewn ffyddlondeb i'w gilydd.

3. *Y mae plant y byd hwn yn gyson â hwy eu hunain mewn argyfwng.*

Awgryma Oesterley mai hon yw gwers bwysicaf y ddameg,—gwers mewn cysondeb.

Gwelwch mor gyson â hwy eu hunain yw " plant y byd hwn." Gwell gan y gŵr goludog, segur, bydol, dderbyn hanner can mesur o olew na chant, yn hytrach na cholli'r cyfan. Olew, gwenith, arian yw ei fywyd, a'r pethau hynny a fyn o dan bob amgylchiadau. Twyllodd y goruchwyliwr ei feistr a'r unig ffordd allan mewn argyfwng yw twyllo rhagor arno !

Rhedodd y dyledwyr i ddyled, ac y maent yn berffaith fodlon aros ynddi er mwyn chwarae i ddwylo'r goruchwyliwr. Mor gyson ag ef ei hun yw pob un ohonynt ! Dyna ddull " plant y byd hwn." Os cybydd yw'r dyn, edrych am y geiniog y bydd ym mhob man. Ni bydd ef byth yn hael heddiw ac yn grintach yfory. Os meddwyn yw'r dyn gwêl bob tafarn ym mhob stryd. Os gwastraffwr yw'r dyn, gwastraffu popeth a wna.

Ond un peth sy'n gyffredin i'r dynion hyn i gyd, y maent yn gyson â hwy eu hunain. Dyna eu callineb, a gall Ei ddisgyblion, meddai'r Iesu, ddysgu cymaint â hynny oddi wrthynt.

Oherwydd gwendid disgyblion yr Iesu yn fynych yw anghysondeb ; duwiol iawn ar y Sul, ond nid mor dduwiol nos Sadwrn. Yn y capel cânt hwyl ar ganu—

" Rhaid yw maddau
Neu fod heb faddeuant byth."

Ond pan ddarllenant eu papur dyddiol, a chlywed bod Lord Vansittart yn galw am ddial ar ein gelynion, *Quite right*, meddant, dyna'r ffordd.

" O ! mor hoff yw cwmni'r brodyr," meddant yn y gyfeillach, ond yn wir, yn wir, ceir aelodau o'r un eglwys nad ysgydwent law â'i gilydd am bris yn y byd !

Eithr cofier hyn hefyd, camp fwy anodd o lawer yw i " blant y goleuni " fyw yn gyson â'u proffes na " phlant y byd hwn," oblegid y mae'r safon yn uwch o lawer iddynt hwy, a'r llwybr yn gulach. Gwaith anodd iawn, mewn dyddiau mor ddrwg, yw byw'n gyson â'r Efengyl. Ond tybed a gofiwn yn wastadol fod cysondeb â'n proffes yn bwysig ?

Ymboenai ein tadau lawer ynghylch cysondeb y ffydd, ond ar gysondeb bywyd â phroffes y mae llygad ein hoes ni.

Sonnir yn Efengyl Marc am rywrai yn nydd y prawf ar Iesu Grist wedi dwyn gau dystiolaeth yn ei erbyn, "ac eto nid oedd eu tystiolaeth hwy felly yn gyson" (Marc xiv. 59). Yng Nghymru heddiw y mae'n ddydd prawf ar y Ffydd a'r safonau a'r ysbryd Cristionogol. Gweddïwn am ras i broffwydo a dysgu a byw yn gyson â'r Enw sydd arnom.

Y GOLUDOG A LASARUS

Yr oedd rhyw ddyn yn gyfoethog, a gwisgai amdano borffor a lliain main, gan fwynhau byd da yn helaethwych beunydd. A rhyw dlotyn, a'i enw Lasarus, oedd yn gorwedd wrth ei borth, yn gornwydlyd, ac yn chwennych ymborthi ar yr hyn a syrthiai oddi ar fwrdd y dyn cyfoethog. A'r cŵn hwythau a ddeuai i lyfu ei gornwydydd. A digwyddodd i'r tlotyn farw, a'i ddwyn ymaith gan yr angylion i fynwes Abraham ; bu farw'r cyfoethog yntau, a chladdwyd ef. A phan gododd ei lygaid yn Annwn, ac yntau mewn arteithiau, fe wêl Abraham o bell, a Lasarus yn ei fynwes. A llefodd, ' Dad Abraham, trugarha wrthyf, a danfon Lasarus i wlychu blaen ei fys mewn dŵr, ac oeri fy nhafod, canys fe'm dirboenir yn y fflam hon.' A dywedodd Abraham, ' Fy mhlentyn, cofia i ti dderbyn dy wynfyd yn dy fywyd, a Lasarus yr un modd ei adfyd ; ond yn awr fe'i diddenir ef yma, a'th ddirboeni dithau. Ac ar ben hyn oll, y mae bwlch mawr wedi ei osod rhyngom ni a chwithau, fel na allo'r rhai a'i mynnai fynd trwodd oddi yma atoch chwi, na chroesi chwaith oddi yna atom ni.' Dywedodd yntau, 'Gan hynny gofynnaf iti, dad, a anfoni di ef i dŷ fy nhad—y mae gennyf bump o frodyr—fel y tystiolaetho iddynt, rhag iddynt hwythau ddyfod i'r arteithfa hon.' Medd Abraham, ' Mae ganddynt Foses a'r proffwydi ; gwrandawant arnynt hwy.' Dywedodd yntau, 'Nag e, dad Abraham, ond os â rhywun atynt oddi wrth y meirw, edifarhânt.' A dywedodd wrtho, ' Oni wrandawant ar Foses a'r proffwydi, nis perswedir, hyd yn oed os cyfyd un oddi wrth y meirw."—*Luc xvi.* 19–31.

Y GOLUDOG A LASARUS

Luc xvi. 19–31.

AR ôl llefaru dameg y Goruchwyliwr Anghyfiawn aeth yr Arglwydd Iesu i sôn am beryglon arian, a rhybuddio Ei wrandawyr na allent wasanaethu Duw a Mamon. A gwrandawai rhai o'r Phariseaid. " A'r

Phariseaid hefyd, y rhai oedd ariangar, a glywsant y pethau hyn oll, ac a'i gwatwarasant ef " (adn. 14). Ond Athro eofn a di-dderbyn-wyneb oedd yr Iesu, ac meddai yn eu hwynebau,—" Chwychwi yw'r rhai sydd yn eich cyfiawnhau eich hunain gerbron dynion ; eithr Duw a ŵyr eich calonnau chwi : canys y peth sydd uchel gyda dynion, sydd ffiaidd gerbron Duw " (adn. 15). Ac er mwyn gyrru'r gwirionedd hwn i galonnau y Phariseaid ariangar y llefarodd Ef ddameg y Goludog a Lasarus. Dyna gysylltiadau llefaru y ddameg a dylid eu cadw mewn cof yn wastadol wrth geisio ei hesbonio. Aeth llawer esbon-iwr ar gyfeiliorn gyda'r ddameg hon drwy anghofio ei chefndir mewn bywyd. Nid dameg i'w chymryd o'i chysylltiadau i esbonio daearyddiaeth (os goddefir yr ymadrodd) y Byd a Ddaw yw hi, ond dameg â'i hergyd i ddysgu'r berthynas a ddylai fod rhwng dyn a'i gyd-ddyn yn y byd sydd yr awron, gan ddangos y berthynas honno yng ngoleuni tragwyddoldeb.

I.

Dau brif gymeriad sydd i'r ddameg, un yn gyfiawn a mawreddog yn ei olwg ei hun, ac yn cael clod gan ddynion fel gŵr mawr, a'r llall yn un o'r rhai isel-radd, yn byw ar drugaredd ei gyd-fforddolion. Y Gŵr Goludog yw'r cyntaf, " a wisgid â phorffor a lliain main." Ni flinid ef gan brinder o unrhyw beth, ac yr oedd ganddo faint a fynnai o'r dillad gwychaf ! A chymerai fyd da yn helaethwych beunydd. Cyfeirio at ei fwrdd y mae'r geiriau hyn, nid at ei wyliau. Dyn yn gloddesta bob dydd oedd hwn, a heb feddwl am ddim ond ei fwynhau ei hun. Meddai ddigon o fodd a digon o flys. Edrychwch arno ; clamp o hen Iddew blonegog yn bur drwm ymlaen, yn byw mewn plas. Awgryma'r geiriau "ei borth ef" hynny ; dyna'r fynedfa i'r plas lle gosodwyd y rhybuddion "*No hawkers*" a "*Beware of the dog.*" Un o ddynion mawr y byd hwn oedd y Gŵr Goludog, a gyfrifid yn un o'i "byddigions," ys dywedai Tomos Bartley, yn unig am fod ganddo arian a'i fod yn byw mewn tŷ mawr.

Y cymeriad arall yw Lasarus, cardotyn yn ei garpiau a chornwydydd ar ei gnawd. (Gyda llaw, dyma'r unig gymeriad yn namhegion Iesu Grist sy'n dwyn enw. Ceisiodd rhai esbonwyr wneud hewl o hynny, a bod gan yr Iesu ryw berson arbennig mewn golwg. Ond ni thybiwn fod yr enw nac yma nac acw. Ystyr "Lasarus" yw "Duw a'm helpo !" ac y mae'n enw sy'n gweddu i unrhyw gardotyn !) Dygid hwn, fel y claf o'r parlys, gan ryw gyfeillion at borth y Gŵr Goludog, ac amhosibl felly oedd i'r Goludog beidio â'i weld yn ei drueni. Eithr nid oedd y cardotyn ddim elwach o hynny. Yr oedd y cŵn yn garedicach wrtho na gŵr y plas, canys deuai y rheini i lyfu ei friwiau, ond ni chafodd fwy o'r plas nag arogl y wledd a chwennych y briwsion a syrthiai oddi ar fwrdd y gŵr cyfoethog. (Nid yw'r gair 'briwsion' yn hollol yn ei le fan hyn. Yr hyn a olygir yw'r tefyll bara a gymerai'r sawl a eisteddai wrth fwrdd y goludog i sychu eu dwylo ar ddiwedd y wledd. Tefyll o fara oedd *serviettes* yr oes honno, a theflid hwy o dan y bwrdd ar ôl eu defnyddio, ac erbyn hynny mae'n debyg nad oeddynt fawr amgen na briwsion). Byddai'n dda gan y cardotyn gael tamaid o'r rheini. Byddent yn wledd iddo ef megis i'r bachgen bach hwnnw a dynnai ddŵr o ddannedd ei chwaer a

fethodd fynd gydag ef i'r te parti. Hithau wedyn yn
holi'n fanwl beth oedd ar y bwrdd, ac yntau'n canmol
yn ddi-ben-draw. " Oedd yno *serviettes* ? " gofynnai
hithau. " Ew ! oedd," meddai'r brawd, " a'r rheini
oedd yn dda ! " Ond ni chawsai Lasarus y cardotyn
friwsionyn gan y Gŵr Goludog.

Fodd bynnag, bu Lasarus farw, ac fe'i cludwyd gan
angylion i fynwes Abraham. Nid oes air o sôn pa fath
angladd a gafodd gan ddynion. A'r Gŵr Goludog
yntau a fu farw, " ac a gladdwyd," mewn rhwysg a
seremoni mae'n sicr.

" Ac yn uffern efe a gododd ei olwg, ac efe mewn poenau,
ac a ganfu Abraham o hirbell, a Lasarus yn ei fynwes.
Ac efe a lefodd ac a ddywedodd, 'O, dad Abraham, trugarha
wrthyf, a danfon Lasarus, i drochi pen ei fys mewn dwfr,
ac i oeri fy nhafod : canys fe a'm poenir yn y fflam hon'.
Ac, Abraham a ddywedodd, 'Ha fab, Coffa i ti dderbyn dy
wynfyd yn dy fywyd, ac felly Lasarus ei adfyd : ac yn awr
y diddenir ef, ac y poenir dithau'."

(Yn ôl pob tebyg daw'r ddameg i ben yn y fan
hon. Awgrymir gan amryw esbonwyr mai ychwaneg-
iad diweddarach yw'r adnodau 26-31, geiriau a
ychwanegwyd gan rywun i ddysgu'r gred nad oes
obaith i ddyn newid ei gyflwr ar ôl iddo ymadael â'r
byd hwn. Cofier mai geiriau ar lafar oedd geiriau'r
Iesu am flynyddoedd. Prun bynnag ceir y gwirionedd
a fynnai Iesu Grist ei ddysgu i'r Phariseaid ariangar
yn yr adran gyntaf o'r ddameg fel y mae, a hynny
sy'n bwysig i'n pwrpas).

II.

Yn awr, dealler hyn yn bendant, fod y ddameg
hon yn orlawn o syniadau Iddewig, syniadau oes a
gwlad Iesu Grist Ei Hun. Gan Ei fod Ef yn wir
ddyn, rhesymol yw disgwyl hynny. Camgymeriad

o'r mwyaf yw disgwyl i Iesu Grist siarad yn nhermau yr ugeinfed ganrif, a'i gondemnio a'i gollfarnu am na wna hynny. Prawf o'i ddyndod gwirioneddol yw iddo fyw ar y ddaear fel pawb arall yn blentyn Ei oes Ei Hun. Ond y mae Gwirionedd yn dragwyddol ac yn parhau o oes i oes. Digalondid y funud a barodd i " Arthur " T. Gwynn Jones ddywedyd wrth Bedwyr—

> " Â o gof ein moes i gyd,
> A'n Gwir, anghofir hefyd."

Gwisgoedd Gwirionedd sydd yn newid, a'r dasg o hyd yw dal ar y Gwirionedd sydd yn yr hen wisgoedd a'i gyflwyno'n ddealladwy i'r oes newydd ; rhoddi gwisg fodern amdano, os mynnwch, gan gofio bob amser y bydd honno yn hen ffasiwn cyn bo hir, ond y Gwirionedd fel y mae yn yr Iesu yn cerdded ymlaen yn amlder ei rym.

Dyma rai o'r syniadau Iddewig sydd yn y ddameg hon y dylem gytuno eu bod yn hen ffasiwn erbyn hyn ac yn anghymwys i gyfleu'r Gwirionedd mewn oes wyddonol.

(a) Bod dyn da wrth farw yn myned i fynwes Abraham. Syniad hollol Iddewig yw hwn, ond hollol naturiol. Abraham oedd tad y genedl, a naturiol oedd credu y dychwelai ei hiliogaeth ato ar ôl gorffen â'r byd hwn.

(b) Un o syniadau'r Rabbiniaid Iddewig, hefyd, oedd y syniad y cludir dyn da ar ôl iddo farw i'r byd arall gan dri o angylion.

(c) Syniad hollol Iddewig eto yw'r syniad am uffern fel tân poeth, ac y trosglwyddir dyn drwg yno i'w boeni am dragwyddoldeb. Y mae'r syniad o'i gymryd yn llythrennol yn gwbl ddisynnwyr ac

anghristionogol, ac anodd yw deall paham y coledd-
wyd ef cyhyd gan Gristionogion.

(ch) Syniad Iddewig arall yw'r awgrym gwreiddiol
fod y da a'r drwg yn gweld ei gilydd yn y byd tu
hwnt i'r llen, a bod gweld y rhai drwg yn cael eu
poeni yn ychwanegu at nefoedd y saint, a bod gweld y
saint yn eu mwynhau eu hunain yn ychwanegu at
uffern y pechaduriaid !

Parodd cynnydd mewn gwybodaeth ac mewn
dirnadaeth ysbrydol dan arweiniad ysbryd Iesu
Grist i'r syniadau hyn fynd yn gwbl anghredadwy
erbyn hyn yn eu ffurf lythrennol, ac os ydym am
unrhyw fudd ohonynt rhaid i ni eu hysbrydoli a'u
trin fel symbolau.

III.

Beth, ynteu, yw'r gwirioneddau arhosol sydd yn
y ddameg hon, a beth yw'r wers fawr y dymunai
Iesu Grist ei dysgu drwyddi i'r Phariseaid ariangar ?

(a) *Fod dyn yn greadur deufyd, ac nad marw yw
pen y daith.*

Dyna sylfaen y ddameg, ac oni dderbyniwn y
gwirionedd hwn nid oes ganddi ddim i'w ddysgu i ni.
Niferus ac amrywiol yw'r profion a gynigiwyd ac a
gynigir i ategu'r gwirionedd hwn. Ond sylwer na
cheisiai Iesu Grist byth ei brofi, ond ei gymryd yn
ganiataol a byw a marw yn ei oleuni. Bu fyw a marw
ar bwys y gwirionedd nad y ddaear hon yw cartref
dyn, a bod llawer o drigfannau yn nhŷ Ei Dad, ac
nad yw'r ddaear namyn un ohonynt.

A gewch chwi anhawster weithiau i goleddu'r
syniad o fyd arall ? Caf fi, ambell dro, ond daw fy
meddwl i orffwystra fel hyn. Credaf yn Nuw y
Creawdwr, mai Ef a greodd y byd hwn, a gosod dyn

yn ganolbwynt y greadigaeth. Credaf iddo blannu
rhyw gynneddf mewn dyn, rhywfaint o'i ddelw ef Ei
Hun y sydd, fel Ef ei Hun, yn anfarwol. Ac am Ei
fod Ef yn allu creadigol credaf Ei fod yn gwbl abl i
ddarparu cartref i ddyn pan chwelir ein pabell o glai.
Am y sut a'r modd a'r pryd bodlon wyf i adael y
cyfan hynny iddo Ef:

> " Ein Duw, ein nerth drwy'r oesau fu,
> Ein gobaith am a ddaw,
> Ein cysgod rhag y stormwynt cry',
> A'n cartref bythol draw."

Credaf hyn yna.

Wrth gwrs, ni allwn ni broffesu bod mor gyf-
arwydd â'r byd y tu hwnt i'r llen ag oedd ein tadau.
Gwelent hwy yn dda ddisgrifio'r manylion. Yr
oeddynt yn byw, o ran eu meddwl, yn ôl y Deon
Inge, mewn tŷ o dri uchder,—nefoedd i fyny, daear
ar y gwastad, ac uffern i lawr. Canu diddiwedd
yn y nefoedd, llosgi diddiwedd yn uffern, a phen-
derfynu ein tynged ymlaen llaw ar y ddaear. Ar
ryw ystyr yr oedd hi'n braf iawn ar yr hen bregethwyr
a allai gymryd y syniadaeth yna yn ganiataol ym
meddyliau eu gwrandawyr. Ond, dywedwn eto,
os yw ein hoes ni am unrhyw fudd ohonynt, rhaid i
ni eu trin fel symbolau.

A oes rhyw ystyr, ynteu, mewn sôn am ddyn da
wrth farw yn myned i fynwes Abraham? Oes yn
ddiau. Cymdeithas (*fellowship*) yw nefoedd, dynion
yn derbyn ei gilydd ac yn cofleidio ei gilydd mewn
cyfeillgarwch a chroeso. Peth felly yw nefoedd ar
y ddaear pan ei profer, a pherffeithiad hynny fydd
nefoedd draw.

Pa ystyr sydd mewn sôn am y goludog ariangar yn cael ei boeni yn uffern ? Onid hyn, mai unigrwydd yw uffern ? Dyna ffrwyth " drygweithred Addaf ei hun",[1]—pellhau dyn o deulu Duw a'i wneud yn greadur unig. A pheth mawr i ddyn yw deffro i sylweddoli nad oes iddo ran na chyfran yn yr unig fyd sydd yn dragwyddol, sef byd o gariad a chymwynasgarwch.

Dysgir yn y ddameg hon hefyd—

(b) *Fod dyn bydol ariangar yn cael ei wynfyd yn ei fywyd yn y byd hwn.*

Llwydda bydolrwydd, meddai Iesu Grist, a daw â gwynfyd i'r sawl a'i cais. Syniad cyfeiliornus, er ei fod yn Ysgrythurol a Chalfinaidd, yw'r syniad na welir " y cyfiawn wedi ei adu na'i had yn cardota bara",[2] y syniad fod dyn da yn sicr o lwyddo yn y byd hwn a dyn drwg yn sicr o ddod i brofedigaeth. Darllenai Iesu Grist fywyd yn gywirach na hynny. Os ydych yn benderfynol o wneud arian yn y byd yma nid oes unrhyw reswm paham na lwyddwch, ac fe gewch eich gwynfyd. Nid yw bywyd, at ei gilydd, yn gwneuthur cam â gŵr yn ei fater, ond yn rhoi iddo yr hyn y mae ef yn benderfynol o'i gael. Os eich bryd yw ennill clod y dyrfa, fe'i cewch, ac ni rwystra Duw mohonoch. " Nid yw arian yn ddim," ebe'r Arglwydd Beaverbrook (a dylai ef wybod) " ond ffrwyth penderfyniad a sgil wedi eu cymhwyso at bethau'r byd hwn." Os oes gennych ewyllys ddi-ildio nid oes a'ch rhwystra. Fe gei dy wynfyd yn dy fywyd. Os ei di yn fethdalwr nid Duw sydd yn dy gosbi. Ti sydd heb ddeall y byd hwn. Os ei di yn filiynydd, nid Duw sydd yn dy

---

[1] *Tir y Rhyfeddod*, T. Gwynn Jones.
[2] Salm xxxvii. 25.

lwyddo. Wedi meistroli'r byd hwn yr wyt. Gwisg
dy hun â phorffor a lliain main, cymer fyd da yn
helaethwych beunydd, ac fe gei dy gladdu yn barchus
wedi derbyn dy wynfyd yn dy fywyd.

Achwynir weithiau nad yw yr Iesu yn wynebu
ffeithiau bywyd nac yn eu darllen yn gywir. Pa
ddarlleniad cywirach a ellir ei gael nag a geir yn y
ddameg hon ?

Y mae'r dyn bydol ariangar hunanol yn llwyddo.
O'r gorau. Beth sydd allan o le mewn bydolrwydd
ynteu ? Beth sydd allan o le mewn byw yr un fath
â Gŵr Goludog y ddameg hon ? Paham y dywedodd
yr Arglwydd Iesu, " Gwae chwi y rhai goludog " ?
Pa wae a ddichon fod i'r dyn sydd yn derbyn ei wynfyd
yn ei fywyd ? Dysgir yma,—

(c) *Fod bydolrwydd ac ariangarwch yn anghymhwyso
dyn ar gyfer yr unig fyd sydd yn cyfrif a'r unig fywyd
sydd i barhau.*

Melltith bydolrwydd ac ariangarwch a hunanoldeb
yw eu llwyddiant.[1] Y maent, fel cancr, yn bwyta'r
enaid, ac yn amddifadu dyn o bob gras a rhinwedd
sydd yn cyfrif ym myd Duw. " Canys pa lesâd i
ddyn, er ennill yr holl fyd, a'i ddifetha'i hun, neu fod
wedi ei golli " ? (Luc ix. 25). Pa lesâd i ddyn yw
tynnu i lawr ei hen ysguboriau ac adeiladu rhai mwy,
a gosod ei fryd ar hynny yn unig ? " O ynfyd, y nos
hon y gofynnant dy enaid oddi wrthyt ; ac eiddo pwy
fydd y pethau a baratoaist " (Luc xii. 20) ? Pa les
i ti wisgo mewn porffor a lliain main, a deffro mewn
byd arall i sylweddoli nad yw, Pa beth a wisgwn ?
yn un o'i gwestiynau mawr ? Pa les i ti gymryd byd

---

[1] " Canys esmwythdra y rhai angall a'u lladd ; a llwyddiant
y rhai ffôl a'u difetha." Diarhebion i. 32.

da yn helaethwych beunydd, ac anwybyddu'r cardo-
tyn wrth dy ddôr, a deffro mewn byd lle nad oes dim
yn cyfrif ond cymwynasgarwch a chariad ? Mi fyddi
allan o'th fyd yn gyfan gwbl. Ni fyddi'n neb yno.
Os cefaist glod gan ddynion yn y byd hwn ni chei di
glod gan neb yno. Ni welant hwy ddim yn dy safonau
a'th ddiddordebau di, ac ni fydd gennyt tithau na rhan
na chyfran yn eu bywyd hwythau. Uffern fydd nefoedd
iti.

Dyna'r wers fawr, mi gredaf, a fynnai Iesu Grist
ei ddysgu i'r Phariseaid ariangar drwy ddameg y Gol-
udog a Lasarus, ac ni phylodd min ei neges i bob
bydolddyn hyd heddiw. Dysgwn hi mewn pryd.

Y DYLEDWR ANFADDEUGAR

Yna daeth Pedr ato a dywedyd wrtho, " Arglwydd, pa sawl gwaith y mae fy mrawd i bechu yn fy erbyn ac i minnau faddau iddo ? ai hyd seithwaith ? " Medd yr Iesu wrtho, " Ni ddywedaf wrthyt hyd seithwaith, eithr hyd saith dengwaith saith. Am hynny cyffelyb i deyrnas nefoedd oedd gŵr o frenin, a bender-fynodd wneuthur cyfrif gyda'i weision. Dechreuodd ei wneuthur, a dygwyd un ato a oedd yn ei ddyled o ddeng mil o dalentau. A chan nad oedd ganddo fodd i dalu, gorchmynnodd yr arglwydd ei werthu ef a'i wraig a'i blant a chwbl a feddai, i doddi'r ddyled. Yna syrthiodd y gwas a phenlinio iddo, gan ddywedyd, ' Bydd ymarhous wrthyf, ac mi dalaf y cwbl i ti.' A thosturiodd arglwydd y gwas hwnnw, a rhyddhaodd ef, a maddeuodd y benthyg iddo. Aeth y gwas hwnnw allan, a chafodd un o'i gydweision a oedd yn ei ddyled ef o gan swllt, a gafaelodd ynddo, a'i lindagu gan ddywedyd ' Tâl dy ddyled.' Yna syrthiodd ei gydwas, ac ymbil ag ef, gan ddywedyd, ' Bydd ymarhous wrthyf, ac mi dalaf i ti.' Ond ni fynnai, eithr aeth a bwriodd ef i garchar hyd oni thalai'r ddyled. Yna pan welodd ei gyd-weision yr hyn a ddigwyddasai, bu ddrwg dros ben ganddynt, ac aethant i hysbysu i'w harglwydd y cwbl a ddigwyddasai. Yna galwodd ei arglwydd ef ato, ac medd wrtho, 'Y gwas drwg, yr holl ddyled honno a faddeuais i ti, am i ti ymbil â mi ; oni ddylasit tithau drugarhau wrth dy gydwas, fel y trugarheais innau wrthyt ti ? ' A'i arglwydd yn ei lid a'i traddododd i'r arteithwyr hyd oni thalai'r cwbl o'i ddyled. Felly hefyd y gwna fy Nhad nefol i chwithau, oni faddeuwch bob un i'w frawd o'ch calon."—*Mathew xviii.* 21–35.

Y DYLEDWR ANFADDEUGAR

Mathew xviii. 21–35.

Yn ôl Efengyl Mathew llefarwyd y ddameg hon mewn ateb i gwestiwn Simon Pedr, " Arglwydd, pa sawl gwaith y pecha fy mrawd i'm herbyn, ac y maddeuaf iddo ? ai hyd seithwaith ? " Ni ellir bod yn bendant,

er hynny, mai dyna achlysur ei llefaru gan yr Arglwydd
Iesu, ond p'run bynnag, y mae hi'n hollol yn ei lle ac
yn esiampl deg a gwerthfawr o ddysgeidiaeth Iesu
Grist ar y pwnc o faddeuant. Ac os Mathew sy'n
gyfrifol am ei gosod yn ateb i gwestiwn Pedr y mae
hynny'n gredadwy iawn. Cwestiwn hollol nod-
weddiadol o Bedr yw hwn. Un hawdd troseddu yn ei
erbyn oedd ef, dyn gwyllt ei dymer a hawdd ei gyth-
ruddo. Pan feddyliaf am dymer Pedr byddaf yn
cofio'r ceiliog hwnnw a ganodd deirgwaith y tu allan
i lys yr archoffeiriad. Yr oedd cryn dipyn o'r ceiliog
yn natur Pedr, yntau, a'i grib i fyny ar unwaith pan
groesid ef, ac oni fyddech yn wyliadwrus byddai ei
sbardun o gwmpas eich pen fel y profodd Malchus
er dirfawr loes iddo ! Er hynny deuai ato'i hun yn
union ac nid oedd dal dig yn ei waed.

Dysgai un hen athro Iddewig anhysbys y ceid
pedwar math o gymeriadau o ran eu tymherau : 1, Y
sawl sy'n hawdd ei wylltio ac yn hawdd ei dawelu ;
y mae rhinwedd hwnnw yn gwneud iawn am ei ddiffyg.
2, Y sawl sy'n anodd ei wylltio ac yn anodd ei dawelu;
difethir rhinwedd hwnnw gan ei ddiffyg. 3, Y sawl
sy'n anodd ei wylltio ac yn hawdd ei dawelu ; dyna
ddyn duwiol. 4, Y sawl sy'n hawdd ei wylltio ac yn
anodd ei dawelu ; dyn drwg yw hwnnw. I'r dosbarth
cyntaf y perthynai Pedr yn ddiau, yn hawdd ei wylltio
ac yn hawdd ei dawelu.

Ac fel pob Iddew crefyddol yn ei ddydd dysgwyd
Pedr i faddau i droseddwr deirgwaith a dim mwy.
Fel y dywedir bod tri chynnig i Gymro, felly y dywedai
yr Iddew fod maddau deirgwaith yn ddigon. Gwnâi'r
Gyfraith Iddewig gryn lawer o'r adnodau hynny yn
llyfr Amos sydd yn sôn am yr Arglwydd yn maddau

tri o anwireddau (Amos i, 3, 6, 11, etc.)   Ar eu gorau,
fodd bynnag, cododd rhai o'r Rabbiniaid yn uwch na
hyn, a dyma enghraifft o ddysgeidiaeth Iddewiaeth ar
fater maddeuant ar ei gorau :

> " Cerwch eich gilydd o'r galon ; ac os pecha dyn i'th
> erbyn llefara yn heddychol wrtho a phaid â dal dig yn dy
> enaid ; os edifarha a chyffesu, maddau iddo . . . Ond
> os parha yn ddigywilydd a dal ati i'th ddrygu, maddau
> iddo yn dy galon wedyn a gad y dial i Dduw."[1]

Dywediad godidog arall o eiddo'r hen Rabbiniaid
yw hwn, " Pwy yw'r cryfaf o'r gwŷr cryfion ? Yr hwn
sy'n gwneud ei elyn yn gyfaill".[2]   Awgrym o'r safon
uwch hon yw'r ffaith i Pedr ofyn a oedd eisiau maddau
hyd seithwaith.   Rhagorai hynny gryn lawer ar
y syniad cyffredin yn ei ddydd.

" Yr Iesu a ddywedodd wrtho, Nid ydwyf yn dyw-
edyd wrthyt, Hyd seithwaith ; ond, Hyd ddengwaith
a thri ugain seithwaith."   Ystyr ateb yr Iesu yw nad
mater o " ba sawl gwaith," nid mater o gyfrif a chyd-
bwyso yw maddau, ond mater o ysbryd ac ymagwedd-
iad tuag at y rhai sydd yn pechu i'n herbyn.   Deng-
waith a thri ugain seithwaith yw 490, ac os tybia neb
fod yr Iesu yn dysgu y dylid maddau cynifer â hynny
o droseddau i'n herbyn ac yna dial pan ddigwydd
y 491 trosedd nid yw meddwl Crist gan hwnnw o
gwbl.   Os daliwch i gyfrif y troeon y bu i chwi faddau
ni ddysgasoch y ffordd i faddau yn iawn erioed.   Di-
amau fod eco o gân Lamech yn ateb yr Iesu, cân
Lamech a orfoleddai mewn dial di-ildio.

> " Os Cain a ddielir seithwaith,
> Yna Lamech saith ddengwaith a seithwaith."[3]

---

[1] *Testamentau y xii Patriarch.* Gad 6, 97 (Tua 100 C.C.).
[2] Gw. *The Gospel Parables, &c.*, Oesterley, t. 92.
[3] Genesis iv., 24.

Ond cân yr Oen yw cymell cariad di-ildio. Yn union
fel y gellid dial a chasáu yn ddidrugaredd a diddiwedd
yn yr hen fyd felly y dylai Cristionogion drugarhau
a maddau yn ddiderfyn yn oes y Crist.

Craffwn yn hir ac yn gyson ar hyn. Y mae yma
rywbeth mawr i'w ddysgu. Nid yw meibion a merched
yr ugeinfed ganrif mewn perygl o ddisgyn islaw'r
safon Gristionogol mewn dim yn fwy nag yn y mater
hwn o faddau. Gerbron y safon hon y mae gwar-
eiddiad y Gorllewin (a'r Dwyrain hefyd o ran hynny)
yn fwyaf condemniedig. Canlyniad anochel dau ryfel
mawr byd-lydan yw meithrin ysbryd dialedd a chas-
ineb, a dyma'r gwenwyn sydd yn lladd bywyd a
ffyniant y gwledydd oll. Cân Lamech yw'r gân
boblogaidd o hyd, cân dialydd y gwaed. Ond ni
cheir trefn ar fyd hyd oni cheir gwaed newydd i'n
gwythiennau, a'r unig waed a rydd iechyd i ni yw
gwaed yr Oen a fu farw dros elynion i'w gwneud iddo
yn gyfeillion.

"Pa sawl gwaith y pecha fy mrawd i'm herbyn
ac y maddeuaf iddo ?" Ffordd gofiadwy Iesu Grist
o ateb yw tynnu dau ddarlun a'u gosod ochr yn ochr
er mwyn cyferbyniad. Dyma'r cyntaf. Rhyw frenin
a ddymunai gael cyfrif gan ei weision ; archwyd i
bawb o swyddogion ei lywodraeth ddod â'u cyfrifon
i'r archwilwyr. A phan ddaethant caed un yn ei
ddyled o ddeng mil o dalentau (swm enfawr cyfystyr
â dwy filiwn o bunnoedd o'n harian ni). Bygythir
ei werthu ef a'i wraig a'i blant i dalu'r ddyled, ond
gan iddo ymbil am drugaredd ac am amser i dalu,
maddeuodd y brenin iddo y ddyled i gyd.

Gwahanol iawn yw'r darlun arall. Yr un gwas
wedi mynd allan o ŵydd y brenin yn taro ar gyd-was

oedd yn ei ddyled ef o gan ceiniog. (Swm bychan iawn,
prin bedair punt, o'i gymharu â'r ddyled a faddeuwyd
iddo ef). A heb aros " efe a ymaflodd ynddo ac a'i
llindagodd." Hwnnw yn ymbil am drugaredd ac
am amser i dalu fel y gwnaeth yntau o flaen y brenin.
" Ac nis gwnâi efe ; ond myned a'i fwrw ef yng
ngharchar, hyd oni thalai yr hyn oedd ddyledus."
Pan ddaw'r hanes i glustiau'r brenin ei ddedfryd yw,
" Ha was drwg, maddeuais i ti yr holl ddyled honno,
am iti ymbil â mi ; ac oni ddylesit tithau drugarhau
wrth dy gyd-was, megis y trugarheais innau wrthyt
ti ? "

Dau ddarlun ydynt a osodwyd ochr yn ochr er
mwyn eu cyferbynnu ac i'r disgyblion ddysgu oddi
wrth hynny sut i faddau. Saif y cyntaf dros faddeuant
Duw a'r ail dros anfaddeugarwch dyn.

Safwn ninnau i edrych arnynt.

1. *Y darlun o faddeuant Duw.*

Os oes gan rywun reswm dros beidio â maddau i
droseddwyr, Duw yw hwnnw. Oblegid (*a*) Ystyriwch
faint ac amlder y troseddau i'w erbyn. " Dygwyd
ato un a oedd yn ei ddyled ef o ddeng mil o dalentau "
(adn. 24). Ergyd y ffigur, wrth gwrs, yw bod y tros-
eddau yn ddi-rif. Ac onid hynny yw'r gwir ? Os
cawsoch eich hunan erioed o dan lygad manwl Duw, a
chwithau yn ceisio rhoddi cyfrif o'ch goruchwyliaeth
onid yw'r Salmydd yn dweud y gwir pan ddywed,
" . . . fy mhechodau a'm daliasant, fel na allwn
edrych i fyny : amlach ydynt na gwallt fy mhen "
(Salm xl. 12)? Pwy a ddeall yn llawn ei gamweddau

---

[1] Diau mai Mathew piau adn. 34. A'm teimlad i yw ei bod
yn tynnu dan sail neges y ddameg os yw'r brenin yn y diwedd
yn troi'n ddialgar.

ei hun ? Pwy a all eu rhifo ? Gall pawb ohonom yn briodol iawn weddïo gyda Salmydd arall, Salmydd sydd yn cofio pechodau ei ieuenctid, " Er mwyn dy enw, Arglwydd, maddau fy anwiredd : canys mawr yw" (xxv. 11).

Ond er maint ac er amlder y troseddau i'w erbyn y mae Duw, yn ôl Iesu Grist, yn maddau'r cyfan,

> " Nid byth y deil eddigedd,
> Gwell ganddo drugarhau ;
> Er maint ein hannheilyngdod
> Mae'i gariad E'n parhau."

Nid oes neb o'n hemynwyr yn sicrach o'r gwirionedd hwn na Morgan Rhys. Nid oedd Pant-y-celyn yn sicr iawn bob amser,

> " Dwed i mi, a wyt yn maddau
> Cwympo ganwaith i'r un bai ? "

Ond yr oedd Morgan Rhys yn berffaith sicr,

> " Yr Arglwydd sydd yn maddau
> Pechodau rif y gwlith ;
> 'Does fesur ar Ei gariad
> Na therfyn iddo byth."

Ac meddai ar dro arall,

> " Nis gall maint nac amledd beiau
> Atal Duw i drugarhau."

(b) Ac y mae'n maddau'n rhad. Nid oes gan y troseddwr, yn ôl y ddameg, " ddim i dalu " (adn. 25). Sut byth y talai ef ddeng mil o dalentau ! Gwir ei fod yn addo gwneud, " gan ddywedyd, Arglwydd, bydd ymarhous wrthyf, a mi a dalaf iti'r cwbl oll." Onid oes rhywbeth yn ddynol iawn yn yr ymbil hwn ! Nid oes neb yn fwy gobeithiol ynghylch ei amgylchiadau na'r dyn sydd mewn dyled,—bydd popeth yn awn yfory ! Y cwbl sydd gan ddyledwr ei eisiau yw amser. '' Bydd ymarhous wrthyf.''

Ond pe cawsai pechadur fyw i fod yn gant a mwy ni fyddai ronyn nes i dalu ei ddyled i Dduw. Pe baom ni'n byw yn ddidrosedd yn erbyn Duw o'r funud hon ymlaen am y gweddill o'n hoes ni fyddai hynny onid ein rhe symol wasanaeth. Ni fyddai ynom unrhyw haeddiant dros ben i dalu ein hen ddyledion. Nid yw'n beth dieithr i'r Pabyddion werthu pardwn Duw. Fel pe medrai dynion ei brynu ! Hynny a gythrudd-odd Martin Luther, ac yn gyfiawn felly. Profiad Macbeth yw profiad pob pechadur sy'n ei adnabod ei hun :

> '' Will all great Neptune's ocean wash this blood
> Clean from my hand ? No, this my hand will rather
> The multitudinous seas incarnadine,
> Making the green one red''. [1]

Er hyn i gyd y mae Duw, yn ôl Iesu Grist, yn maddau ac yn maddau'n rhad.

> '' Pa Dduw sy'n maddau fel Tydi
> Yn rhad, ein holl bechodau ni.''

(c) Sylwer ar un peth arall yn y darlun o faddeuant Duw,—y mae Ef yn Dduw *parod* i faddau. Wedi i'r troseddwr ymbil ag ef, '' arglwydd y gwas hwnnw a dosturiodd wrtho, ac a'i gollyngodd, ac a faddeuodd iddo y ddyled '' (adn. 27). Gwnaeth ei arglwydd yn anhraethol well nag a ddychmygodd y gwas. Am ychydig o amser yr ymbiliodd y troseddwr, ond yr hyn a gafodd oedd maddeuant llawn y funud honno. Un felly yw Duw. '' Deuwch yr *awr hon*, ac ym-

---

[1] Macbeth. Act 2, Sc. ii.

resymwn, medd yr Arglwydd: pe byddai eich pechodau
fel ysgarlad, ânt cyn wynned â'r eira; pe cochent fel
porffor, byddant fel gwlân".[1] Y cwbl a ddisgwyl Duw
oddi wrthym yw i ni ddychwelyd ato mewn edifeirwch
calon, ac fel ernes o'n hedifeirwch i ymddwyn tuag
at ein cyd-ddynion fel yr ymddûg Ef tuag atom ni.
" Ac oni ddylesit tithau drugarhau wrth dy gyd-was,
megis y trugarheais innau wrthyt ti ? "

Ni ellid mynegi'r gwirionedd hwn yn well nag
yng ngeiriau Talmud Jerwsalem,—[2]

" Gofynnwyd i Ddoethineb, ' Beth ydyw cosb pechadur?'
Atebodd Doethineb, ' Drygfyd a erlyn bechaduriaid '
(Diar. xiii. 21). Gofynnwyd i Broffwydoliaeth, ' Beth ydyw
cosb pechadur ? ' Atebodd Proffwydoliaeth, ' Yr enaid a
becho, hwnnw a fydd marw' (Esec. xviii. 4). Gofynnwyd
i'r Gyfraith, ' Beth yw cosb pechadur ? ' Ac atebodd
y Gyfraith, ' Dyged boethoffrwm, ac fe a'i cymerir ef yn
gymeradwy ganddo, i wneuthur cymod drosto' (Lef. i. 4).
Gofynnwyd i'r Duw Sanctaidd, Bendigedig fyddo'i Enw,
' Beth yw cosb pechadur ? ' Ac atebodd y Duw Sanctaidd,
Bendigedig fyddo, ' Edifarhaed, ac fe faddeuir iddo'."

Trown at y darlun arall.

II. *Y darlun o anfaddeugarwch dyn.* Megis y
gwelsom yn y darlun arall mor barod yw Duw i faddau
troseddau mawr, yn hwn gwelwn mor barod yw dyn
i ddial am droseddau bach. Y peth cyntaf a wnaeth
y gwas a gafodd faddeuant o ddyled enfawr gan ei
arglwydd oedd llindagu cyd-was a oedd yn ei ddyled
ef o gan ceiniog. Wel, ni ddylai neb fod bedair punt
yn nyled ei gyd-ddyn, ond pwynt y ddameg yw mai
bychan iawn oedd hynny o'i gymharu â'r ddyled a
faddeuwyd i'r gwas.

---

[1] Eseia i. 18.   [2] Gwêl Oesterley, op. cit. t. 96.

Rhyfedda'r Cymry, yn ôl y chwedl, am saith o bethau. Ni chofiaf hwynt yn awr, ond onid yw hwn yn eu plith dylent fod yn wyth, sef parodrwydd dynion i dramgwyddo am bethau bach, ac i achosi teimladau chwerwon o'r herwydd. Wrth gwrs, gwnânt hwy eu hunain fôr a mynydd ohonynt, a'u chwyddo y tu hwnt i fesur. Ond fel y sylwodd un go graff, byddai'n llawer mwy buddiol i bawb brynu *looking-glass* i weld ei droseddau ei hun na phrynu *microscope* i chwyddo camweddau ei gymdogion. Meddai'r Dr. Davies, Tre-lech, ddawn i daro'r hoelen ar ei chlopa. Pan dramgwyddodd rhyw wraig fawr wrth yr achos ym Mryn Iwan a bygwth codi achos newydd, aeth y Dr. i ymliw â hi. " Onid ydych yn meddwl, efallai, eich bod yn gwneud camgymeriad ? " ebe'r Dr. Nac oedd hi, a phe byddai, onid oedd pawb yn gwneud camgymeriad yn ei dro ? " Ydyn' siŵr," ebe'r Dr. Davies, " ond nid yw pawb ohonom yn codi cof-golofnau iddynt ! "

A dechreuad gofidiau yw tramgwyddo am bethau bach. Sylwch yn y darlun hwn mor galed ac mor greulon yr â dyn wrth ddial. " Efe a ymaflodd ynddo, ac a'i llindagodd . . . a'i fwrw ef yng ngharchar." Nid oes gyfrif yn y byd pa greulonderau erchyll a gyflawna dyn pan gaiff dialedd feddiant o'i galon. Ffarwel i bob boneddigeiddrwydd a natur dda bryd hynny. Dylai ein hoes ni fod wedi dysgu'r wers hon yn berffaith ddigamsyniol. Ffrwyth dialedd yw'r hyn a ddigwydd-odd yn Belsen a Dachau, yn Hiroshima a Nagasaki.

Ac y mae'n werth sylwi ar un peth arall, sef y gall creulondeb a dial fod yn gwbl gyfreithlon yn ôl cyfraith gwlad. Cyn belled ag yr oedd cyfraith Rhufain yn y cwestiwn yr oedd y gwas yn y ddameg o fewn y

gyfraith yn yr hyn a wnaeth i'w gyd-was. Ac o saf-
bwynt y gyfraith Iddewig ni wnaeth ddim a oedd
yn groes i arferiad gwlad. Ac y mae gwedd fel yna i
greulondeb a dial o hyd. Wrth gwrs, ni chaniatâ
cyfraith Prydain i chwi lindagu ar y stryd y dyn sydd
yn eich dyled o bedair punt, ond fe gewch ddial a
chasáu faint a fynnoch ar raddfa fawr. Hynny a
wneir mewn rhyfel, ac y mae rhyfel yn beth cwbl
gyfreithlon hyd y dydd hwn ac yn arferiad parchus
ymhlith y gwledydd.

Yng nghanol anghydfod ein dyddiau gwyliwn rhag
anghofio'r ffordd i faddau. Byddai'r byd hwn yn
annioddefol i fyw ynddo pe gwyliai pawb ei gyfle i
daro'n ôl am bob rhyw drosedd a wneid yn ei erbyn.
Rhaid i rywrai sefyll dros y ffordd ragorach, ' y ffordd
dra rhagorol,' ac ychydig yw y rhai sydd yn ei cheisio
hi. Ond pwy a'i ceais oni wna Cristionogion ? A
dyma'r ffordd i greu heddwch,—mater gwahanol
iawn i gyhoeddi heddwch. Oblegid gweithred greadigol
yw maddau sydd yn dwyn i fod berthynas newydd,
sefyllfa a theimladau newydd na ellid cyfrif arnynt
cyn mentro maddau. Y mae maddau yn cynnwys
goddef cam heb ddial a pharchu dyn er maint ei
fai. Meddai John Calfin am Martin Luther un tro,
" Pe galwai Luther fi yn gythraul fil o weithiau, myfi
a'i parchwn ef fel gwas ffyddlon i Grist."

Dyma beth anodd, anodd ei wneud. Dyma groes
y disgybl. Peth hawdd a dymunol gennym yw
gorfoleddu yng Nghroes ein Harglwydd Iesu Grist a
diolch am y maddeuant a gawn drwyddi hi, y peth
anodd yw cerdded llwybr bywyd o ddydd i ddydd yn
ysbryd y Groes. Ac ni allwn brofi maddeuant Duw
yn iawn nac yn llawn heb faddau i'n gilydd. Wrth

edrych ar y darlun cyntaf yn y ddameg hon gellir gofyn, A yw maddeuant Duw yn ddiamodol ? A'r ffordd orau i ateb yw dweud, Ydyw, yn gwbl ddiamodol o ran parodrwydd Duw i'w roi, ond nac ydyw o ran cymhwyster dyn i'w dderbyn. O ochr dyn y mae dwy amod fawr i dderbyn maddeuant Duw, sef edifeirwch a maddau i'n gilydd. Gwneud hynny yn berffaith glir yw neges fawr dameg y Dyledwr Anfaddeugar.

DAMEG Y LLAFURWYR

" Canys cyffelyb yw teyrnas nefoedd i ddyn o ben-teulu a aeth allan gyda'r dydd i gyflogi gweithwyr i'w winllan. Ac wedi cytuno â'r gweithwyr am swllt y dydd, anfonodd hwynt i'w winllan. Ac aeth allan ynghylch y drydedd awr a gwelodd eraill yn sefyll yn y farchnad yn ddi-waith, a dywedodd wrth y rheini, ' Ewch chwithau hefyd i'r winllan, a pha beth bynnag a fo cyfiawn mi a'i rhoddaf i chwi.' A hwy aethant. A thrachefn yr aeth allan ynghylch y chweched a'r nawfed awr, a gwnaeth yr un modd. Ac ynghylch yr unfed awr ar ddeg aeth allan, a chafodd eraill yn sefyll, ac medd wrthynt, ' Paham yr ydych yn sefyll yma ar hyd y dydd yn ddi-waith ? ' Medd-ant wrtho, ' Am na chyflogodd neb ni.' Medd ef wrthynt, " Ewch chwithau hefyd i'r winllan.' Ac wedi iddi hwyrhau, medd arglwydd y winllan wrth ei oruchwyliwr, ' Galw'r gweithwyr, a thâl iddynt eu cyflog, gan ddechrau o'r rhai olaf hyd y rhai cyntaf.' A phan ddaeth y rhai a gyflogasid ynghylch yr unfed awr ar ddeg, cawsant swllt yr un. A phan ddaeth y rhai cyntaf tybiasant y caent fwy ; eto cawsant hwythau hefyd swllt yr un. Ond pan gawsant, dechreuasant rwgnach yn erbyn y penteulu, gan ddywedyd, ' Un awr y gweithiodd y rhai olaf hyn, a gwnaethost hwynt yn gyfartal â ni, sy wedi dwyn pwys y dydd a'r gwres.' Atebodd yntau i un ohonynt, ' Gyfaill, nid wyf yn gwneuthur cam â thi ; onid am swllt y cytunaist â mi ? Cymer yr eiddot, a dos ; yr wyf yn dewis rhoi i'r olaf hwn fel i tithau ; onid cyfreithlon i mi wneuthur a fynnwyf â'm pethau fy hun ? Neu ai cenfigennus wyt ti am fy mod i'n garedig ? ' Felly y bydd y rhai olaf yn flaenaf, a'r rhai blaenaf yn olaf."

—*Mathew* xx. 1–16.

DAMEG Y LLAFURWYR

Mathew xx. 1–16.

Y tu ôl i'r ddameg hon ceir Simon Pedr yn gofyn un o'i gwestiynau i'r Iesu. Un da am ofyn cwestiynau

oedd Pedr a dylem ddiolch iddo amdanynt. Heb-
ddynt diau na bai gennym ddarnau gwerthfawr o
ddysgeidiaeth yr Arglwydd Iesu. A dylem ddiolch i
Mathew am groniclo'r darn hwn oblegid ef yn unig a
wnaeth hynny. Yn y Cyfieithiad Diwygiedig nid oes
toriad pennod rhwng xix. 16 a xx. 16, ac awgryma
hynny mor berthnasol yw Dameg y Llafurwyr i'w
chefndir ac i achlysur ei llefaru. Daethai gŵr ieuanc a
oedd yn berchen da lawer at yr Iesu gan ofyn, " Pa
beth a wnaf, fel y caffwyf fywyd tragwyddol ? "
A'r ateb a gafodd oedd, " Dos, gwerth yr hyn sydd
gennyt, a dyro i'r tlodion ; a thi a gei drysor yn y
nef ; a thyred, canlyn fi." Mynd i'w ffordd yn drist
a wnaeth y gŵr ieuanc gan deimlo bod yr Iesu yn
gofyn gormod. A thra soniai'r Iesu am yr anhawster
a gaiff goludogion i fyned i mewn i Deyrnas Nefoedd
cododd cwestiwn ym meddwl Simon Pedr, " Wele
nyni a adawsom bob peth, ac a'th ganlynasom di ;
beth gan hynny a fydd inni ? "

Awgrym y cwestiwn yw, os addawsai'r Iesu drysor
yn y nef i ddyn ieuanc a aberthai i'w ddilyn Ef o'r
dydd hwnnw ymlaen, pa beth a gâi'r disgyblion a
adawsai bopeth ers llawer dydd bellach i'w ddilyn ?
Ai yr un fyddai eu gwobr ? Ai teg gosod y rhai
a ddaw i mewn i winllan yr Iesu ar yr unfed awr ar
ddeg ar yr un tir â'r rhai a ddygodd " bwys y dydd
a'r gwres " ? Oni ddylai rhyw rai gael eu hystyried
yn llawer pellach ymlaen yn Nheyrnas Nef na'r rhai
sydd newydd ymddiddori ynddi ?

Cwestiynau dynol a naturiol iawn yw y rhai hyn
ac yn para i flino llawer o Gristionogion. A yw Duw
yn gyfiawn ? A yw Duw yn deg ? Onid oes rhai, a'r
rheini yn rhai da iawn, yn cael cam o gyfeiriad y

nefoedd ? Ac onid oes eraill, a'r rheini yn ddigon
anhaeddiannol, yn cael mantais ? Ateb yr Iesu i
gwestiynau o'r fath yw dameg y Llafurwyr, a'i neges
bennaf yw, nad yw Duw " yn gweled yn dda wneuthur
cam â gŵr yn ei fater,"[1] mai gras sydd yn llywod-
raethu ei ymwneud Ef â phawb, a'i fod " yn rhoi yn
haelionus i bawb, ac heb ddannod." [2]

> " Y cyfaill, nid ydwyf yn gwneuthur cam â thi . . .
> Cymer yr hyn sydd eiddot, a dos ymaith; yr ydwyf yn
> ewyllysio rhoddi i'r olaf hwn megis i tithau. Ai nid cyf-
> reithlawn i mi wneuthur a fynnwyf â'r eiddof fy hun ? neu
> a wyt ti yn cenfigennu am fy mod i yn hael ? "

(Dyna ystyr, " a ydyw dy lygad di yn ddrwg am
fy mod i yn dda ? " adn. 15).

Os yw ein dehongliad o achlysur llefaru y ddameg
yn gywir, yna, ceir llawer esboniad arni sy'n am-
herthnasol. Gwnaed defnydd helaeth ohoni gan y
tadau i bwrpas yr apêl efengylaidd am i bechaduriaid
edifarhau a cheisio Teyrnas Dduw ar yr unfed awr ar
ddeg, ond nid hynny yw ei neges uniongyrchol.
Darllen diwinyddiaeth cyfnodau diweddarach yn yr
Eglwys i mewn iddi yw edrych arni fel esboniad ar
bwnc ffydd a gweithredoedd. Amherthnasol, hefyd,
yw edrych arni fel eglurhad ar hanes cenedl Israel,
sef bod y disgyblion ar yr un tir i bwrpas meddiannu
Teyrnas Nefoedd â'r patriarchiaid a'r proffwydi.
(Gallasem feddwl mai gan y disgyblion yr oedd y
fantais yn hyn o beth). Gormod o ôl y Mudiad Llafur
sydd ar yr esboniad mai dysgu'r gwirionedd fod
pawb yn gydradd yn Nheyrnas Nefoedd yw neges y
ddameg, ac mai darn o ddysgeidiaeth Iesu Grist ar
broblem y di-waith yw hi. Nid oes sôn yn y cysyllt-

---

[1] Galarnad Jer. iii., 36.   [2] Iago i. 5.

iadau chwaith am bublicanod a phechaduriaid, fel
na ellir ei dehongli, fel amddiffyniad yr Iesu o'i agwedd
tuag atynt hwy, ac fel eglurhad ar y geiriau, "Yn
wir meddaf i chwi, yr â'r publicanod a'r puteiniaid
i mewn i deyrnas Dduw o'ch blaen chwi" (xxi. 31)[1].

Pwrpas y ddameg yw egluro pa fodd y delia Duw
â'r rhai sydd yn Ei wasanaeth. A'r hyn sydd o dra-
gwyddol bwys yw cael bod yn Ei wasanaeth o gwbl.
Trwy ras y gelwir ni iddo pa bryd bynnag y digwydd
hynny, ac y mae pwyslais y ddameg ar y *ffaith* yn
fwy nag ar y *pryd*. Dameg gysurlawn iawn yw hon
i holl weithwyr Duw a dilynwyr Ei Fab Iesu, i'r
cynnar wŷr ac i'r diweddariaid.

"Canys teyrnas nefoedd sydd debyg i ŵr o berchen
tŷ, yr hwn a aeth allan a hi yn dyddhau, i gyflogi
gweithwyr i'w winllan." Pa fath un yw y gŵr o
berchen tŷ ? Pa fath un yw Duw ? Yng ngolau'r
ddameg gellir dweud tri pheth amdano.

i. Y mae Duw yn deg yn Ei holl ymwneud â dynion.

Yn ôl y ddameg aeth y gŵr o berchen tŷ allan yn
y bore i gyflogi gweithwyr i'w winllan. Cyflogi dynion
y mae hwn, nid prynu oaethion ; cynnal gwinllan i
ddynion nid *plantation* i gaethion.

A threfn deg yw trefn cyflogi, trefn sy'n parchu
rhyddid dynion, yn eu galw ac nid yn eu gorfodi.
Trefn felly yw trefn Duw ; nid oes ynddi na chon-
scripsiwn na chaeth-wasanaeth. Yn union fel y gŵr
hwn o berchen tŷ yr aeth yr Iesu allan i alw disgyblion
i'w winllan. Nid oedd orfodaeth yn Ei alwad ond

---

[1] Credwn mai ychwanegiad o eiddo Mathew yw adnod 16.

gorfodaeth cariad. Gallasai Simon Pedr wrthod dilyn
pe dewisai. Trwy ras y galwyd ef a phawb arall i'r
Deyrnas, a thrwy ddrws trugaredd yr â pawb i mewn
iddi hi.

> " Ti gynt wrth fôr Tiberias,
>   O Dy ras,
>   Fu'n galw rhai i'th deyrnas,
>   O Dy ras :
>   O, tyred yr un ffunud
>   I'm galw innau hefyd,
>   A'm dwyn i ffordd y bywyd,
>   Trwy Dy ras ;
>   Nes cofiwyf byth yr ennyd,
>   A Dy ras."

" Ac wedi cytuno â'r gweithwyr er ceiniog y dydd."
Er mor afresymol yr ymddengys y geiniog o gyflog
yn ôl safon a gwerth arian yn ein dyddiau ni, yn ôl
safon oes a gwlad Iesu Grist yr oedd y gyflog yn ddigon
teg. (Gellid prynu oen am bedair o'r ' ceiniogau '
hyn, ac eidion am ugain ohonynt). Nid yw'r gŵr
o berchen tŷ yn gofyn i neb weithio yn ei winllan am
ddim, a rhydd addewid yn y bore y bydd cyflog yn
yr hwyr, a cheidw ei air, " A phan aeth hi yn hwyr,
arglwydd y winllan a ddywedodd wrth ei oruchwyliwr,
Galw'r gweithwyr, a dyro iddynt eu cyflog " (adn. 8).

Felly'n union gyda gwinllan yr Arglwydd. Dylid
sicrhau pawb a ddaw i mewn iddi hi nad yn ofer y
llafuria, ond y derbyn ef gan gymaint â'r hyn a adaw-
odd " a bywyd tragwyddol a etifedda efe." Y mae
ateb galwad Crist i'w winllan yn elw, ar air Crist ei
Hun a'i apostolion. Nid ymgroesodd yr Iesu rhag
addo gwobr i'w ganlynwyr. Llawer gwaith y dywed-

odd wrthynt, "Canys mawr yw eich gwobr yn y nef-
oedd."[1] Ac meddai ar dro arall—

"Y neb sydd yn derbyn proffwyd yn enw proffwyd,
a dderbyn wobr proffwyd ; a'r neb sydd yn derbyn un
cyfiawn yn enw un cyfiawn, a dderbyn wobr un cyfiawn.
A phwy bynnag a roddo i'w yfed i un o'r rhai bychain hyn
ffiolaid o ddwfr oer yn unig yn enw disgybl, yn wir meddaf
i chwi, ni chyll efe ei wobr"[2].

Un o oruchwylion cyffredin gweithwyr y winllan
yw gwneuthur elusen, gorchwyl y dylid ei gyflawni'n
ddistaw heb sôn gair wrth neb, "Fel y byddo dy
elusen yn y dirgel : a'th Dad yr hwn a wel yn y dirgel,
efe a dâl iti yn yr amlwg."[3] "Eithr cerwch eich gelyn-
ion," meddai'r Iesu, "a gwnewch dda, a rhoddwch
echwyn, heb obeithio dim drachefn ; a'ch gwobr a
fydd mawr, a phlant fyddwch i'r Goruchaf ; canys
daionus yw efe i'r rhai anniolchgar a drwg."[4] Ac fe
gofiwn pa fodd yr addewir yn nameg y Talentau,
"Da, was da a ffyddlon, dos i mewn i lawenydd dy
arglwydd."[5]

Â hyn oll fe gytuna'r Apostol Paul pan ddywed
mai "elw mawr yw duwioldeb gyda bodlonrwydd,"[6]
a bod "coron cyfiawnder" wedi ei rhoddi i'w chadw
iddo erbyn diwedd ei yrfa ar y ddaear, "ac nid yn
unig i mi, ond hefyd i bawb a garant ei ymddangosiad
ef." [7] Ac nid Ioan y Difeinydd yn unig, ond apostol
mor ymarferol â Iago sydd yn sôn am "goron y
bywyd."[8]

Trafferth ac anhawster y disgyblion o hyd yw
deall termau Meistr y winllan. Disgwyliant gael eu

---

[1] Mathew v. 12 ; [2] Mathew x. 41, 42 ; [3] Mathew vi. 4.
[4] Luc vi. 35.
[5] Mathew xxv. 21, 23. [6] 1 Tim. vi. 6. [7] 2 Tim. iv. 8. [8] Dat.
ii. 10, a Iago i. 12.

talu mewn arian gleision, ac ni wna dim ond arian
parod y tro ganddynt. Eu meddwl yw meddwl y
coliar hwnnw pan glywodd fod coron mewn addewid
i Gristion a atebodd y byddai'n " well ganddo fe gael
pedwar-a-whech 'nawr os gwelwch chi'n dda " !
Dichon i'n tadau roddi lle i brotest o'r fath drwy
ohirio pob gwobr i'r Byd a Ddaw, a pheri i lawer droi
cefnau ar grefydd Crist am nad yw'n talu. Ond esgor-
odd y troi cefn erbyn hyn ar fyd sy'n ein hargyhoeddi
yn fwyfwy o hyd mai dim ond gweithio dros Grist
a dâl iddo. Y *mae* Crist yn talu mewn mwynhad,
mewn bodlonrwydd, mewn tangnefedd heddychol,
mewn sicrwydd tegwch a chyfiawnder. A heb y
pethau hyn " cyfoeth nid yw ond oferedd."

Awgrym arall o degwch arglwydd y winllan yw ei
fod yn myned allan o hyd ac o hyd i gyflogi gweithwyr.
Â allan yn y bore gyda'r wawr, a thrachefn ynghylch
y drydedd a'r chweched a'r nawfed awr, hyd at yr
unfed awr ar ddeg. Os caiff rhai gyfle i wasanaethu
yn gynt nag eraill, nid oes neb nad yw'n cael cyfle.
Teg yw casglu nad oedd neb ar ôl yn y farchnadfa
ar ôl i arglwydd y winllan alw'r pumed tro. Ychydig
o sail sydd i ddymuniad yr emyn :

> " Paid mynd heibio i mi, fy Ngheidwad,
>   Clyw fy ngwylaidd gri ;
>   Pan ar eraill byddi'n galw
>   Paid mynd heibio i mi."

Oherwydd y mae'r alwad i'r holl ddynolryw a chym-
helliad i bawb i ddyfod i'r winllan.

*ii. Y mae Duw yn gwbl anrhydeddus tuag at y
rhai sy'n dwyn pwys a gwres y dydd.*

Cam â'r ddameg hon yw awgrymu, fel y gwnaed
gan rai, ddarfod i'r rhai a ddaeth i mewn i'r winllan

yn y prynhawn wneud cymaint o waith, a chystal
gwaith, â'r rhai a ddaeth yn y bore. Felly y digwydd-
odd yn un o ddociau Lerpwl dro yn ôl ; dadlwythodd
criw o weithwyr ryw long mewn naw diwrnod pryd y
cymerid tair wythnos fel rheol i wneud y gwaith, ac
aeth rhywun yno a gosod *poster* ar ochr y llong,
Thank you for a good day's work. Nid oes awgrym o
beth felly yn nameg y Llafurwyr, ac nid yn y golau
yna y dylid ei hesbonio. Y *mae* rhai sy'n dwyn pwys
a gwres y dydd ac yn rhoi gwasanaeth ffyddlon yng
ngwinllan yr Arglwydd am flynyddoedd meithion.
Sicrheir hwy yn y ddameg hon na chânt gam ar law
Meistr y winllan.

Profedigaeth y gweithwyr hyn yw tybio y cânt
gam pan edrychont ar eu gwasanaeth yn fwy o saf-
bwynt y wobr nag o safbwynt yr anrhydedd o gael
bod yn y fath wasanaeth. Y maent mewn perygl
o gadw *record* a gwneuthur cyfrif o'u gweith-
redoedd da. Profedigaeth Phariseaid yw hon, ac yr
oedd Simon Pedr wedi disgyn iddi pan ofynnodd ei
gwestiwn : " beth gan hynny a fydd i ni ? " Nid yw
allan o le yma inni roddi braslun o gefndir y meddwl
hwn fel y dysgid ef yn y synagog Iddewig pan elai
Simon fab Jona i'r Ysgol Sabothol.

Nid oedd dim, ar wahân i Dduw, a berchid yn fwy
gan yr Iddew crefyddol na'r Ddeddf, cyfraith yr
Arglwydd,—y gyfraith a roddwyd drwy Foses a'i
helaethu gan athrawon y genedl o oes i oes. Troer
i'r H.D. a cheir digon o esiamplau o glodfori'r Ddeddf.[1]
Cymerwn un enghraifft o Lyfr y Salmau,—

---

[1] Darllener y Salm fawr, cxix.

" Cyfraith yr Arglwydd sydd berffaith, yn troi yr enaid; tystiolaeth yr Arglwydd sydd sicr, ac yn gwneuthur y gwirion yn ddoeth . . . gorchymyn yr Arglwydd sydd bur, yn goleuo y llygaid . . . barnau yr Arglwydd ydynt wirionedd, cyfiawn ydynt i gyd . . . Ynddynt hwy hefyd y rhybuddir dy was ; o'u cadw y mae gwobr lawer".[1]

Dyn da, ebe'r Phariseaid, yw'r dyn sy'n cadw'r Ddeddf. Y dyn cyfiawn gerbron Duw a dynion yw'r dyn sy'n cyflawni gweithredoedd da. A gellir casglu y gweithredoedd da hyn fel y byddir yn casglu arian i'r banc. Gellir eu casglu mewn mwy nag un ffordd yn ôl y Rabbiniaid Iddewig. Un ffordd yw cyflawni gweithredoedd da yn uniongyrchol,—mynd i'r synagog ac i'r Deml ar yr ŵyl, gweddïo, ymprydio, gwneud elusennau a throeon caredig, actio'r Samariad trugarog â'r dyn ar lawr. Po fwyaf o'r gweithredoedd hyn a gyflawnwch, byddant yn gredyd i chwi ym manc y nefoedd. Ffordd arall o'u casglu yw bwriadu'n dda, neu ymwrthod â themtasiwn a rhoi syniad neu ddymuniad amhur ac annheilwng allan o'ch meddwl.

Ond, adwaenai'r hen Rabbiniaid eu hunain ac eraill yn ddigon da i gydnabod yn onest na all neb gyflawni gweithredoedd da o hyd. Ceir colli yn ogystal ag ennill yng nghownt pawb ohonom, a llithra'r gorau o dro i dro, ar air neu mewn gweithred. Camp dyn crefyddol, gan hynny, yw gofalu bod ganddo fwy o weithredoedd da i'w enw nag o weithredoedd drwg, ei fod yn talu ei ffordd fel crefyddwr. Hynny a benderfynai berthynas dyn â Duw. Pwy bynnag a allai sicrhau mwy o weithredoedd da yn ei ffafr nag o rai drwg yn ei erbyn, dyna ddyn cyfiawn. Ar bwy bynnag yr oedd fel arall, dyna bechadur. Ac yr oedd

---

[1] Salm xix. 7–11.

Duw ar ei anrhydedd i dalu i'r cyfiawn. Dyna'n
syml grefydd y Phariseaid, ac mewn awyrgylch fel
yna y magwyd Simon Pedr. Na feier ef am ofyn ei
gwestiwn.

Neges arbennig y ddameg i Simon Pedr, ac i bawb
o gyffelyb feddwl, yw nad ar y llinellau Phariseaidd
y mae dibynnu ar anrhydedd Duw. Anrhydedda
Ef ei weithwyr wrth eu cyflogi,[1] a braint y rhai a
ddygodd bwys a gwres y dydd yw eu galw yn y bore.
Nid oes anrhydedd mwy na hwn.

> " Ni cheisiwn fwy anrhydedd
>   Na rhodio'n llwybrau'r Groes,
> Gan fyw i ddangos Iesu
>   A gwasanaethu'n hoes."

Cafodd Dafydd Jones o Gaeo yntau, afael ar neges
y ddameg hon pan ganodd,

> " Mae arnaf eisiau sêl
>   A chariad at Dy waith ;
> Ond nid rhag ofn y gosb a ddêl
>   Nac am y wobor chwaith,
> Ond rhyw ddymuniad llawn
>   'Ddyrchafu'th gyfiawn glod
> Am i Ti wrthyf drugarhau,
>   A chofio amdana'i erioed."

A phan feddiennir ni gan " y meddwl yma, yr
hwn oedd hefyd yng Nghrist Iesu " ein Harglwydd,
ein gweddi fydd :

> " Hyffordda ni, O Arglwydd, i'th garu Di fel yr haeddi
> gael dy garu ; i roddi heb gyfrif y gost ; i frwydro heb
> ystyried y clwyf ; i lafurio heb geisio am orffwys ; i weithio
> heb ofyn na thâl na gwobr ond gwybod wneuthur ohonom
> dy ewyllys Di."

---

[1] " Rhodd fwyaf Duw i ddyn yw ei alw i'w wasanaeth."
Gwêl Esboniad R. H. Hughes ar *Yr Efengyl yn ôl Mathew*,
xiv.–xxviii. t. 80.

Un o'r gweithwyr ffyddlonaf a ddygodd bwys a gwres y dydd yng ngwinllan yr Arglwydd oedd David Livingstone, a deallodd ef " beth gan hynny a fydd " i'r rhai a rydd ddiwrnod da o waith i'r Meistr. Dyma ei eiriau wrth rai o fyfyrwyr Caergrawnt :

" If you knew the satisfaction of performing such a duty, as well as the gratitude to God which the missionary must always feel in being chosen for so noble, so sacred a calling, you would have no hesitation in embracing it. For my own part I have never ceased to rejoice that God has appointed me to such an office. People talk of the sacrifice I have made in spending so much of my life in Africa. Can that be called a sacrifice which is simply paid back as a small part of a great debt owing to our God which we can never repay ? Is that a sacrifice which brings its own blest reward in healthful activity, the consciousness of doing good, peace of mind, and a bright hope of a glorious resting hereafter ? . . . It is emphatically no sacrifice. Say rather this a privilege".[1]

iii. Y mae Duw yn hael tuag at y rhai a lesteiriwyd hyd yr unfed awr ar ddeg.

Yn ôl y ddameg aeth y gŵr o berchen tŷ allan i'r farchnadfa tua'r " drydedd awr " a gwelodd rywrai yn sefyll yn segur yno. " Aeth allan ynghylch yr unfed awr ar ddeg, ac a gafodd eraill yn sefyll yn segur." Gwyliwn rhag gwneud cam â'r rhain. Nid ystyr wael, ddioglyd sydd i " segur " yn y fan hon, ond " di-waith." Ac yr oedd rheswm digonol am hynny. " Am na chyflogodd neb nyni " (adn. 7). Rhaid eu bod yn awyddus i waith onid e ni byddent yn y farchnadfa o gwbl, ac yn sicr, nid arhosent yno drwy'r dydd yng ngwres yr haul oni bai eu bod am eu cyflogi.

---

[1] *The Life of David Livingstone*, W. G. Blaikie, t. 190.

Ceir rhai felly, hefyd, o hyd, rhywrai a brofant amgylchiadau yn eu herbyn yn barhaus, rhywrai a ânt drwy fywyd gyda *handicap*. Gellir gweld llawer o fai arnynt hwy eu hunain ond nid yw hynny yn ddigon o esboniad ar eu hanffodion. Treulia rhai flynyddoedd lawer o dan gwmwl ac yn hwyr eu dydd y gwena'r haul arnynt. Felly y dywedir am R. J. Derfel, i nodi un enghraifft o blith llaweroedd a ellid eu cael,—"Wedi blynyddoedd profedigaethus oherwydd prinder gwaith gwenodd Rhagluniaeth arno, a chyflogwyd ef yn baciwr yn warws y Mri. J. F. a H. Roberts. Canfu ei feistriaid ei werth a dyrchafwyd ef i'r swydd o werthwr".[1]

Ac y mae'r un peth yn wir ynglŷn â gwaith yng ngwinllan yr Arglwydd. Prin yw cyfle rhai ym more eu hoes, cedwir eraill yn gaeth gan amgylchiadau blin, ac erys drws gwasanaeth mwy yn gloëdig yn hir i ambell un. Un o broblemau mwyaf dyrys bywyd yw paham y gorfydd i rywrai " sefyll yn segur yn y farchnadfa," paham na chânt hwy eu cyfle fel dynion eraill. Nid yw'n rhan o neges y ddameg hon i ddatrys y broblem ond ceir ynddi gysur mawr i'r rhai sy'n ymwybod oddi wrthi, sef bod meistr y winllan yn llawn cydymdeimlad ac yn hael tuag at y rhai a lesteiriwyd. "Yr ydwyf yn ewyllysio rhoddi i'r olaf hwn megis i tithau " (adn. 14).

Edrydd y Parch. Leslie D. Weatherhead [2] stori am ddwy wraig a adwaenai. Uchelgais y ddwy yn eu hieuenctid oedd mynd yn genhadon, a meddent bob cymhwyster i'r gwaith, iechyd, gallu, gwybodaeth a ffydd angerddol yn yr Efengyl. Cawsant eu derbyn

[1] *Emynau a'u Hawduriaid*, John Thickens, t. 166.
[2] *In Quest of a Kingdom*, t. 176.

gan Gymdeithas Genhadol arbennig, ac weithian
yr oedd pob peth yn barod. Aeth un allan i'r Maes
Cenhadol gan dreulio ei blynyddoedd yn ôl ei dymun-
iad mewn gwasanaeth gloyw i Grist. Priododd gen-
hadwr ieuanc a chafodd gartref a phriod a theulu a
gwaith wrth fodd ei chalon.

Am y llall, a feddai gystal iechyd a chymwysterau
ac awydd â hithau, aeth hi adref o'r pwyllgor a'i
derbyniodd ac eisteddodd i lawr i feddwl yn hir ac yn
ddwys. Yna ysgrifennodd lythyr i'r pwyllgor gan
ddweud rhywbeth tebyg i hyn : ' Mae'n ddrwg iawn
gennyf, ond newidiais fy meddwl ac nid wyf yn
rhydd i fynd. Ni allaf adael dau o'm rhieni oed-
rannus sydd yn dibynnu yn gyfan gwbl arnaf." Bu
ei rhieni fyw am flynyddoedd, a phan hunasant yr
oedd dydd eu merch wedi cerdded ymhell. Aeth yn
' unfed awr ar ddeg ' arni, ond fe roes ryw ' awr ' o
ddiwedd ei hoes mewn gwasanaeth cenhadol o'r fath
a garai yn ninas Llundain.

Pwy a warafunai iddi hi gymaint gwobr â'r hon a
fu ar y Maes Cenhadol gydol ei hoes ? Nid Duw. Am
hynny ymgysured pob un a lesteiriwyd rhag treulio'r
amser a garai yng ngwinllan yr Arglwydd, a chofied
eiriau yr Arglwydd Ei Hun,

> " Gwyn eu byd y gweision hynny, y rhai a gaiff eu
> harglwydd, pan ddêl, yn neffro; yn wir, meddaf i chwi,
> efe a ymwregysa, ac a wna iddynt eistedd i lawr i fwyta,
> ac a ddaw, ac a wasanaetha arnynt hwy. Ac os daw efe
> ar yr ail wyliadwriaeth, ac os ar y drydedd wyliadwriaeth
> y daw, a'u cael hwynt felly, gwyn eu byd y gweision
> hynny".[1]

---

[1] Luc xii. 37, 38.

DAMEG Y WINLLAN

A dechreuodd ddywedyd y ddameg hon wrth y bobl. "Plannodd dyn winllan, a gosododd hi i lafurwyr, ac aeth oddi cartref dros gryn amser. A phan oedd hi'n bryd anfonodd was at y llafurwyr, er mwyn iddynt roddi iddo o ffrwyth y winllan; a'i anfon ymaith a wnaeth y llafurwyr yn waglaw, ar ôl ei guro. Ac aeth ymlaen a gyrru gwas arall; hwnnw hefyd, wedi ei guro a'i amharchu, a anfonasant ymaith yn waglaw. Ac aeth ymlaen a gyrru trydydd; clwyfasant hwn hefyd, a'i fwrw allan. A dywedodd perchen y winllan, 'Beth a wnaf? Gyrraf fy mab annwyl; efallai y parchant ef.' A phan welsant ef, dechreuodd y llafurwyr ymresymu â'i gilydd, gan ddywedyd, 'Hwn yw'r etifedd; lladdwn ef, fel y delo'r etifeddiaeth i ni.' A bwriasant ef allan o'r winllan a'i ladd. Beth, ynteu, a wna perchen y winllan iddynt? Fe ddaw, ac fe ddifetha'r llafurwyr hyn, a rhydd y winllan i eraill." Pan glywsant, dywedasant, "Na ato Duw." Edrychodd yntau arnynt, a dywedodd, "Beth, ynteu, yw'r hyn sy'n ysgrifenedig?

Y maen a wrthododd yr adeiladwyr,
hwn a ddaeth yn ben y gongl.

Pwy bynnag a syrthio ar y maen hwnnw, fe'i dryllir; ac ar bwy bynnag y syrthio, fe'i mâl ef."—*Luc xx.* 9–18.

DAMEG Y WINLLAN

Mathew xxi., 33–46; *Marc xii.*, 1–12; *Luc xx.*, 9–18.

ADWAENIR y ddameg hon wrth wahanol deitlau, megis dameg y Winllan neu ddameg y Llafurwyr Drwg. Os defnyddir yr ail bennawd hawdd yw cymysgu rhyngddi a dameg y Llafurwyr (Mathew xx. 1–16) ac er mai dameg y Winllan y gelwir y ddwy yn y Beibl Cymraeg, gwell yw cadw'r teitl hwn i'r ddameg dan sylw yma, a galw'r ddameg a geir ym Mathew yn ddameg y Llafurwyr. Ceir mwy o elfennau alegori yn hon nag mewn llawer o storïau'r Iesu, ac nid yw'n anodd gweld dros ba beth y saif y cymeriadau. Duw, mae'n amlwg, yw'r gŵr a blannodd winllan. Arweinwyr crefydd Israel yw'r llafurwyr, a'r proffwydi yw'r gweision. Y mab yw'r Iesu Ei Hun. Nid mor hawdd penderfynu yr hyn a olygir wrth y winllan. Nid dieithr i wrandawyr y ddameg oedd sôn am dŷ Israel, eu cenedl hwy, fel gwinllan Duw (Eseia v. 7), ond yn y T.N. sonnir am ddwyn y winllan oddi ar Israel a'i rhoddi i genedl arall. Y casgliad rhesymol i'w dynnu oddi wrth hynny yw mai Teyrnas Dduw yw'r winllan, ac y mae'r ystyr honno yn gymwys i'r ddameg hon. Felly'r ysgrifenna'r Parch. W. J. Rees, Alltwen :

"Y winllan yw'r deyrnas a'r tŵr yn y winllan yw yr eglwys ; cyfle ydyw i'r gweithwyr ddyfod at ei gilydd am gysgod a chysur, a dyfod at ei gilydd i ymgynghori ac ymnerthu ynglŷn â gwaith y winllan."

Ond gwelir nodweddion y ddameg yn ddigamsyniol yma hefyd. Un neges sydd iddi, sef argyhoeddi arweinwyr crefydd Israel o gyfeiliorni eu ffyrdd yn y gorffennol ac o'u hagwedd tuag at y Meseia mawr Ei Hun. Pan lefarwyd y ddameg yr oeddynt hwy, yr archoffeiriaid a'r ysgrifenyddion a'r henuriaid, yn ei gwestiyno'n gyfrwys ynghylch Ei awdurdod ac yn ceisio Ei ddal a'i rwydo yn Ei ymadrodd. Ond byddai'n anodd cael enghraifft well o feistrolaeth yr Iesu ar ei wrthwynebwyr, a'i ddawn i droi'r byrddau ar Ei elynion a'u dal hwythau yn eu cyfrwystra.

---

[1] *Yr Heol Uniawn*, t. 39.

" A hwy a geisiasant ei ddala ef ; ac yr oedd arnynt ofn
y dyrfa : canys hwy a wyddent mai yn eu herbyn hwy y
dywedasai efe y ddameg ; a hwy a'i gadawsant ef, ac a
aethant ymaith " (*Marc xii* 12).

Gwelodd rhai esbonwyr achos i amau dilysrwydd y
ddameg hon fel eiddo'r Iesu a phriodolant hi i athrawon
yr Eglwys Fore.   Teimla rhai fod y stori fel stori
braidd yn anghredadwy a heb fod yn wir i hanes.
Protestia C. H. Dodd yn erbyn hynny :

> " Palestine, and Galilee in particular, was a dis-
> affected region. Since the revolt of Judas the Gaulonite
> in A.D. 6 the country had never been altogether pacified.
> The unrest had in part economic causes. If now we recall
> that large estates were often held by foreigners we may
> well suppose that agrarian discontent went hand in hand
> with nationalist feeling, as it did in pre-war Ireland. We
> can then see that all the conditions were present under
> which refusal of rent might be the prelude to murder and
> the forcible seizure of land by the peasantry. The parable,
> in fact, so far from being an artificially constructed allegory,
> may be taken as evidence of the kind of thing that went
> on in Galilee during the half century preceding the general
> revolt of A.D. 66".[1]

Maen tramgwydd i eraill yw'r awgrym yn y
ddameg o gyfeiriad at farwolaeth yr Iesu Ei Hun,
a dadleuant mai darlun sydd yma wedi ei dynnu
gan rywun yn edrych yn ôl ar y Croeshoelio.   Ond
gŵyr y cyfarwydd â gyrfa'r Iesu iddo weld y Groes
gryn amser cyn dyfod ati, ac iddo hefyd sôn amdani
a dod i delerau â hi.   Credai amdano Ei Hun fod Ei
fywyd a'i farw yn ffordd derfynol Duw o geisio delio
â phobl wrthnysig, ac ar ôl Ei ymdaith frenhinol i
Jerwsalem a'i brotest sanctaidd yn erbyn halogi'r

---

[1] *The Parables of the Kingdom*, tt. 125–6.

deml ni phetrusodd gyhoeddi Ei argyhoeddiad. Nid diwinyddiaeth yr Eglwys Fore sydd yn y ddameg hon, gan hynny, ond yr Iesu Ei Hun yn cyhoeddi barn ar Ei genedl a'i genhedlaeth Ei Hun, barn y sydd, o ran ei hanfod moesol, yn dragwyddol. (Nid yw dweud hyn yn cau allan bosibilrwydd ôl llaw yr Efengylwyr ar ffrâm y darlun).

Fodd bynnag, yn neges ddihenydd y ddameg y mae ein diddordeb ni, a cheisiwn ei chrynhoi drwy sylwi ar dri gwirionedd.

1. *Graslonrwydd perchen y winllan.* "Gŵr a blannodd winllan, ac a ddododd gae o'i hamgylch, ac a gloddiodd le i'r gwingafn, ac a adeiladodd dŵr." Y winllan yw Teyrnas Dduw, ac y mae Teyrnas Dduw yn bod erioed ac ym mhob man. Nid dyfod yma i sefydlu Teyrnas Dduw a wnaeth Iesu Grist, ond i wneuthur ei sylweddoli'n bosibl. Bellach ni raid i neb fod yn anwybodus ynghylch ei ddeddfau nac yn brin o nerth i'w cadw. Ac o ran ei natur y mae Teyrnas Dduw yn gwbl rasol a hael tuag at ddyn. Gosodwyd pob peth dan ei draed ef ac ar ei gyfer. Creodd Duw fyd a baratowyd ac a gymhwyswyd yn dda i bwrpas ei drafod gan ddynion. Nid anialwch sydd yma ond gardd, gwinllan,—lle o bosibiliadau mawr. Y mae'r drefn o blaid dyn a phopeth angenrheidiol at ei wasanaeth.

Clywsoch ambell un yn dweud na all ef yn ei fyw gael y rhent allan o'i dipyn tir. Y mae hynny, ond odid, i'w amau. Blerwch y tenant sy'n cyfrif am hynny fel rheol, ond, p'run bynnag, ni all neb ddweud nad yw'r byd hwn yn un manteisiol i ddyn. Leibnitz, yr athronydd, a ddywedodd mai hwn yw'r

gorau o bob byd a oedd yn bosibl. Fel y daw o law y
Crëwr y mae'r cread o'n plaid. Nid ar y drefn y mae'r
bai na allem ni drafod y byd i ogoniant Duw ac i les
uchaf dyn. Bu'r Creawdwr yn ddigon tirion i osod
holl egnïon a nerthoedd bywyd at ein gwasanaeth.
Efe " a blannodd winllan."

At hynny, grasol iawn yw Ei waith yn ymddiried
y cwbl i'r llafurwyr. Efe " a'i gosododd hi allan i
lafurwyr, ac a aeth oddi cartref." Darllen gormod i'r
cymal hwn fyddai dweud fod Duw wedi gadael ei fyd,
fel y daliai'r Deistiaid gynt. Ystyr y mynd oddi
cartref yw fod y perchen yn ymddiried i'r llafurwyr
hyd yr eithaf. Nid yw'n snecian yn llechwraidd y
tu ôl i'r cloddiau i edrych a yw'r bechgyn yn gwneud
eu gwaith.

O ryfedd ras ein Duw i ymddiried ynom mor
llwyr ! I feddwl bod Duw wedi ein gollwng yn rhydd
yn Ei fyd prydferth Ei Hun ! Gwyddai yn iawn y
gallasem ni fynd yn ddiog ac esgeulus a throi'r ardd
yn anialwch. Ond yr oedd yn well ganddo fentro
hynny na chynnal *plantation* i gaethion. Nid yw
perchen y winllan yn cadw caethweision. Y mae
gormod o ras a boneddigeiddrwydd yn Ei galon i
redeg y winllan ar gaethwasiaeth. Mentrodd ryddid
i ddynion gan ymddiried ynddynt hyd yr eithaf.

Fel prawf arall o'i raslonrwydd sylwer nad yw'n
gofyn dim afresymol oddi ar y llafurwyr. Nid yw'r
rhent yn uchel, nac allan o'u cyrraedd o gwbl. Yn
wir, nid yw'n gofyn dim mwy nag ychydig o gyd-
nabyddiaeth ar eu rhan mai Ef biau'r winllan. Dim
ond i ni gydnabod arglwyddiaeth Duw yn Ei fyd y
mae ei holl gyfoeth a'i ffrwyth at ein gwasanaeth.

Fe gawn y cwbl os cydnabyddwn Ef yn Dduw a Thad
ein holl drugareddau. Yn hyn y camgymerodd y
Mab Afradlon. Hawliodd ei ran yn ddigywilydd ac
anniolchgar, torrodd ei gysylltiad â'i dad, a'r diwedd
fu colli'r cwbl a feddai. Mor wahanol i'r mab hynaf!
Arhosodd ef gartref yn ffyddlon a diwyd, parchodd ei
dad ar hyd y blynyddoedd, ac am hynny, dyna ddywed-
odd ei dad wrtho,—" Fy mab, yr wyt ti yn wastadol
gyda mi, a'r eiddof fi oll ydynt eiddot ti." Y mae
goran Duw yn eiddo i'r sawl sy'n cydnabod Ei
arglwyddiaeth.

A cheir rhagor eto yn y ddameg i brofi graslonrwydd
perchen y winllan. Er ei siomi fwy nag unwaith
yn y llafurwyr nid ataliodd ei law rhagddynt. Caw-
sant ail-gynnig droeon a thorrodd dros eu hannheil-
yngdod lawer gwaith. Dyna hanes Duw yn Ei berthynas
â'i fyd. Gwelir hynny'n amlwg yn Ei berthynas â
chenedl Israel. Ni adawodd Duw Ei hunan yn ddi-
dyst mewn unrhyw gyfnod. Cododd llais ar ôl llais,
proffwyd ar ôl proffwyd, i atgofio'r genedl o hawl
Duw ar ei bywyd, ac er lladd y naill broffwyd ar ôl
y llall, er llabyddio y rhai a ddanfonwyd oherwydd
dallineb a ffolineb dynion, parhaodd Duw i drugarhau
ac anfon un arall o hyd. O ryfedd amynedd Duw !

Ond gwnaeth fwy nag anfon proffwyd. " Am
hynny eto, a chanddo un mab, ei anwylyd, efe a
anfonodd hwnnw hefyd atynt yn ddiwethaf." Dyna
raslonrwydd perchen y winllan ar ei eithaf yn awr. " Yn
ddiwethaf," sylwer. Nid oes gan y Duw mawr ddim
mwy i'w gynnig na dim mwy i'w roddi i ddynion ar
ôl rhoi Ei Fab. Ffordd ddiwethaf Duw, h.y., Ei ffordd
olaf, derfynol o geisio apelio at ddynion yw Iesu Grist.

Oni dderbynnir Hwn, oni chroesewir Hwn, y mae hi ar ben, nid ar Dduw ond arnom ni.

Ac enfyn Duw Ei unig-anedig Fab mewn hyder llawn,—" Hwy a barchant fy mab i." Try'r iachawd-wriaeth i gyd o gylch parchu'r Mab. Tra bo rhywfaint o barch i Iesu Grist yn aros yn ein calonnau y mae gobaith amdanom, oblegid fe faddeua Duw hyd yr eithaf er mwyn Ei Fab. Ffordd un o'r hen bregethwyr yng Nghymru,—Williams Ffynnon-bedr,—o geisio egluro hyn oedd trwy ddameg arall. Rhyw etifedd oedd yn dyfod i'w stad, a dyma arglwydd ac arglwyddes y plas yn mynd o gylch y stad i weld pa welliannau oedd yn angenrheidiol erbyn y deuai'r mab i'w etifeddiaeth. Y tad yn cynnig y gwelliant hwn a'r gwelliant arall, a'r fam yn gweld eisiau cywiro hwn a chymhennu'r llall. Toc, dyma nhw'n dod at hen fwthyn digon diaddurn, a'r tad yn dweud ar unwaith,—' Rhaid tynnu hwn i lawr, y mae hwn yn sarhad ar y stad i gyd.' 'Na,' ebe'r fam, ' oni chofiwch chi pan oedd twymyn yn y plas ers talwm mai yma y daeth ein bachgen ni, mai yma y treuliodd ran fach o'i oes. Na.' ebe'r fam, ' rhaid cadw hwn ar ei draed er mwyn hynny.'

Ac yn ôl Williams Ffynnon-bedr y mae gan y Duw mawr ddigon o reswm dros ddifetha'r byd gwrthryfelgar hwn. Gyda'i raib a'i drachwant sy'n esgor ar ryfeloedd gwallgof y mae'r byd hwn yn sarhad ar greadigaeth yr Iôr. Ond cofia Duw, a deil i gofio, mai yma y bu Ei unig-anedig Fab, yn rhodio oddi amgylch gan wneuthur daioni, yn dysgu ac yn dioddef. A deil Duw i drugarhau o hyd er mwyn Ei Fab. Dyhead dyfnaf calon Duw yn barhaus yw, " Hwy a barchant fy mab i."

Nid oes wirionedd amlycach na gwerthfawrocach
na hwn yn nameg y Winllan, mai gras am ras yw
hanes Duw yn ei berthynas â dynion.

II. *Hanes y llafurwyr.* A hanes du a draethir
yma. Fe sylwch mai ychydig o dda a ddywed-
ir amdanynt. Anaml y bydd proffwydoliaeth nac
Efengyl yn canmol dynion yn eu hwynebau, gwell
ganddynt eu canmol yn eu cefnau. Yn y bôn, yn
y gwaelod, gŵyr proffwyd ac efengylwr fod y ddelw
ddwyfol mewn dyn, ond credant mai'r gwirionedd
rheitiaf iddo ef ei glywed yw bod y ddelw wedi ei
gorchuddio gan bechod. Dyna'r paham y soniwyd
mwy yng nghwrs y canrifoedd Cristionogol am bechod
gwreiddiol nag am ddaioni gwreiddiol. I fod yn deg
â dyn dylid cyfuno'r ddwy wedd gyferbyniol hyn :

" Gadawer inni ystyried y mater yng ngoleuni Cristno-
gaeth, a'r hyn a fyn hi gennym ei gredu am ddyn a'i natur
a'i dynged. Dywed yn bendant glir mai gwael a gwan yw
dynion. Y mae holl gefndir yr Efengyl yn tybio nad oes
obaith iddynt ohonynt eu hunain . . . Ofer, felly, yw
tra-dyrchafu'r creadur o ddyn a disgwyl iddo drwy wyrthiau
ei ddyfais a'i dalent ei hun araf-godi preswylfa ddiogel i'w
hil ar y ddaear. Ac yn y golau hwn ni ddylid meddwl
llawer ohono dan unrhyw amgylchiadau. Ar y llaw arall,
fe ddeil yr Efengyl fod dyn yn etifedd i Dad sy'n ei garu,
ac y gellir ei roddi yma, yn awr, ar ben llwybr ei gynnydd
diderfyn. Anhraethadwy yw'r addewidion ar ei gyfer,
a phwy a draetha ei oes ef ? "[1]

Yn y ddameg hon cymerir y daioni sydd mewn
dynion yn ganiataol, onid e, ni thrafferthai perchen

---

[1] Y Parch. T. Eirug Davies yn y *Dysgedydd*, Ionawr 1947, t. 2.

y winllan yn eu cylch. Rheitiach yw sylwi ar bechod
y llafurwyr os mynnir eu hachub rhagddo. Edrycher
arnynt i ddechrau, (a) *yn amharchu'r gweision*. Un
o'r penodau duaf yn hanes y ddynoliaeth yw'r ffordd
a fedd o gam-drin ei chymwynaswyr gorau. Gwelir
hi yn gyson yn lladd y proffwydi ac yn llabyddio'r rhai
a ddanfonir ati. Ni chywilyddia ychwanegu at ei
throsedd drwy wyngalchu eu beddau.

Clywais dro'n ôl am y diweddar Brifathro Thomas
Rees yn mynd i Aberdâr yn ystod y Rhyfel Mawr
cyntaf i gynnal ysgol undydd. Nid oedd yno nemor
neb yn barod i'w arddel, a gwelai hen ffrindiau a
chyfoedion yn ei osgoi ar y stryd oherwydd ei agwedd
tuag at ryfel. Heddiw nid eir i Aberdâr heb glywed ei
phobl yn hawlio Thomas Rees fel un o'i phroffwydi
mawr. Ac nid yw Aberdâr yn eithriad.

Ond gall y llafurwyr wneud peth gwaeth nag
amharchu'r proffwydi. Yn ôl y darlun hwn (b) *gallant
ladd yr etifedd*. " Hwn yw yr etifedd, deuwch, lladdwn
ef." Gallant ymwrthod â ffordd eithaf Duw o geisio
eu trafod, gallant ddibrisio Ei gymwynasgarwch mwyaf
a chodi dwrn yn wyneb Duw. " Paham y terfysga y
cenhedloedd, ac y myfyria y bobloedd beth ofer ?
Y mae brenhinoedd y ddaear yn ymosod, a'r penaeth-
iaid yn ymgynghori ynghyd, yn erbyn yr Arglwydd,
ac yn erbyn ei Grist Ef." A'r cwbl i gyd i beth ?
Er mwyn ysglyfio'r etifeddiaeth ? " Lladdwn ef, a'r
etifeddiaeth fydd eiddom ni." Nid yw dyn yn fodlon
bod yn denant yng ngwinllan Duw, myn fod yn
landlord. Ac ymrafael rhwng lordiaid yw terfysgoedd
daear. Y mae eisiau John Donne eto i argyhoeddi
dynion,—

"Rhoes Duw y byd hwn i feibion dynion ond nid i'w feddiannu gennym. Tenantiaid wrth brydles ac yn ôl ewyllys ydym. Nid oes i ni yma ddinas barhaus, ond yn hytrach farwolaethau amrywiol, saith cyfnod ein bywyd i'w treulio i farw heb yr un tyddyn a bery na phlas ychwaith, ond yn hytrach siwrneiau a phererindodau yn y bywyd hwn."

O mor ddu yw hanes y llafurwyr, eich hanes chwi a minnau ! Maeddu'r cymwynaswyr, amharchu'r proffwydi, gwrthod y Gwaredwr, difwyno y winllan â gwaed gwirion, a'r cyfan oherwydd ein hamharodrwydd i gydnabod arglwyddiaeth Duw arnom !

III. *Y farn sy'n dilyn gwrthod y Mab.* "Beth gan hynny a wna arglwydd y winllan ? Efe a ddaw, ac ddifetha'r llafurwyr, ac a rydd y winllan i eraill."

Yn ôl y ddameg hon y mae awdurdod Iesu Grist dros ddweud bod lle y tu draw i drugaredd Duw. Os myn dynion barhau'n ystyfnig a gwrthryfelgar fe ddichon maddeuant a thrugaredd Duw fethu yn eu hanes hwy. Ac nid erys ond barn wedyn.

"Canys os o'n gwirfodd y pechwn, ar ôl derbyn gwybodaeth y gwirionedd, nid oes aberth dros bechodau wedi ei adael mwyach, eithr rhyw ddisgwyl ofnadwy am farnedigaeth, ac angerdd tân, yr hwn a ddifa'r gwrthwynebwyr" (Hebreaid x. 26, 27).

"Mae'n dod—O clywch yr athrist gri— Fynyddoedd ! Cuddiweh, cuddiwch ni ! "

Dyma agwedd i'r gwirionedd a anwybyddwyd ers blynyddoedd bellach. Aethom i siarad yn feddal a melfedaidd am Dduw. Pennaf peth yn wir yn Nuw yw Ei gariad a'i faddeugarwch, a daw atom yn barhaus gyda holl angerdd perswâd Calfari, ond oni dderbynnir Ei drugaredd yn edifeiriol nid erys namyn barn. Ni âd Duw y winllan yn ddiffrwyth, ac am hynny, " efe a ddaw ac a ddifetha'r llafurwyr, ac a rydd y winllan i eraill."

Na ddyweded neb mai Duw sydd yn ewyllysio'r difetha mawr hwn. Ewyllys Duw yw i'r Mab gael ei barchu, eithr onis parchant bydd dynion yn bwrw eu pennau yn erbyn y graig. A daw dau wirionedd i'r golwg yn niwedd y ddameg hon. Pwysleisir un ohonynt gan Marc a'r ddau gan Mathew a Luc. Yn ôl Marc, methu, yn y pen draw, a wna pob ymdrech i ddiorseddu Duw a gwrthryfela yn erbyn Ei lywod-raeth. Duw a ddwg y maen i'r wal yn ddieithriad. " Y maen a wrthododd yr adeiladwyr, hwn a wnaeth-pwyd yn ben y gongl." Megis y rhag-ddywedodd Simeon, gyfiawn a duwiol, bu, ac y mae Iesu Grist yn faen tramgwydd ac yn gwymp i lawer. Eto i gyd " sylfaen arall nis gall neb ei osod, heb law'r un a osodwyd, yr hwn yw Iesu Grist " (1 Cor. iii. 11). Yr oedd y gwirionedd gan William Hughes, Saron, Llan-wnda, pan ganodd am frenhiniaeth Crist,—

> "Troir atat gyflawnder y môr—
> Daw Carmel a Saron yn un ;
> Brenhinoedd y ddaear â'u stôr
> Anrhegant yr Iesu'n gytûn ;
> Daw'r bwystfil a'r anghrist i lawr,
> Eu gorsedd a fwrir i'r llyn,
> A syrthio wna Babilon fawr—
> Bydd miloedd yn moli am hyn."

Pwysleisir gwedd arall i'r gwirionedd yn ogystal gan Mathew a Luc sef y bydd i ganlyniadau gwrth-ryfel dynion yn erbyn Duw, eu hamarch o'r proffwydi, a'u gwrthodiad o'r Mab, ddymchwel yn ddi-ffael

arnynt hwy eu hunain. " A phwy bynnag a syrthio
ar y maen hwn, efe a ddryllir; ac ar bwy bynnag y
syrthio, efe a'i mâl ef yn chwilfriw (Mathew xxi. 44).
Ac y mae eisiau'r maen gyda'r Efengyl o hyd, yn wir,
y mae'r ' maen hwn ' yn rhan o'r Efegnyl. Nid yw'r
ffaith fod pregethwyr yr oes oleuedig hon wedi peidio
â son o'u pulpudau am uffern o dân a brwmstan yn
diddymu deddfau anochel llywodraeth Duw. A chaf-
odd dinasoedd fel Abertawe a Caen, Stalingrad a
Hiroshima wybod drwy brofiad chwerw yn oes y
blacowt fod uffern o dân a brwmstan yn nes atynt na
thu hwnt i'r llen. Beth yw rhyfel a'i ddinistr ? Dyn-
ion yn eu bwrw eu hunain yn erbyn y maen. Beth
yw'r bom atomig ? Y maen yn malu'n chwilfriw
wareiddiad a'i bwriodd ei hunan yn ei erbyn.

Mor drist yw meddwl fel y gall cenhedlaeth golli
ei siawns i fwynhau gwinllan Duw oherwydd ei
hystyfnigrwydd ! Am hynny clywch yr apêl, " Cusen-
wch y Mab, rhag iddo ddigio, a'ch difetha chwi o'r
ffordd." Perchwch Iesu Grist, rhowch iddo'i orsedd
ar eich bywyd. Mae Duw yn dal i ddisgwyl,—" hwy
a barchant fy mab i." Ai disgwyl yn ofer y mae
wrthyt ti ?

DAMEG Y SWPER MAWR

Pan glywodd un o'r rhai oedd yn cyd-eistedd y pethau hyn, fe ddywedodd wrtho, " Gwyn ei fyd y neb a fwytao fara yn nheyrnas Dduw." Dywedodd yntau wrtho, " Yr oedd rhyw ddyn yn gwneuthur swper mawr, a gwahoddodd lawer ; a danfonodd ei was ar awr y swper i ddywedyd wrth y gwahoddedigion, ' Deuwch, canys y mae'n awr yn barod.' A dechreuasant bawb yn unfryd ymesgusodi. Dywedodd y cyntaf wrtho, Prynais faes, ac y mae'n rhaid i mi fynd a'i weled ; atolwg, cymer fi'n esgusodol.' A dywedodd un arall, ' Prynais bum iau o ychen, ac yr wyf yn mynd i'w profi ; atolwg, cymer fi'n esgusodol.' A dywedodd un arall, ' Priodais wraig, ac am hynny ni allaf ddyfod.' A daeth y gwas, a mynegi hyn i'w arglwydd. Yna ffromodd gŵr y tŷ, a dywedodd wrth ei was, ' Dos allan ar frys i heolydd a strydoedd y ddinas, a dwg yma'r tlodion a'r efryddion a'r deillion a'r cloffion.' A dywedodd y gwas, ' Arglwydd, gwnaethpwyd fel y gorchmynnaist, ac eto y mae lle.' A dywedodd yr arglwydd wrth y gwas, 'Dos allan i'r ffyrdd a'r caeau, a chymell hwynt i ddyfod i mewn, fel y llanwer fy nhŷ.' Canys dywedaf i chwi na chaiff yr un o'r gwŷr hynny a wahoddwyd brofi o'm swper i."—*Luc xiv*. 15–24.

DAMEG Y SWPER MAWR

Luc xiv. 16–24. *Cym: Mathew xxii*, 1–14 [1]

ASTUDIAETH ddiddorol o'r Efengylau yw gwylio ein Harglwydd Iesu yn Ei berthynas â gwahanol fathau a dosbarthiadau o bobl. Prin yw'r defnydd

---

[1] Ar fater y berthynas rhwng Dameg y Swper Mawr a Dameg Priodas Mab y Brenin ceir ymdriniaeth werthfawr gan Oesterley, *The Gospel Parables, etc.*, tt. 124–126. Barn y rhan fwyaf o esbonwyr erbyn hyn yw mai yr un yw'r ddwy ddameg yn wreiddiol, *h.y.*, yr un thema o wahoddiad i wledd sydd yn sail iddynt, ond bod defnydd gwahanol wedi ei wneud o'r un thema, o bosibl gan yr Iesu ei Hun, ac yn sicr gan yr Efengylwyr Mathew a Luc.

at y gwaith, ac felly gwerthfawr yw pob hanesyn bychan a phob ymadrodd i'n pwrpas. A bwrw ein bod yn derbyn dull arwynebol ein hoes ni o rannu cymdeithas yn " fyddigions " a dosbarth canol a'r werin, barn ein hoes yw mai ymhlith y werin y dylid gosod Iesu Grist.

> " Gwerinwr o'r gwerinwyr hefyd yw
> Ei destun ef,—y Saer o Nasareth."

Nid oes dim yn derfynol yn y farn hon, cofier. Dywed lawn cymaint am ein hoes ni ag a wna am yr Iesu, oblegid y mae'n fynegiant i'r ffaith fod y werin wedi mynnu ei lle yn yr haul yn ein blynyddoedd ni, a bydd hanesydd ym mhen canrif arall yn dyfynnu Crwys i brofi hynny.

Y ffaith yw, wrth gwrs, fod Iesu Grist o ran Ei berson yn perthyn i bawb. (Ac onid oes awdurdod Crwys dros hyn hefyd ?) Ynddo Ef y mae'r gwahaniaethau dosbarth a wnawn ni yn ailraddol, ac ystyr hynny yw, nid bod pob dyn yng Nghrist yn werinwr ond bod pob dyn yng Nghrist yn blentyn Duw. Dyna'r weriniaeth Gristionogol.

Y mae a wnelo hyn â Dameg y Swper Mawr, oherwydd os yw'r Iesu yn condemnio dosbarth o bobl drwyddi, penaethiaid a chyfreithwyr (adn. 1, 3), eu condemnio y mae, nid am eu bod yn benaethiaid a chyfreithwyr, ond oherwydd eu hagwedd tuag at Deyrnas Dduw. Deuwn i anhawster gyda'r ddameg hon oni chofiwn hynny. Nid braint unrhyw ddosbarth arbennig o bobl, y werin fawr, o ran sbeit â'r ' byddigions,' yw gwledda yn Nheyrnas Nef, ond braint y bobl, pwy bynnag fônt, sy'n barod i wrando ar yr alwad a derbyn y gwahoddiad.

Dyna, ni gredwn, yw neges dameg y Swper Mawr.
Gwelir yr Iesu wedi Ei wahodd i wledd i dŷ un o
benaethiaid y Phariseaid, ond lle anghyfforddus
oedd yno, oblegid gwahoddasid Ef yn unswydd er
mwyn "iddynt hwythau ei wylied ef." Gwahoddiad
i'w ochel yw hwnnw lle mae pawb yn glên yn eich
wyneb ond yn sisial yn eich cefn. A rhai medrus ar y
gelfyddyd honno oedd " y cyfreithwyr a'r Phariseaid "
hyn. Pwy a ddywedodd, "*a minister turned lawyer
is a match for the devil* " ! Mor anodd yw cael ymgom
mewn awyrgylch o'r fath. Dyma'r Iesu yn cychwyn
sgwrs drwy ofyn cwestiwn, " Ai rhydd iacháu ar y
Saboth ? " Distawrwydd. " A thewi a wnaethant."
Cynnig arall. " Asyn neu ych pa un ohonoch a syrth
i bwll, ac yn ebrwydd nis tyn ef allan ar y dydd
Saboth ? " Distawrwydd eto. " Ac ni allent roi
ateb." A all unrhyw beth fod yn fwy anghyfforddus
na *dumb-show* fel hyn ? A lle da i ragrithio yw lle o'r
fath. Bydd rhywun yn sicr o ragrithio mewn cwmni
oni ellir bod yn rhydd a chartrefol yno ; bydd rhywun
yn sicr o geisio gwneud argraff ar y cwmni ac ar y
person pwysicaf yn y cwmni, a cheisio gwneud strôc.
" A phan glywodd rhyw un o'r rhai oedd yn eistedd
ar y bwrdd y pethau hyn, efe a ddywedodd wrtho,
' Gwyn ei fyd y neb a fwytao fara yn nheyrnas Dduw'."
(adn. 15). Onid yw'r geiriau yn swnio'n dduwiol
ac yn dda !

' O'r gorau,' meddai'r Iesu rhyngddo ac Ef ei
Hun, ' yr wyt yn siarad yn dda, ond gad i mi ddangos
i ti pa faint a falia pobl fel ti am Deyrnas Dduw wedi'r
cwbl. Rhyw ŵr a wnaeth swper mawr ac a wahoddodd
lawer.' Dyna achlysur llefaru'r ddameg.

(a) *Yn ei chysylltiadau pleidlais o gerydd yw hi
ar ragrith*, ar y dyn sy'n siarad yn dduwiolaidd, ond
ei nefoedd yw

" Bara a chaws, bir a chig,
Pysg, adar, pob pasgedig,"

neu ryw wledd fydol, faterol arall. Myn yr Iesu
ddangos iddo leied yw ei ofal am fendithion y Deyrnas
er cystal ei siarad yn eu cylch. Nid oedd gan yr Iesu
un amser amynedd o gwbl gyda siarad crefyddol
anwireddus. Yr oedd y gosodiad yn iawn ynddo'i
hun. Fe *fydd* yn braf pan ddelo'r Deyrnas yn ei
chyflawnder, bydd bara i bawb a hwnnw'n well ei
flas am y bydd yn fara onest, a bydd gwleddoedd
i ysbryd ac i enaid yn y dydd hwnnw, " Gwyn ei fyd."
Ie, byd gwyn fydd hwnnw. Y mae'r gosodiad yn
iawn, ond nid oedd yn real ar wefusau'r ' rhyw un '
yma, ei ddweud er mwyn gwneud argraff dda a wnâi
yn hytrach na'i feddwl a'i ewyllysio.

Ac ni all neb sydd o ddifrif gyda'i grefydd oddef
ffug-dduwioldeb. Blinder i ysbryd y dynion sydd o
ddifrif yw rhagrithwyr erioed. Blinent y proffwyd
Jeremeia. Yn ei ddydd ef soniai rhyw bobl yn barhaus
am " faich yr Arglwydd," a gallech feddwl oddi wrth
eu siarad fod ganddynt bryder mawr amdano. Ond
rhai yn gwyro geiriau'r Duw byw oeddynt, a'r pro-
ffwyd wedi alaru ar eu gwag siarad. " Ond am faich
yr Arglwydd na wnewch goffa mwyach," meddai.
Peidiwch â sôn amdano oherwydd er cymaint eich
siarad nid ydych yn cludo dim arno.

Felly'r Iesu yn y ddameg hon. Byddai'n well i
bawb, meddai, beidio â sôn am Deyrnas Dduw onid

yw'n bwriadu gwneud rhywbeth yn ei chylch. Ac y
mae hwn yn rhybudd i ninnau.

(b) Ond y mae i'r ddameg, ni gredwn, amcan
lletach na cheryddu dynion rhagrithiol. *Gwelwn
ynddi amddiffyniad dros ymddygiad yr Iesu Ei Hun.*
Ni fuasai raid i'r Iesu ymddiheuro dros "y ffordd a
gymerodd Efe," ond gwneir hynny yn y fan hon.
Dengys fel y dewisodd Ef Ei ganlynwyr, fel y gwrth-
odwyd Ef gan yr ysgrifenyddion a'r Phariseaid, ar-
weinwyr crefyddol y genedl, ac fel y gorfodwyd Ef i
fynd i'r priffyrdd a'r caeau, i'r heolydd a'r llwybrau
anhygyrch, a'u galw hwynt o'r Dwyrain a'r Gorllewin,
o'r Gogledd ac o'r Deau. Nid i'r doethion a'r deallus
y rhoddwyd gwybod dirgelion Teyrnas Dduw ond i'r
rhai bychain (Math. xi. 25). Ac wele gyflawni pro-
ffwydoliaeth Mair ei fam, "Y rhai newynog a lan-
wodd efe â phethau da ; ac efe a anfonodd ymaith y
rhai goludog yn weigion " (Luc i. 53). Dyna ddarlun,
mewn ychydig eiriau, sydd yn esboniad ar yrfa yr
Arglwydd Iesu ar y ddaear.

(c) Ond credwn fod neges arhosol i'r ddameg sydd
yn lletach eto na diben ei llefaru ar y pryd, ac na
chynnig esboniad ar "y ffordd a gymerodd Efe."
Chwiliwn am ei chenadwri i ni heddiw, a mynegwn hi
fel hyn.

(i) *Y mae gwahoddedigion Duw yn ddifater ynghylch
Ei deyrnas.*

" Rhyw ŵr a wnaeth swper mawr ac a wahodd-
odd lawer . . . A hwy oll a ddechreuasant yn unfryd
ymesgusodi." Dyna beth rhyfedd ! Swper mawr,
pob peth yn barod, a'r gwahoddedigion yn cadw draw!

Beth sy'n bod ? Tybed fod rhywun yn meddwl na
fydd digon ar ei gyfer ? Go brin. "Swper *mawr*."
Tybed fod rhywun yn tybio na châi ddigon o gwmni ?
Prin eto. "Efe a wahoddodd *lawer*." Mor an-
naturiol, mor annhebygol yw'r gwrthod hwn ! Yn
lle cyfrif y gwahoddiad yn fraint ac yn gyfle y maent
am y gorau yn ymesgusodi i'w wrthod.

Nid felly y bydd pobl fel rheol gyda gwledd. Mor
wahanol oedd y rhai a wahoddasid i'r wledd yn nhŷ
un o benaethiaid y Phariseaid ! Daethai pawb am y
cyntaf i honno a sathrent draed ei gilydd wrth geisio
sicrhau'r seddau uchaf ar y bwrdd,—cymaint y brwd-
frydedd, yn wir, fel y rhybuddiwyd rhai ohonynt gan
Iesu Grist i ddewis y seddau isaf, "fel pan ddelo'r
hwn a'th wahoddodd di, y gallo efe ddywedyd
wrthyt, 'Y cyfaill eistedd yn uwch i fyny'." Ond
yng ngwledd y Deyrnas nid oes neb yn ymofyn sedd
o gwbl. Nid yw'r ddameg yn *true to nature*, medd
rhywun. Wel, ydyw i'r natur ysbrydol. A cham-
syniad mawr (camsyniad Dyneiddiaeth) yw tybio
bod y dyn anianol a'r dyn ysbrydol yn debyg i'w
gilydd. (Dysged y Dyneiddwyr yn amgen wrth draed
yr Apostol Paul). Y mae ymddygiad pobl tuag at
Deyrnas Nefoedd yn annaturiol ac yn anrhesymol.
Dyma wledd yn cael ei chynnig, gwledd o hedd a
rhyddid a chyfiawnder a chariad, a gallesid disgwyl i
ddynion fod am y cyntaf yn ymofyn am ei danteithion,
ond yn lle hynny, "hwy oll a ddechreuasant yn un-
fryd ymesgusodi."

Ie, esgusodion, heb reswm digonol gan yr un
ohonynt. "Mi a brynais dyddyn," medd un, "ac
y mae'n rhaid i mi fyned a'i weled." Ond, yn sicr,

byddai'r tyddyn yno trannoeth. "Mi a brynais bum iau o ychen," ebe'r llall, "ac yr ydwyf yn myned i'w profi hwynt." Ond amser braf i weld y gwartheg yw ' pryd swper,' wedi bo nos ! Ac arall a ddywedodd, "Mi a briodais wraig, ac am hynny nis gallaf fi ddyfod." *Enough said*, meddai. Nid yw'r lleill yn dweud na allent ddod, ond y mae hwn yn bendant. "Mi a briodais wraig ! " ' Chwarae teg iddynt,' ebe chwithau, ' yr oedd y pethau hyn i gyd yn ddigon cyfreithlon.' Oeddynt, bid sicr, ond gallasai pob un ohonynt newid eu trefniadau yn rhwydd er mwyn bod yn rhydd i dderbyn y gwahoddiad i'r swper mawr pe bai ganddynt unrhyw feddwl o'r gwahoddiad. Hawdd y gallai dyn y briodas gael dwy wledd o drefnu pethau'n well ! Ond pobl fel hyn ydynt, yn gwybod eu bod o dan wahoddiad, ond ni chredant ei fod yn bwysig, ânt o gylch eu goruchwylion fel pe baent heb eu gwahodd erioed a gwnânt ymrwymiadau newydd heb gofio am y gwahoddiad hwn o gwbl, a heb ystyried a yw yr ymrwymiadau newydd yn gyson â'r gwahoddiad mawr. Dim digon o reswm o lawer. Byddai'r tyddyn yn haws ei weld yng ngolau dydd, buasai'n dda i'r ychen gael llonydd ar ôl diwrnod o'u pwnio yn y ffair, a pha briodasferch na fodlonai i'w gŵr fyned i le mor anrhydeddus at un y byddai'n dda i'w haelwyd newydd gael ei nawdd ar hyd eu hoes. Y ffaith seml yw, nad oedd arnynt eisiau mynd. Bod yn ddifater a dihidio yw eu pechod parod. Os oes yma anghofio, anghofio yn dilyn diffyg diddordeb ydyw.

A chyffelyb yw llu o bobl yn eu perthynas â Theyrnas Dduw, yn arbennig felly yn eu perthynas â'r Eglwys yr ymddiriedwyd iddi allweddau'r Deyrnas.

Nid yw eu hagwedd tuag ati yn ddim amgen na chwarae plant. Gwyddant o'r gorau eu bod yn bobl o dan wahoddiad, a dichon eu bod yn falch o'r fath freintiau o fewn eu cyrraedd. Dymunant roddi'r argraff eu bod yn gosod pris arnynt, ond ni fanteisiant arnynt ddydd mewn blwyddyn. Un tro gofynnwyd i saer maen, a oedd hefyd yn aelod eglwysig, a fyddai ef mor garedig â thynnu'r eglwys i lawr. A'i ateb oedd dan gablu, " No, I might want to go there some day ! " Gwych yr englynodd y Dr. Miall Edwards i'w fath ef,—

" O'i Salem ar y Sulie—cilio wna
   I Borth-côl neu rywle,
  A rhodd gamp ryw dramp o dre
  I'w eglwys ydyw gwagle."

Beth sydd yn cadw pobl draw ? Beth yw achos y gwrthgilio ? Awgrymir tri pheth yn y ddameg. (a) Meddiannau, h.y. bydolrwydd ; (b) Gwaith a gorchwyl ; (c) cysylltiadau teuluol. Nid yw'r tripheth hyn yn dihysbyddu esgusodion dynion a merched, ond awgrymant bopeth sydd yn llenwi bryd a chalon pobl fel na feddant le i ymborth ysbrydol. Y bobl anhawsaf i'r Iesu eu trin yw'r bobl sydd uwchben eu digon hebddo. Ni welant ynddo ddim ar gyfer eu heisiau hwy. " Ni bydd pryd fel y dymunem ef." Gallai Ef ailgynnau lamp cydwybod hen bublican euog, ac edfryd pechadures, ond pwy a all dywallt gwin i gwpan llawn ? Pwy a fedr roddi trysor mewn calon dan glo ? Pwy a fedr ddysgu yr holl-wybodol ? Pwy a fedr achub y cyfiawn ? " Gwae chwi y rhai llawn."

" Gwyn eich byd y rhai ydych yn dwyn newyn yr awr hon." Beth os gwyddom am ein cyflwr ?

Beth os gwyddom taw " dim eisiau " yw ein pechod
mawr ? Gallwn osod ein hewyllys yn erbyn ein calon,
ein gorfodi ein hunain i bresenoldeb y Gŵr Bonheddig
a'n gwahoddodd, a chyffesu ein diffyg diddordeb a'n
hoerfelgarwch. Gallwn gynnig calonnau oerion i
wres Ei gariad Ef, ac yna, ond odid, fe adferir ein
harchwaeth ysbrydol a deuwn i'r un profiad â'r Sal-
mydd a ddywedodd, " Pwy sydd gennyf fi yn y nef-
oedd ond tydi ? ac ni ewyllysiais ar y ddaear neb gyda
thydi . . . Minnau, nesàu at Dduw sydd dda i mi."

ii. *Geilw Gras Duw arnom i edifarhau.*

Tystia'r ddameg fod popeth a berthyn i'n heddwch
a'n hiachawdwriaeth yn dod o ras y Gwahoddwr
mawr. Ef sy'n arlwyo'r wledd. Ef sy'n anfon allan
y gwahoddiad. Ar gyfer rhai anghenus y mae hi.
Nid gwledd yn dâl am ffyddlondeb a gwasanaeth mo
hon, ond gwledd i gychwyn cymdeithas newydd.
Nid ar y diwedd yn unig y ceir gwledd yr Iesu, swper
neithior yr Oen, ond ar y dechrau ac yn wastadol.

> " Gwledd o hedd tu yma i'r bedd,
> Nid oes ond Dy blant a'i medd."

Ac o gael blas arni ar y dechrau,

> " Gwledd wastadol
> Fydd Dy bresenoldeb im."

Tybed nad oes rhyw air yn y ddameg hon a bair i
chwi feddwl o'r newydd am wahoddiad yr Iesu ?
Beth am y gair hwn,—" ac eto y mae lle." Tystia'r
gwas fod llawer wedi dod o'r priffyrdd a'r caeau,
" ac eto y mae lle."

" Wyt ti'n llwythog a blinderog ?
Wyt ti'n teimlo'th glwy ? "—

"ac eto y mae lle " i ti. Wyt ti'n ansicr dy feddwl
ac yn sigledig dy ffydd, yn methu gweld pethau'n
glir na'u cysoni ? "Ac eto y mae lle " i tithau.
Fe gei eistedd wrth y ffenestr, a chei olau ar bethau
cudd. Wyt ti'n teimlo'n euog ac yn annheilwng i
ddyfod at fwrdd un mor anrhydeddus ? "Ac eto y
mae lle " i ti, oblegid gwybydd mai Tad yr afradlon
yw'r Gwahoddwr mawr, a'i fod Ef yn parhau i ddweud
wrth Ei weision, "Dygwch allan y wisg orau, a gwisg-
wch amdano ef, a rhoddwch fodrwy ar ei law, ac esgid-
iau am ei draed: a dygwch y llo pasgedig, a lleddwch
ef : a bwytawn, a byddwn lawen." "Ac eto y mae
lle." Geiriau'r gwas yw y rhain, ebe chwi, nid geiriau'r
Gwahoddwr. Ond gwas oedd hwn yn deall meddwl
ei Feistr, a braint y gweision o hyd yw tystio i olud-
oedd gras yr Arglwydd, i ehangder Ei wahoddiad,
ac i ddyfnder Ei gariad achubol. Am hynny :

" Llefwch, genhadon Duw, o hyd,
O, wele waed Iachawdwr byd !
Cymhellwch bawb ddod ato 'Fe—
Mae'r Iesu'n dweud fod eto le."

Dyma frawddeg arall rasol iawn,—" fel y llanwer
fy nhŷ." Nid yw'r Gwahoddwr yn fodlon tra bo
seddau gwag wrth y bwrdd. Nid rhag ofn i'r wledd
fynd yn ofer, oblegid pery honno'n newydd, ac nid
er mwyn dial ar y rhai cyntaf a wahoddwyd ac a
wrthododd, yn ôl dull y byd hwn, ond am fod Ei
galon mor fawr a'i dosturi mor eang.

Siomedigaeth fawr yn nhŷ unrhyw un ohonom
fyddai mynd i'r drafferth o baratoi gwledd, a gwa-

hodd llawer, eithr dim ond rhyw un neu ddau yn dod, a'r lleill yn anfon esgusodion gwael. Siom mawr i bregethwr neu athro yw darparu ei orau ar gyfer ei bobl ond yn gorfod wynebu seddau gwag. Tyner iawn y dywedodd y diweddar Barch. John Roberts, Bryncir, ei brofiad mewn Cyfarfod Misol ym Mryn Engan, ddarfod iddo ef fwy nag unwaith gerdded drwy'r tywydd mawr i Fryn Engan ar fore Sul i arlwyo'r Efengyl yn orau y medrai, ond, na ddaeth neb i wrando arno. Ond nid aeth ef erioed yn ôl adref, yn ôl ei dystiolaeth, heb fynd ar ei liniau i ofyn i Dduw fendithio ei frodyr oedd yn cael cynulleidfa y bore hwnnw. Os Tad yw Duw a yw Ef yn teimlo'n wahanol ? Edifarhawn, rhag siomi Duw.

DAMEG Y DDAU FAB

" Ond beth a debygwch chwi ? Yr oedd gan ddyn ddau
o blant ; fe aeth at y cyntaf, a dywedodd, ' Fy mab, dos heddiw,
gweithia yn y winllan.' Atebodd yntau, ' Gwnaf i, syr,' ac eto
nid aeth. Ac aeth at yr ail, a dywedodd yr un modd. Atebodd
yntau, ' Nac af ' ; wedi hynny edifarodd, ac aeth. Pa un o'r
ddau a wnaeth ewyllys y tad ? " Meddant hwy, " Yr olaf."
Medd yr Iesu wrthynt, " Yn wir, meddaf i chwi, fe â'r trethwyr
a'r puteiniaid o'ch blaen chwi i mewn i deyrnas Dduw. Canys
daeth Ioan atoch gyda ffordd uniondeb, ac nis credasoch ; ond
credodd y trethwyr a'r puteiniaid ef ; gwelsoch chwithau, ac
nid edifarhasoch hyd yn oed wedyn a'i gredu."

—Mathew xxi. 28–32

DAMEG Y DDAU FAB

Mathew xxi. 28–32.

CAMP ar ddameg, fel y sylwyd yn y rhagymadrodd,
yw dwysbigo calonnau'r gwrandawyr a'u hargyhoeddi.
Drych ydyw i ni i weld ein llun ynddo ; y mae hefyd
yn gleddyf llym daufiniog, " ac yn cyrhaeddyd
trwodd hyd wahaniad yr enaid a'r ysbryd, a'r cymalau
a'r mêr ; ac yn barnu meddyliau a bwriadau'r galon "
(Heb. iv. 12). Clywsom droeon am ddawn hen bre-
gethwyr Cymru i gornelu eu gwrandawyr. Dyna
ddawn y proffwyd os myn lefaru i bwrpas, ac un o'r
arfau effeithiolaf at ei wasanaeth yw'r ddameg. Dawn
felly oedd gan Nathan y proffwyd pan fynnai gyhuddo
Dafydd frenin o ladrata gwraig Urïas yr Hethiad.
(2 Samuel xii. 1–7) Lluniodd stori fechan seml yng
nghlyw'r Brenin am ddau ddyn, un yn gyfoethog a'r
llall yn dlawd. Dim ond un oenig fechan a feddai'r
dyn tlawd, ond fe'i cymerwyd hi gan y cyfoethog.

'Melltith arno,' meddai Dafydd frenin, ' nid yw dyn felly yn haeddu cael byw.' ' Yn hollol felly,' meddai Nathan, ' ond ti yw y gŵr ! '

Ac ni ddaw meistrolaeth yr Arglwydd Iesu ar y ddawn hon yn amlycach yn unman nag yn nameg y Ddau Fab. Y mae'n seml, yn uniongyrchol, ac yn cyrraedd ei nod yn syth fel saeth. Llefarwyd hi er mwyn dal yr archoffeiriaid a'r ysgrifenyddion yn eu cyfrwystra, ac i'w hargyhoeddi yr â'r publicanod a'r pechaduriaid i Deyrnas Dduw o'u blaen hwy.

Dyma ei chefndir mewn bywyd, a phwysig yw ei gadw mewn cof i bwrpas egluro'r ddameg. Trefnasai Iesu Grist orymdaith fawreddog i Jerwsalem, a march-ogodd ar flaen yr orymdaith fel brenin yn dyfod i'r orsedd. Cafodd glod a banllefau'r dyrfa, " Hosanna i fab Dafydd : Bendigedig yw'r hwn sydd yn dyfod yn enw'r Arglwydd : Hosanna yn y goruchafion " (xxi. 9). I Iddewon disgwylgar dyma'r arwydd amlycaf o eiddo'r Iesu fod y Meseia wedi dod, a'i fod yntau yn fodlon cydnabod hynny'n agored. Yna, aeth yr Iesu i'r deml, " ac a ddymchwelodd i lawr fyrddau'r newidwyr arian, a chadeiriau'r rhai oedd yn gwerthu colomennod." Trodd hwynt allan yn ddi-seremoni, gan Ei osod Ei Hun yn athro i'r bobloedd a'u dysgu fel un ag awdurdod ganddo.

Yr oedd hyn i gyd yn fwy nag y gallai crefyddwyr parchus ei ddal, a " hwy a lidiasant " (adn. 15). Peth ofnadwy yw cenfigen grefyddol ! Cofier, er hynny, y gellid dweud cryn dipyn o blaid yr archoffeir-iaid a'r ysgrifenyddion o dan yr amgylchiadau, o leiaf gellir esbonio rhywfaint ar eu llid. Gallasai'r cynnwrf a achosodd yr Iesu arwain i helynt gyda'r awdurdodau gwladol, ac yr oedd yr offeiriadaeth Iddewig mewn

cynghrair â Rhufain i gadw'r heddwch. Pur anaml,
os byth, y ceir offeiriadaeth yn fodlon caniatáu dim
a all dramgwyddo'r awdurdod gwladol. *Yes-men*
yr ymerodron ydynt hwy fel rheol. Ac ar wahân i
hynny nid yw'r rhelyw ohonom yn chwennych unrhyw
gynnwrf crefyddol, ac ofnwn helynt yn y deml o bob
man. Gwell gennym adael i dŷ gweddi fyned yn dŷ
marchnad nag achosi helynt. Cystal i ni ddeall nad
yw Iesu Grist ddim yn " eistedd ar ben llidiard "
pan fo egwyddor yn y fantol.

Ac yn eu hofn a'u llwfrdra a'u llid, wele ' sêt fawr '
y deml yn Jerwsalem yn mynd at yr Iesu ac yn gofyn
iddo, " Trwy ba awdurdod yr wyt ti yn gwneuthur
y pethau hyn ? " Yn y fan cewch olwg ar glyfrwch
y Gwaredwr, nid clyfrwch y cyfrwys a'r castiog
ond clyfrwch y meistr ar sefyllfa. (Byddaf yn ofni
ein bod yn rhy dueddol i roddi'r argraff mai un di-
niwed iawn a dof oedd Iesu Grist. Er mwyn cywiro'r
camsyniad hwn purion fyddai darllen hanes Thomas
Gee yn gwrthwynebu Syr Watkin ar y maes yn Nin-
bych adeg etholiad 1868 [1] Tybiaf y rhoddai hynny
awgrym o feistrolaeth a gŵreidd-dra y dyn Crist Iesu
yng ngŵydd Ei holl elynion). "Trwy ba awdurdod yr
wyt ti yn gwneuthur y pethau hyn ? . . . A'r Iesu

[1] *Cofiant Thomas Gee*. T. Gwynn Jones, tt. 233–237. Cymh.:
" Drwy ba awdurdod, etc." (adn. 23) â rhai o sylwadau T
Gwynn Jones :—
" Ymha le y cawsai yr argraffydd hwnnw o Ddinbych y
fath gorff ac wyneb, pa fodd y dysgodd y fath gydawnder o
iaith hyawdl, pa un bynnag ai yn Gymraeg ai yn Saesneg ; o
ba le y daeth y gŵreidd-dra nad oedd Syr Watkin o Wynnstay
fwy na rhyw ddynan bach trwsgl arall ger ei fron ? Yn ddiau,
' yr oedd pethau wedi newid yn fawr ! ' ac nid oedd gan Syr
Watkin ond cynddaredd fud i'w wynebu. Y mae ei ychydig
frawddegau trwsgl yn peri i ddyn bellach resynnu trosto, weddill
yr hen drefn yn ymladd yn hurt yn erbyn deall a dynoliaeth
a rhyddid."

a atebodd ac a ddywedodd wrthynt, Minnau a ofyn-
naf i chwithau un gair, yr hwn os mynegwch i mi,
minnau a fynegaf i chwithau trwy ba awdurdod yr
wyf yn gwneuthur y pethau hyn. Bedydd Ioan, o
ba le yr oedd ? ai o'r nef, ai o ddynion ? " Dyna i
chwi gornelu ! Yr oedd yr ateb yn eglur wrth gwrs, a
dylai'r Phariseaid a'r ysgrifenyddion ei wybod yn
well na neb. " Edifeirwch " oedd pregeth fawr
Ioan Fedyddiwr, a phwysleisiwyd edifeirwch gan
y grefydd Iddewig erioed. Paham, ynteu, na roes
crefyddwyr blaenllaw ei ddydd groeso a chefnogaeth
i Ioan ? Paham na chafodd ddrws agored i bulpudau
y synagogau ? Dyma gornelu ! Pe dywedent fod
Ioan yn ddanfonedig oddi wrth Dduw condemnient
eu hunain a'u hagwedd tuag ato. Pe dywedent mai
ymhonnwr ydoedd pa beth a ddywedai'r bobl,—y
werin ? Ffefryn y werin bobl oedd Ioan, ac ofnai'r
Pharsieaid y farn gyhoeddus. ' Y peth gorau i ni,'
meddent ar ôl cydymgynghori, ' yw ateb na wyddom
ni ddim.' " Ac yntau a ddywedodd wrthynt, Nid wyf
finnau yn dywedyd i chwi trwy ba awdurdod yr wyf
yn gwneuthur y pethau hyn." Ond gedwch i ni newid
y stori, ebe'r Iesu. Rhoddodd yr archoffeiriaid a'r
henuriaid ochenaid o ryddhad.

Wele'r Gwaredwr yn cymryd ei bwyntil ac yn tynnu
llun mewn ychydig linellau clir. Yr oedd gan ŵr ddau
fab. Daeth at y cyntaf[1] a gofyn iddo, " Dos, gweithia
heddiw yn fy ngwinllan." Na wnaf, ebe hwnnw, ond
yn ddiweddarach ef a edifarhaodd ac a aeth. Gofyn-
nodd yr un peth i'r mab arall, ac addawodd hwnnw

---

[1] Yn y Cyfieithiad Diwygiedig, a Chyfieithiad y Brifysgol,
newidir trefn y cais i'r meibion. Dilynwn ni drefn y Cyfieithiad
Awdurdodedig. Y mae hynny lawn cystal i bwrpas dweud y gair
olaf wrth Phariseaid, ac atynt hwy yr anelir yn y ddameg.

fynd ond nid aeth. Pa un a wnaeth ewyllys y tad ?
Y cyntaf, meddent hwythau gan eu condemnio eu
hunain â'r un anadl. Y fath feistr y gynulleidfa oedd
yn eu trafod !

Neges i grefyddwyr sydd yn y ddameg hon.   Ceis-
iwn ei helfennu.

i. Geilw Duw Ei feibion i'r winllan. " Fy mab,
dos, gweithia heddiw yn fy ngwinllan." Duw yn
galw yw Duw y Beibl. Duw yn llefaru ac yn pledio â
dynion. Cyfarwyddasom bellach â'r llais o'r anwel a
ddywed, "This is London calling ! "   Y mae Llais
hefyd o'r byd y tu hwnt i'r llen sydd yn torri ar glust-
iau dynion ym mhob oes a gwlad, " Dyma Dduw yn
galw ! " Duw yn galw oedd Duw i'r dyn cyntaf :
" Adda, pa le yr wyt ti ? "   Dal i alw a wnaeth o oes
i oes ym mreuddwydion a gweledigaethau dynion.
Abraham, dos allan ; Moses, tyred yma ; Samuel,
deffro ; Eseia, dos ; Amos, tyred i lawr o'r bryniau.
A dyna oedd y proffwydi gynt, llef, adlais Duw yn
galw. Pan aethai dynion dros eu pennau i helyntion
a busnesion y byd hwn, i gasàu a chweryla ac anghofio
bod Duw yn y nefoedd, " Ohoi ! " ebe'r proffwyd.
" Dyma Dduw yn galw ! " Beth oedd Ioan Fedydd-
iwr ?   Llef yn llefain yn y diffeithwch, llais Duw yn
galw. A dyna yw proffwyd o hyd, dyn yn atgoffa
pobl ei oes fod Duw, gan dynnu eu sylw at hawliau
Duw.

Pa fath alwad yw hon ?   *Galwad Tad yw hi*, meddai
Iesu Grist, Tad sydd yn galw ei feibion i'w winllan.
" Fy mab," meddai, " dos, gweithia heddiw yn fy
ngwinllan." Nid galwad yr unben yw hi, nid galwad
y conscriptiwr, nid *call-up* mohoni yn null y byd hwn,
ond galwad Tad. Pa bryd bynnag y clywi di Dduw

yn galw, cofia mai dy Dad ydyw, ac os dylit ufuddhau
i rywun yn fwy na'i gilydd dylit ufuddhau i'th Dad.

Galwad i waith yw hi. " Dos, *gweithia* heddiw yn
fy ngwinllan." Ni alwodd Duw neb erioed i segura a
diogi a chael amser braf. Pwy bynnag a glywodd
Dduw yn galw, bu hwnnw yn weithiwr mawr drosto ar
hyd ei oes. Nid oes dim diweithdra yng ngwinllan
Duw, oherwydd ceir mwy o waith nag o weithwyr yno
bob amser. Efallai mai galwad i swydd a chyfrifoldeb
yn y winllan a glywi di ; rhaid wrth *division of labour*
yng ngwinllan Duw, ond os galwad i swydd a glywi,
cofia mai galwad i waith yw hi.

A galwad *daer* yw galwad Duw bob amser. " Dos,
gweithia *heddiw.*" Nid at y tymor nesaf y bydd
Duw yn cyflogi gweithwyr ond at y tymor hwn.
" Heddiw, os gwrandewch." Dyna alwad Duw o hyd.
" Tra dywedir, Heddiw, Na chaledwch eich calonnau,"
wel, heddiw amdani !

A'r peth pwysig yw pa fodd yr ymatebwn.

*ii. Ceir rhai sydd yn gwrthod ymateb mewn proffes,
ond yn edifarhau yn y man.*

" Ac yntau a atebodd ac a ddywedodd, Nid af :
ond wedi hynny efe a edifarhaodd, ac a aeth." Cyn-
rychioli'r publicanod a'r pechaduriaid a wna hwn,
ac y mae'n fachgen y deuwch ar ei draws yn aml yn
ein dyddiau ni, y bachgen sydd yn dweud, " Na
wna-i " wrth ei dad. Un digywilydd iawn yw hwn,
heb air o ymddiheuriad, na gwyleidd-dra na pharch !
Ni rydd unrhyw reswm am wrthod nac unrhyw
ystyriaeth i deimladau a dymuniad arall, hyd yn oed
ei dad ei hun. " Na wna-i," meddai ar ei ben, heb
flewyn o foesgarwch. Gofynnwch iddo ddod i'r win-

llan pe na bai ond am dro i weld y blodau,—" Na wna-i." Gofynnwch iddo wneud rhywbeth bach yn y winllan,—" Na wna-i."

Hyfdra, digywilydd-dra, haerllugrwydd yw pechod parod hwn, a disgynnodd y pla sydd arno yn drwm ar feibion a merched ein dyddiau ni. Yn arbennig, felly, yn y cylch crefyddol. Aeth bod yn ddyn y byd a pheidio â chael eich cyfrif gyda'r saint yn orchest gan lawer. Y gamp yn awr yw cymryd arnoch nad ydych yn perthyn i lan na chapel. Diau fod llawer o ragrith o fewn yr Eglwys yn ein hoes ni fel ym mhob oes, ond ceir llawn mwy o ragrith o'r tu allan iddi erbyn hyn, dynion yn eu coluro eu hunain fel pechaduriaid a phaganiaid, ac yn ceisio rhoi'r argraff fod ymwrthod ag arddel Crist yn gyhoeddus yn rhinwedd mawr ynddynt hwy. Ni chymerent hwy bensiwn am eistedd yn " sêt fawr " y capel,—nid ydynt hwy yn ddigon da. Hwynt-hwy eu hunain sy'n dweud hynny, cofier. Gwyliwch chwi rhag dweud dim o'r fath ! Ni fyddent hwy byth yn meddwl mynd ar eu gliniau i weddïo yn gyhoeddus. Nid ydynt hwy byth yn gwneud parêd o'u crefydd. Yr unig beth a ddywedant hwy yn gyhoeddus yw, " Na wna-i."

Ond, medd rhywun, onid oedd yr Arglwydd Iesu yn ffrind mawr i'r rhain,—y publicanod a'r pechaduriaid, pobl y priffyrdd a'r caeau ? Oni chanmolodd yr Iesu y rhain ? Naddo erioed. Oni chanmolodd yr Iesu y bachgen yma a ddywedodd, " Na wna-i " wrth ei dad ? Dim o gwbl. Am beth y canmolwyd ef ynteu ? Am iddo edifarhau debyg iawn. Y *mae* yr Arglwydd Iesu yn gyfaill publicanod a phechaduriaid, ond nid am eu bod hwy felly, nac er mwyn iddynt barhau felly, ond am iddo weld awydd troi

dalen mewn llawer ohonynt a pharodrwydd i edifar-
hau. Nid yw'n gompliment yn y byd i ddyn a glywodd
alwad Duw aros yn ei hen ffyrdd. Nid yw'n gredyd
yn y byd i ddyn a glywodd yr Efengyl wrthod ei
harddel yng ngŵydd dynion. Ond os clywaist ti
yr alwad, ac edifarhau, er gwrthod ohonot ufuddhau
lawer gwaith o'r blaen, nid wyt ti nepell o Deyrnas
Dduw.

Ond ceir math arall o ddynion hefyd ac atynt hwy
yn arbennig y cyfeiriwyd dameg y Ddau Fab.

*iii. Rhai sydd yn ymateb i'r alwad mewn proffes
ond yn gwrthod mewn bywyd.*

Dyma'r mab a ddywedodd wrth ei dad yr âi ef
i'r winllan, ond nid aeth. Cynrychioli yr archoffeiriaid
a'r ysgrifenyddion a wna hwn. Ac am eu math hwy y
meddyliwn pan feddyliwn am ragrithwyr,—pobl flaen-
llaw gyda chrefydd. Dyma'r rhagrithwyr cyd-
nabyddedig, a dyma'r bobl a gornelwyd gan ddameg
y Ddau Fab o enau yr Iesu. Clywsai'r archoffeiriaid
alwad Duw i wasanaethu yn y deml. O'r gorau,
meddent, fe wnawn ni. Clywsai'r ysgrifenyddion
alwad Duw arnynt i esbonio ac egluro Ei gyfraith i'r
werin. O'r gorau, meddent, fe wnawn ni. Ond pan
ddaeth Ioan Fedyddiwr, yn ddyn wedi ei anfon oddi
wrth Dduw, i'r maes gydag un o'r cenadwrïau mwyaf
addas i'w oes, pa beth a wnaethant hwy, grefyddwyr
wrth eu swydd ? Ei wrthod a'i rwystro. Pan ddaeth
yr Arglwydd Iesu i'r byd o fynwes y Tad i sefydlu
Teyrnas Dduw, pa beth a wnaethant hwy flaenoriaid
y deml ? Popeth a allent i'w rwystro.

Dau allu mawr sydd yn rhwystro dyfodiad Teyrnas
Dduw yn ôl Llyfr y Datguddiad,—y Byd a Chrefydd,—
dull y byd hwn, a chrefydd wedi ei bydoli. Arswydus

yw meddwl fel y caed crefydd o ryw fath, ac fel y
ceir crefydd o ryw fath o hyd, sydd yn mynd i gyngh-
rair â'r byd i groeshoelio Crist. Meddylier am yr
archoffeiriaid a'r ysgrifenyddion yr anelir y ddameg
hon atynt, yn gallu edrych mor dduwiol a chwestiyno'r
Iesu mor dduwiolaidd ynghylch bedydd Ioan, medd-
ylier amdanynt cyn pen ychydig o amser yn rhoi
byddin arfog gyda gwaywffyn a lanternau i Jwdas
Iscariot i ddal yr Iesu yn yr ardd a'i ddwyn i ben
Calfaria !

O ddyfnder rhagrith a brad y galon ddynol !
O Dduw, gwared ni grefyddwyr rhag sefyll yn ffordd
dy Deyrnas ! O Iesu Mawr, maddau i ni, dy weision
mewn enw, am i ni dorri ein gair i Ti ! O Ysbryd y
Cariad, trugarha wrthym am i ni erioed dy ddifwyno
yng ngŵydd y byd, a pheri i rywrai gablu dy Eglwys
a melltithio yr Achos gorau ! Heddiw, tra dywedir
Heddiw, ymdaflwn o'r newydd i waith yng ngwinllan
ein Harglwydd, o ran proffes a buchedd, fel na bo i
unrhyw gennad dros Deyrnas Crist, nac i unrhyw
fudiad daionus i gyfeiriad Teyrnas Crist gael tram-
gwydd a rhwystr o'n plegid ni.

DAMEG Y CYFAILL YN GOFYN ECHWYN, A'R WEDDW DAER

A dywedodd wrthynt, "Pwy ohonoch fydd ganddo gyfaill, ac a â ato ganol nos, a dywedyd wrtho, ' Gyfaill, rho'n fenthyg dair torth i mi, achos daeth cyfaill ataf ar ei daith, ac nid oes gennyf ddim i'w osod o'i flaen ' ; ac yntau'n ateb tu mewn, a dywedyd, ' Paid â'm poeni ; erbyn hyn y mae'r drws wedi ei gloi, ac y mae fy mhlant gyda mi yn y gwely ; ni allaf godi a rhoi i ti.' Dywedaf i chwi, hyd yn oed er na chyfyd a rhoddi iddo am ei fod yn gyfaill iddo, eto oherwydd ei daerineb fe gyfyd, a rhoi iddo gymaint ag a fo arno'i eisiau.—*Luc xi.* 5–8.

A llefarodd ddameg wrthynt ar fod rhaid iddynt weddïo'n wastad, a pheidio â llwfwrhau. Dywedodd, "Yr oedd rhyw farnwr mewn rhyw ddinas, nad ofnai Dduw ac na pharchai ddyn. Ac yr oedd gweddw yn y ddinas honno, a hi a ddeuai ato, gan ddywedyd, ' Amddiffyn fi rhag fy ngwrthwynebwr.' Ac ni fynnai ef dros amser, ond wedyn fe ddywedodd ynddo'i hun, ' Er nad ofnaf Dduw ac na pharchaf ddyn chwaith, eto am fod y weddw hon yn peri blinder imi fe'i hamddiffynnaf hi, rhag iddi ddyfod o hyd a'm byddaru."—*Luc xviii.* 1–5.

DAMEG Y CYFAILL YN GOFYN ECHWYN, A'R WEDDW DAER

Luc xi. 5–8 ; *xviii.* 1–5

CEISIWYD pwysleisio yn y Rhagymadrodd[1] mor agos at fywyd Ei oes a'i wlad a'i werin Ei Hun oedd damhegion Iesu Grist, ac nid yw hynny yn amlycach yn unman nag yn y ddwy ddameg hyn. Gallai unrhyw un o wrandawyr yr Iesu fod wedi cael profiad o'r cyfaill yn galw ar hanner nos, a gallent fod yn gyfarwydd iawn â'r weddw a gerddai beunydd at y barnwr. A stori bywyd, stori gyffredin bywyd, yw'r

---

[1] tt. xvi.–xix.

helyntion hyn o hyd, yng Nghymru fel ym Mhalesteina.

Aeth un o brifeirdd Cymru i gryn brofedigaeth rai blynyddoedd yn ôl pan alwodd haid o ffrindiau'r bardd i edrych amdano wedi bo nos. Tra buont hwy yn ymgolli mewn ymgom ac atgofion aeth gwraig y bardd i baratoi pryd o fwyd, a sylweddolodd nad oedd ganddi ddigon o gwpanau wy ar gyfer y criw i gyd ! Yn ddistaw bach aeth i ofyn echwyn, ond gan hwyred yr awr yr oedd pawb o'r cymdogion wedi clwydo. Crwydrodd ymhell cyn gweld golau mewn ffenestr, a bu'n hir ar ei thaith. Yn y cyfamser gwelodd y prifardd ei cholli, ac er galw a chwilio nid oedd siw na miw ohoni. Aeth y bardd i gryn gynnwrf ysbryd a phan ddychwelodd hi yn y man a'i gwynt yn ei dwrn (a'r cwpanau wy hefyd !) mawr oedd ei ryddhad.

Nid yw cysylltiadau mewn bywyd dameg y Weddw Daer yn eglur. Ymddengys mai casgliad o ddywediadau'r Iesu ar wahanol faterion ac achlysuron yw'r ddeunawfed bennod o Efengyl Luc. Eithr gosodir dameg y Cyfaill yn Gofyn Echwyn yn ei chefndir, nodir achlysur ei llefaru, ac awgryma'r cysylltiadau ei neges. " A bu, ac efe mewn rhyw fan yn gweddïo, pan beidiodd, ddywedyd o un o'i ddisgyblion wrtho, Arglwydd, dysg i ni weddïo, megis ag y dysgodd Ioan i'w ddisgyblion " (xi. 1). Cyfarwyddodd yr Athro mawr mewn geiriau a enillodd eu lle ar unwaith, ac am byth, fel patrwm o weddi,—gweddi'r Arglwydd. A chyn dibennu ateb cais y disgyblion dywedodd stori gyda'r bwriad o'u dysgu i ddyfalbarhau mewn gweddi. Ar dro arall gallwn yn hawdd dybio iddo ddweud stori arall i ddysgu'r un wers yn union, oblegid dyfalbarhau mewn gweddi yw neges amlwg damhegion y Cyfaill a'r Weddw Daer.

Tebyg yw gweddïo, meddai Iesu Grist wrth Ei ddisgyblion, i'r fel pe bai un ohonoch yn mynd ar daith, yn manteisio ar hwyr y dydd a'r nos i wneud y daith rhag eich llethu gan yr haul, ac ar hanner nos yn galw yn nhŷ hen gyfaill. Yntau yn falch anghyffredin o'ch gweld ac yn dechrau paratoi croeso i chwi ar unwaith. Ond yr oedd y cwpwrdd yn llwm ! Dyma redeg i dŷ cymydog i ofyn benthyg, a churo'r drws. Neb yn ateb. Curo a churo drachefn. O'r diwedd wele'r cymydog yn brathu ei ben drwy'r ffenestr ac yn gofyn yn sarrug, " Pwy sydd yna yr adeg yma o'r nos ? " " Y fi sydd yma," ebe'r ymofynnwr dan ei lais, " a oes modd cael benthyg tair torth, mae hen gyfaill i mi wedi galw ar ei ffordd . . . " " Pe bai gennyf," meddai'r llall, " 'allwn i ddim eu rhoi i ti yr adeg yma, yr wyf wedi cloi'r drws ac y mae'r plant yn cysgu."[1] (Wel, chwarae teg iddo, mae'n ddyn i gydymdeimlo ag ef. Nid dim byd o beth yw cael rhyw greadur anystywallt i ddeffro'r babi am hanner nos !) Ond dal i guro a wnâi'r cyfaill wrth y drws, ac oherwydd ei daerni fe gyfyd y cymydog " ac a rydd iddo gynifer ag y sydd arno eu heisiau."

Tebyg yw gweddïo, meddai'r Iesu dro arall, i wraig weddw yn myned at y barnwr ac yn gofyn iddo achub ei cham hi. Creadur anystyriol oedd y barnwr, " nid ofnai Dduw ac ni pharchai ddyn," ac nid oedd ganddo awydd yn y byd i helpu'r weddw yn ei thrafferth. Ond dal i gerdded ato a wnâi hi a'i flino beunydd beunos, nes iddo yntau o'r diwedd ystwytho i wrando, gan ddweud wrtho'i hunan, " Er nad ofnaf Dduw, ac na pharchaf ddyn; eto am fod y weddw hon yn peri

---

[1] Gweler *In the Steps of the Master.* H. V. Morton. t. 128.

imi flinder, mi a'i dialaf hi; rhag iddi yn y diwedd
ddyfod a'm syfrdanu i," *h.y.*, yn llythrennol, "rhag
iddi roi llygad du i mi"!

Pethau syml, agos atynt, fel yna a ddywedai yr
Arglwydd Iesu wrth ei ddisgyblion pan fynnai eu
dysgu "fod yn rhaid gweddïo yn wastad, ac heb
ddiffygio." Daliwn ninnau ar un neu ddau o wirion-
eddau sydd yn amlwg yn y damhegion hyn.

I. *Pobl mewn angen sy'n gweddïo, h.y., pobl yn
ymdeimlo â'u hangen.*

Un mewn angen oedd y weddw daer a gerddai'n
feunyddiol at y barnwr. Yn wir, yn y Beibl, y mae'r
weddw gan amlaf yn symbol o angen, o gyflwr eisiau
help a nodded. Dyn mewn angen oedd y cyfaill yn
gofyn echwyn gan ei gymydog ar hanner nos, dyn
yn ei deimlo ei hunan yn llwm a thlawd i allu estyn
cymwynas i arall. Ceir dau fath o angen yma:
angen dyn ei hunan, a theimlo angen cyd-ddyn.
Ymdeimlo â'r ddau angen hyn sydd yn gwneud dyn
yn weddïwr, yn ôl Iesu Grist.

Digon o brawf fod hyn yn wir yw'r ffaith gyffredin-
ol fod y rhelyw o ddynion yn troi at Dduw yn eu
cyfyngderau. Gweddïa'r creadur mwyaf annhebygol
mewn *blitz*! Yr oedd Moscow ddi-Dduw yn rhedeg
i'r eglwys gadeiriol pan oedd y gelyn wrth y pyrth!
"Helpa fi, Arglwydd," meddai'r hen ffermwr anystyr-
iol hwnnw, pan fethai ddal yr ebol ifanc, gan ychwanegu
dan ei lais, "Mi welais i amser na buaswn i yn gofyn
i Ti hefyd!"

Pan fetha dynion, eu holl ddoethineb yn pallu
a hwythau'n sylweddoli ei bod ar ben arnynt yn eu
nerth eu hunain, y maent yn naturiol yn weddïwyr.
"A'u holl ddoethineb a ballodd" ebe'r Salmydd

(Salm 107), " yna y gwaeddant ar yr Arglwydd yn
eu cyfyngder." Paham, ynteu, nad yw dynion yn
gweddïo yn wastadol, paham na weddïant ym mhob
tywydd ? Rhesymeg y damhegion hyn yw, mai
myned yn benuchel y maent, ac yn hunan-ddigonol,
eu twyllo eu hunain a gwadu eu hanghenion dyfnaf.
Rhagrithiwr yw pob dyn diweddïo.

Y ffasiwn ers tro bellach, wrth gwrs, yw dweud
mai rhagrithwyr yw gweddïwyr, yn enwedig gweddïwyr
cyhoeddus.   Ac ni fynnem wadu'r posibilrwydd.
Gwyddai Iesu Grist yn dda am ddynion a weddïai
er mwyn ymddangos i eraill yn dduwiol neu'n ddawnus.
Ac ymhell y bo pob un felly.   Ond rhagrith yn ben-
difaddau yw peidio â gweddïo o gwbl, oherwydd
nid yw hynny'n ddim ond dyn yn cymryd arno y
medr wneud heb Dduw, a *pose* yw hynny hefyd.

Gwaith anodd, am lawer rheswm, yw cael gan
bobl heddiw ddod i deimlo eu hanghenion personol
yn ysbrydol, teimlo eu bod yn dlawd, yn llwm ac yn
resynus o brin o'r hyn sydd gan yr Efengyl i'w roddi
iddynt.   Nid yw mor hawdd ag y bu cael gan ddynion
gyffesu a chyfaddef eu bod yn bechaduriaid a'u bod
mewn angen yn feunyddiol am faddeuant Duw.
A dyna un rheswm paham yr aeth gweddïwyr yn
llawer prinnach yn ein heglwysi yn y blynyddoedd
diwethaf hyn.

Ond tybed nad yw'r angen arall yn debycach o
apelio at galon a chydwybod pobl heddiw,—angen
ein cyd-ddynion ?   Miloedd o blant bach a mamau
yn llwgu yn yr India ac yng ngwledydd Ewrop, a
ninnau mor ddiymadferth i'w cynorthwyo !   Miloedd
ar filoedd o ieuenctid gorau'r gwledydd yn cael eu
difa bob chwarter canrif, a ninnau mor ddiymadferth

i atal yr alanas ! Cannoedd ar gannoedd o'n cyd-
fforddolion yng ngafael y *Cancer* a'r T.B: ac afiechydon
heintus eraill, a ninnau mor analluog i leddfu eu
doluriau ac i ymlid y clefydau hyn i ffwrdd ! O na
bai i gyflwr truenus y byd ac anghenion alaethus
ein cyd-ddynion wneuthur gweddïwyr ohonom o'r
newydd.

Dysgir yn amlwg yn y damhegion hyn hefyd.

II. *Mai'r unig weddïo iawn yw gweddïo yn wastad
ac heb ddiffygio.*

Dyna a wnaeth y cyfaill gyda'i gymydog ar hanner
nos,—daliodd i guro nes cael yr hyn oedd arno ei
eisiau. Dyna a wnaeth y weddw. Bu mor daer gerbron
y barnwr nes llwyddo i'w gael i ddadlau ei hachos.

A rhesymeg y ddwy ddameg yw hyn,—os yw taer-
ineb yn llwyddo gyda rhai anfoddog ac anewyllysgar
fel y cymydog hwn a'r barnwr anystyriol, pa faint
mwy llwyddiannus fydd taerineb gerbron ein Tad
yr hwn sydd yn y nefoedd, " yr hwn sydd yn rhoi yn
haellionus i bawb, ac heb ddannod " ? (Iago i. 5).
" Os chwychwi gan hynny, a chwi yn ddrwg, a fed-
rwch roddi rhoddion da i'ch plant, pa faint mwy y
rhydd eich Tad yr hwn sydd yn y nefoedd bethau da
i'r rhai a ofynnant iddo" ? (Math. vii. 11). Peth fel
yna yw gweddïo iawn, meddai Iesu Grist, gofyn, ceisio,
curo, gan ddal ati yn fwy egnïol o hyd. Nid, wrth
gwrs, yn yr ystyr fod eisiau i ddyn ddal ati ar ei liniau
am ugain munud i hanner awr, ond yn yr ystyr ei fod
o ddifrif, a bod holl egnïon ei enaid ar waith. Ac os
bydd ein gweddi yn angerddol yn yr ysbryd ni all
fod yn faith mewn geiriau. Un o dramgwyddiadau
mawr ein bywyd crefyddol yn yr Eglwysi Ymneilltuol
heddiw yw gweddïau meithion.

Ond golyga gweddïo iawn ddal ati i geisio sylwedd-
oli dyheadau eich gweddi ar ôl i chwi godi ar eich
traed. Ein tuedd ni yw edrych ar weddïo fel rhywbeth
dymunol a da a duwiol ynddo'i hun, ond nad yw'n
sylweddoli nac yn cyrraedd dim byd yn y diwedd,—
rhyw eistedd i lawr yng nghanol pethau fel y maent
yn hytrach nag ymdrechu â'n holl egni dros bethau
fel y carem iddynt fod. A, gwaetha'r modd, cafwyd
dynion crefyddol iawn i roddi'r argraff mai peth da,
ond diniwed, yw gweddïo. Dyna Thomas Jones o
Ddinbych, er enghraifft. Y cwbl a ddichon Cristion
ei wneuthur i wella cyflwr y wlad, meddai Thomas
Jones, yw gweddïo ar Dduw. Ac wrth weddïo ar
Dduw y cyfan a olygai ef oedd ymostwng i'r drefn
a pheidio â gwrthryfela yn erbyn yr awdurdodau.
Credaf fod Dafydd Rees, Llanelli, yn nes at feddwl
Crist ar y mater hwn. " Cynhyrfer ! " ebe Dafydd
Rees, " Cynhyrfer ! Cynhyrfer ! " Onid yw hyn-
yna yn debycach i'r weddw daer a oedd yn dal i flino'r
barnwr, a'r cyfaill a oedd yn dal i guro ar hanner nos ?
Gwnaeth y rhai hyn eu hunain yn niwsans nes cael
eu dymuniad. A byddai'n dda i ni gofio yn wastadol
i weddïwyr gorau'r byd fod yn rhai o aflon-
yddwyr mwya'r byd yn ogystal. Gweddïwn ar ein
traed ac ar ein gliniau. Ein hymdrech a'n dygnwch
ar ein traed dros sylweddoli ewyllys yr Arglwydd
sydd yn profi pa mor onest ydym pan fôm ar ein
gliniau yn gweddïo " Gwneler dy ewyllys, deled dy
deyrnas."

Ynglŷn â mater gweddi erys un cwestiwn a hwnnw'n
gwestiwn anodd. Paham yr oeda Duw ateb ein
gweddïau ? Paham na chaem yr hyn a ofynnwn
amdano yn ddiymdroi. Onid yw Duw weithiau'n

ymddangos yn debyg i'r cymydog anfodlon ac i'r
barnwr anewyllysgar ?

Heb ymhelaethu arnynt dyma rai ystyriaethau yn
codi o'r damhegion y byddai'n werth eu cadw mewn
cof.

(a) Onid ydym yn fynych yn ei gadael yn hwyr
iawn cyn gofyn gan Dduw ? Hanner nos yw hi arnom
gan amlaf ! " Achub ni, O Dduw," meddai'r bobl
ar hanner nos yn y *blitz*, ond pa faint ohonynt a oedd
yn hollol ddifater ynghylch creu heddwch pan oedd
yr amser yn caniatàu hynny ? Fe gaem lawer mwy o'r
pethau yr ydym mewn angen amdanynt pe baem yn
gofyn mewn pryd tra bo hi eto'n ddydd.

(b) Onid yw'n ddigon posibl, a rhesymol hefyd,
na ddichon Duw roddi Ei fendithion gorau i ni hyd oni
byddwn yn dyheu yn ddigon angerddol amdanynt ?
Un o'r pethau yr hoffwn i yn fawr eu meddu fyddai
meistrolaeth ar chwarae rhyw offeryn cerdd. Ond ni
allodd arian fy nhad na dawn unrhyw athro fy ngwneud
yn chwaraewr da oherwydd nad wyf fi fy hunan wedi
dyfalbarhau. Pwy sydd i'w gael na charai, yn ei
funudau gorau beth bynnag, dyfu mewn daioni ?
Ond ni ddichon Duw dy wneud yn dda heb i tithau
wneud dy orau. Pwy sydd i'w gael na charai weled
heddwch parhaol ar y ddaear ? Ond ni ddichon Duw
ei roddi i ni onid ydym â'n holl enaid yn dyheu amdano
ac yn barod i aberthu er mwyn ei gael. Dyna ergyd
y cwestiwn a ofynnodd Iesu Grist ar ddiwedd dameg
y Weddw Daer, " Mab y dyn, pan ddêl, a gaiff efe
ffydd ar y ddaear ? "

DAMEG Y DENG MORWYN

Yna cyffelybir teyrnas nefoedd i ddeg o forynion, a gymerodd eu lampau a mynd allan i gyfarfod y priodfab. Yr oedd pump ohonynt yn ffôl a phump yn gall. Canys cymerodd y rhai ffôl eu lampau heb gymryd olew gyda hwynt ; eithr cymerodd y rhai call olew yn y llestri gyda'u lampau. A phan oedd y priodfab yn oedi, hepiasant oll a syrthio i gysgu. Ac ar ganol nos daeth gwaedd, ' Dyma'r priodfab, ewch allan i'w gyfarfod.' Yna cododd yr holl forynion hynny, a chyweirio eu lampau. A dywedodd y rhai ffôl wrth y rhai call, ' Rhowch i ni beth o'ch olew, achos y mae'n lampau ni yn diffodd.' Ond atebodd y rhai call, ' Efallai na bydd dim digon i ni ac i chwithau ; gwell ichwi fynd at y gwerthwyr a phrynu i chwi eich hunain.' A phan oeddent ar eu ffordd i brynu, daeth y priodfab, ac aeth y rhai oedd yn barod i mewn gydag ef i'r neithior, a chaewyd y drws. Wedyn daw'r morynion eraill, a dywedyd, ' Syr, syr, agor i ni.' Atebodd yntau, ' Yn wir meddaf i chwi, ni'ch adwaen chwi.' Felly byddwch effro, am na wyddoch y dydd na'r awr.

—*Mathew xxv*. 1–13.

DAMEG Y DENG MORWYN

Matthew xxv. 1–13

NID oes nemor un o ddamhegion Iesu Grist yn fwy swynol, nac ar yr wyneb, yn fwy syml na dameg y Deng Morwyn. Apeliodd yn fawr erioed at y bardd a'r emynydd, ond y mae'n syndod cymaint o drafferth a roes i'r esboniwr. Ceir ynddi rai cymalau anodd iawn eu datrys, megis amharodrwydd y morynion call i rannu olew â'r rhai ffôl, a mater cau'r drws yn wyneb y rhai ffôl. Ond yr anhawster mwyaf yw esbonio'r adnod sy'n cloi'r ddameg ac yn cyflwyno ei neges, " Gwyliwch gan hynny; am na wyddoch na'r dydd na'r awr y daw Mab y dyn."

Ni châi'r rhelyw o'n tadau yn y Ffydd unrhyw anhawster gyda'r adnod hon. Yr unig ystyr a welent ynddi oedd galwad ar ddynion i ymbaratoi ar gyfer angau, am na ŵyr neb na'r dydd na'r awr y bydd yn rhaid iddo farw. Esbonia'r Dr. Owen Evans[1] y ddameg i gyd yn rhwydd yng ngoleuni'r gwirionedd hwnnw. Gwir perffaith, wrth gwrs, yw'r ffaith na ŵyr neb na'r dydd na'r awr y bydd yn rhaid iddo farw, ac, am hynny, y mae'n bwysig i bawb fod yn barod ar gyfer awr ei ymddatod. Ond prin, mi dybiaf, mai dyna'r ystyr wreiddiol a oedd i'r adnod hon oddi ar wefusau Iesu Grist. Adnod yw hon ar gyfer byw lawn mwy nag ar gyfer marw. Ac nid oes ystyr mewn gweddïo, " Deled dy deyrnas," a chanu :—

" O pam na chaf fi ddechrau'n awr
 Fy nefoedd yn y byd,"

os ar ôl marw yn unig y cawn fyned i mewn iddi.

Ceir esboniad arall ar y geiriau i fodloni rhai, sef mai cyfeirio y maent at Ailddyfodiad Iesu Grist. Soniasai'r Gwaredwr yma ar y ddaear y deuai drachefn yng ngogoniant Ei Dad, a chafodd yr addewid hwnnw effaith fawr ar feddwl a dyhead yr Eglwys Fore, cymaint o ddylanwad, fel y dengys yr Epistolau at y Thesaloniaid,[2] nes bod rhai yn amharod i weithio na gwneud dim oherwydd y disgwylient Ailddyfodiad yr Arglwydd unrhyw awr. Ond fel y cerddai'r blynyddoedd a'r " Arglwydd yn oedi ei addewid, fel y mae rhai yn cyfrif oed " (2 Pedr iii. 9), gorfu i ddynion fel awdur Epistolau Pedr, a'r Apostol Paul ailfeddwl yr hyn oedd i'w olygu wrth Ailddyfodiad Iesu Grist.

---

[1] *Dammegion Crist*, tt. 181–191.
[2] 1 Thes. iv. 11 ; 2 Thes. ii. 2, 3.

Er hynny, ceir sectau yn yr Eglwys o hyd a ddeil i goleddu'r syniad am Ailddyfodiad Crist yn y ffurf lythrennol y sonia'r Testament Newydd amdano, a gelwir rhai ohonynt yn bobl yr Ailddyfodiad (*Second Adventists*). Sylwn fod eu pregeth hwy yn apelio mwy at y lliaws mewn dyddiau drwg, megis dyddiau o ryfel, pan yw pobl yn fwy amharod nag arfer i weithio allan eu hiachawdwriaeth eu hunain. Nid yw'r byd fel y mae yn poeni llawer ar y bobl hyn gan fod ei ragorach ar wawrio'n wyrthiol, yfory efallai, neu drennydd neu dradwy. (Byddai'n ddiddorol gwybod, gyda llaw, pa faint o gadfridogion a chyrnoliaid sydd yn perthyn i'r sectau hyn). Ond nid enillant feddwl yr oes. A pheth di-fudd hollol yn fy meddwl i yw pendroni ynghylch y dydd a'r awr y daw Iesu Grist i'n daear ni megis y daeth ugain canrif yn ôl. Onid oes gan Gristionogion gynifer o bethau rheitiach i'w gwneuthur ?

O ganol esboniadau hen-ffasiwn a di-les ar ddameg y Deng Morwyn, rhyddhad yw troi i ymofyn gan Feirniadaeth Feiblaidd ddiweddar. Dyma un o'r llecynnau mwyaf golau yn ffurfafen gymylog crefydd ein hoes ni, sef bod gennym gystal dehonglwyr o'r Testament Newydd ag a gafodd yr Eglwys erioed, onid eu gwell, ac yr ydym yn falch bod Cymro yn un o'r sêr disgleiriaf yn eu plith,—y Dr. C. H. Dodd. A'i eglurhad ef ar y ddameg hon yw[1] mai cyfeirio y mae'r Iesu at ei ddyfodiad Ef ei Hun yn nyddiau Ei gnawd, oblegid bod Ei ddyfodiad Ef i blith dynion yn golygu dyfod Teyrnas Dduw atynt. I ba le bynnag y daw'r Iesu daw â Theyrnas Nefoedd

---

[1] *Parables of the Kingdom*, tt. 171–174.

i'w ganlyn, " Eithr os ydwyf fi yn bwrw allan gyth-
reuliaid trwy Ysbryd Duw, yna y daeth teyrnas
Dduw atoch " (Math. xii. 28). Ac nid digwyddiad a
fu ac a ddarfu, megis seren wib, ydoedd dyfod Iesu
Grist, ac yna rhyw ddisgwyl hir hyd oni ddaw eto.
Pery Ef i ddyfod i mewn i fywydau dynion o hyd
mewn ffyrdd annisgwyl ac annhebygol. Mewn un
ystyr nid digwyddiad unwaith ac am byth yw dyfod
Iesu Grist i'r byd, ond digwyddiad parhaol a chyn-
yddol hefyd, " an extended event," yng ngeiriau Dodd.
Ein ffydd ni yw y daw'r dydd yr ymddengys
Ef yng nghyflawnder Ei ogoniant, pan fydd holl
deyrnasoedd byd yn gyfan, oll yn eiddo'n Harglwydd
ni. Yr hyn sy'n bwysig i bererinion daear gan hynny
yw sylweddoli Ei fod Ef yn wastadol ar y ffordd, a
gwylio eu cyfle i'w dderbyn.

Y mae cyfaddaster arbennig yn neges y ddameg
hon i'n dyddiau ni. Soniwn gymaint am fyd newydd
a chynlluniwn yn ddiddiwedd ar ei gyfer. A diau y
dylem ystyried ein blynyddoedd yn flynyddoedd o
argyfwng ysbrydol mewn modd arbennig, ac am hynny
yn gyfle arbennig i groesawu Mab y Dyn. " Pa fodd y
dihangwn ni, os esgeuluswn iachawdwriaeth gymaint ?"
(Heb. ii. 3). Ond y mae amodau pendant i dderbyn
Crist a'i Deyrnas, neu, i fyned i mewn i Deyrnas
Nefoedd, a hynny, mi gredaf yw neges dameg y Deng
Morwyn.

I. *Yr amod mawr yw bod yn barod amdani, ac yn
barod mewn pryd.*

" A'r rhai call a gymerasant olew yn eu llestri
gyda'u lampau . . . a'r rhai oedd barod, a aethant
i mewn . . . "

Y gwahaniaeth mawr rhwng y morynion call a'r
morynion ffôl yn y ddameg yw ddarfod i'r rhai call
ofalu am olew yn eu llestri gyda'u lampau, tra bu'r
rhai ffôl yn ddiofal ac esgeulus o hynny. Nid am nad
yw'r deg yn debyg i'w gilydd mewn llawer o bethau.
Yr oedd y rhai ffôl mor awyddus â'r rhai call i gymryd
rhan yn yr orymdaith ac i hebrwng y priodfab. Sylwer
hefyd ddarfod i'r deg fynd i gysgu wrth ddisgwyl y
priodfab, ac ni feiir hwy am hynny. Y gwahaniaeth
hanfodol rhyngddynt yw, pan ddaeth y cyfle i groes-
awu'r priodfab a'i hebrwng adref, dim ond pump oedd
yn barod. Pallodd adnoddau'r lleill yn ystod oriau'r
disgwyl. Ystyr eu ffolineb gan hynny yw eu diofalwch,
eu hesgeulustod, a'u diffyg synnwyr o gyfrifoldeb,
ac ystad druenus i fynd iddi yw diofalwch ynghylch
y pethau mwya'u pwys.

Os mynnwn fynd i mewn i Deyrnas Nefoedd yn ein
dyddiau ni rhaid i filoedd ohonom wrth lawer cryfach
synnwyr nag sydd gennym o gyfrifoldeb ynglŷn â'i
buddiannau hi. " *England expects every man to do
his duty*," ebe Nelson gynt. Wel, daeth yn frwydr
Trafalgar ar Deyrnas Nefoedd yn awr, a rhaid iddi
wrth ddynion yn ymdeimlo â'u dyletswydd a'u cyfrif-
oldeb. A'r tristâd mwyaf heddiw yw diofalwch y
rhai sydd, mewn enw o leiaf, yn disgwyl Teyrnas
Nefoedd. Dyna wendid amlwg y rhan fwyaf o ael-
odau'r eglwysi Cristionogol heddiw, nid eu bod yn
ddrwg iawn, nid eu bod yn pechu'n gyhoeddus, ond
eu bod yn ddiofal ac esgeulus. Y mae buddiannau
uchaf y cartref Cristionogol mewn enbydrwydd heddiw,
ond pwy sy'n poeni, pwy sy'n malio, pwy sy'n teimlo
cyfrifoldeb ? Aeth lamp crefydd i losgi'n isel iawn yn
ein gwlad, ond pwy sy'n gofidio ? Dirywiodd safon

foesol bywyd mewn gwlad a thref yn enbyd yn
ystod blynyddoedd y rhyfel 1939–45, meddwdod ar
gynnydd, anlladrwydd yn rhemp, a chlefydau heintus
yn cerdded y tir, ond pwy sy'n gosod hyn oll at ei
galon ? " Ac ar hanner nos y bu gwaedd." A dyma'i
hystyr i ti. A yw o unrhyw wahaniaeth gennyt pe
na soniai tad a mam mwy yn dy fro am Iesu Grist
wrth eu plant bach ? A yw o ryw ots gennyt ti pe
caeid drws pob capel yn dy ardal ? A fyddai o un
gwahaniaeth gennyt ti pe gwelit ti lanciau a gwyryfon
Cymru yn baganiaid i gyd ? O byddai, wel, " deffro
di yr hwn wyt yn cysgu," a gwylia ar y muriau.
Hynny'n unig sy'n gall.

Ac nid ymdeimlo â chyfrifoldeb ynghylch budd-
iannau Teyrnas Nefoedd yw'r unig amod i fyned i
mewn iddi, y mae gofyn gwneuthur hynny *mewn pryd*.
Hynny a wnaeth y pum morwyn gall, gofalasant am
olew yn eu llestri gyda'u lampau. Ni adawsant i
bethau fynd i'r pen cyn ymorol am olew. Ffolineb
y rhai ffôl oedd tybio'n sicr yr aent i mewn i'r wledd
rywsut. Mor debyg i'r morynion ffôl fu llu o Gristion-
ogion yn ystod blynyddoedd y rhyfel. Disgwyliem
i gyd am weld Teyrnas Nefoedd yn cael ei chyfle ar
ôl y rhyfel, ond pa nifer o Gristionogion a dybiodd
mai'r unig achos pwysig yn y cyfamser oedd y rhyfel
ei hun ? Nid oes mo'r help, meddent, fod y cartrefi
yn cael eu chwalu. Ba waeth am addoliad y deml ar
hyn o bryd ? Nid oes mo'r help fod meddwdod ar
gynnydd, rhaid i ddynion a merched gael arian mawr
a chwrw i'w cadw yn ddiddig. Ba waeth am na chapel
na Beibl na gweddi nac emyn ar hyn o bryd, fe ddaw
eu hawr hwy eto.

Ond ni ddaw. Os esgeulusir y ffynhonnau ysbrydol,

lle mae olew Teyrnas Nefoedd yn tarddu, pan fo'r
nos yn ddu a'r disgwyl yn hir, bydd dynion a morynion
yn rhy wan a diymadferth i ddal ar eu cyfle pan
ddaw. Amod mawr meddiannu Teyrnas Nefoedd yw
bod yn barod amdani mewn pryd. " A'r rhai oedd
barod a aethant i mewn."

Amod arall, II. *Rhaid i bawb fod yn barod drosto'i*
hun.

" a phrynwch i chwi eich hunain."

. Ar yr wyneb ymddengys y cymal yma o'r ddameg
yn anodd ei ddeall. Pan ofynnodd y morynion ffôl
am gyfran o olew y rhai call gallesid meddwl mai'r
peth caredig a chymdogol fyddai iddynt hwy rannu
gyda'u partneriaid anffodus.   Ond, " Nid felly,"
meddai'r rhai call. Ac ystyr eu gwrthodiad yw bod
hynny'n amhosibl. Y cwbl a allent ei roddi i'r rhai
ffôl oedd esiampl a chyngor, " prynwch i chwi eich
hunain."   Ni allent roddi o'u holew iddynt.

Yn hyn o fater y mae gwahaniaeth rhwng pethau
anianol a phethau ysbrydol. Ni ellir benthyca doniau
ysbrydol na'u rhoddi ar fenthyg. Dyletswydd pob
Cristion ohonom yw rhannu o'n meddiannau tym-
horol gyda'r rhai llai ffodus na ni, a thynnu'n gilydd
allan o anawsterau, ond rhaid i bawb ymorol am y
doniau ysbrydol drosto'i hun. Ni ellir benthyca
cymeriad na'i roi ar fenthyg. Ni ellir byw ar adnoddau
ysbrydol pobl eraill yn hir, rhaid i chwi brynu i chwi
eich hunan. Nid am nad oes gennym gyfrifoldeb am
ein gilydd yn ysbrydol, cyfrifoldeb i roddi cyngor a
chyfarwyddyd ac esiampl, ond ni allwn wneud mwy
na hynny i neb. Ni ellwch gario neb i Deyrnas Nefoedd
ar eich cefn, rhaid i bawb fynd iddi ar ei wadnau ei

hun. Er cymaint yw cyfrifoldeb mam am ei phlentyn,
ni all hi sicrhau ei achubiaeth i fywyd glân yr Iesu.

Peth pwysig i bob person yn y wlad yn ystod y
rhyfel oedd ei *identity card.* Ni allech fyned i mewn i
lawer o leoedd heb ddangos hwnnw. Ac ni wnâi
cerdyn rhywun arall y tro, er i lawer gynnig y gêm
honno mae'n sicr ! Cyffelyb yw Teyrnas Nefoedd ;
ni ellir myned i mewn iddi heb ddangos eich *identity
card,* ac nid ag inc yr ysgrifennwyd hwnnw, ond yn
nhermau carictor ar ddirgel lech y galon. Ofni yr
wyf fod y rhai ffôl o hyd yn disgwyl myned i mewn
i'r Deyrnas yng nghysgod y rhai call ; tybio y gallant
hwy fforddio bod yn esgeulus a diofal amdani oherwydd
bod rhywun arall yn sicr o ofalu. Deallwn fod myned
i mewn i Deyrnas Nefoedd yn gyfrifoldeb personol.

" *It all depends on me and I depend on God.*"

Sylwn, III. *Bod y rhai ffôl, y rhai amharod, yn
colli eu cyfle,*

" a chaewyd y drws."

Ymddengys gwrthodiad y pum morwyn ffôl ar
ôl iddynt chwilio am olew yn gwta a didrugaredd,
ond ffordd arall o fynegi un o ddeddfau bywyd yw
hon, sef bod diofalwch ac esgeulustod yn esgor ar
golli cyfle. Hawdd gweld y ddeddf hon ar waith mewn
llawer cylch. Dyna'r dyn sy'n esgeuluso ei iechyd,
ni all hwnnw fynd i mewn i'r rhedegfa i ymryson ras.
Caeodd ddrws y maes chwarae yn ei erbyn ei hun.
A phwysicach na hynny, odid na chaeodd ddrws y
gwaith lle y cais ei fara beunyddiol. A dyna'r bachgen
a esgeulusodd gyfleusterau addysg yn nhymor ei
lencyndod, oherwydd ei ddiofalwch caea hwnnw

lawer o ddrysau yn ei erbyn ei hun. Y mae heddiw
yn bump ar hugain oed, a daw iddo gyfle i ddringo i
swydd a safle y byddai'n dda ganddo eu cael, ond
oherwydd ei esgeulustod cynnar caeodd y drws cyn
iddo ddod yn agos ato. Collasai'r swydd cyn ceisio
amdani, fel y gallasai unrhyw un ddweud wrtho,
oherwydd iddo esgeuluso'i gymhwyso ei hun ar ei
chyfer.

Ac y mae hyn oll yn arbennig o wir am ddiwylliant
ysbrydol. Ni ellir myned i mewn i'r byd ysbrydol o
gwbl i fwynhau bendithion gorau Duw, onid ydych
wedi eich diwyllio eich hunain drwy weddi a myfyrdod
i'w derbyn. A gefaist ti wledd ysbrydol erioed ?
Naddo ? Wel, y rheswm yw bod lamp dy enaid wedi
diffodd am na fuost yn cyrchu olew o'r ffynhonnau
ysbrydol ers tymor hir. A phan yw eraill yn y wledd
yr wyt ti allan yn y tywyllwch ac yn yr oerfel.

Oni chofiwn y gwirionedd hwn bydd ein holl
gynllunio ar gyfer byd newydd yn y blynyddoedd hyn
yn gwbl ofer. Ofer pob Deddf Addysg a Diogelwch
Cymdeithasol, ofer pob cynadledda rhwng cenhed-
loedd oni fegir yn ein plith ddynion a merched di-
esgeulus o'u henaid a'u cymeriadau. Nid a gawn ni
fyd gwell yw'r cwestiwn mawr. Y mae Duw yn awydd-
us i roi hwnnw i ni unrhyw ddydd. Y cwestiwn mawr
yw a ydym ni yn barod amdano ac yn addas i fynd i
mewn iddo. Onid e caeir y drws yn ein herbyn ac
ailadroddir difrawder ac esgeulustod chwarter canrif
arall gyda gwaeth canlyniadau nag a oddiweddodd
ffolineb dynion erioed.

DAMEG Y TALENTAU

Canys y mae fel dyn yn mynd oddi cartref, a alwodd ei weision a rhoi i'w gofal ei eiddo ; ac i un fe roes bum talent, i un arall ddwy, i un arall un, i bob un yn ôl ei allu, ac aeth oddi cartref. Yn y fan aeth yr un a gawsai'r pum talent i farchnata â hwynt, ac enillodd bump eraill ; yr un modd yr un a gawsai'r ddwy, enillodd ddwy eraill ; ond yr un a gawsai'r un a aeth ymaith i gloddio pwll, a chuddiodd arian ei arglwydd. Ac wedi talm o amser daw arglwydd y gweision hynny a gwneuthur cyfrif gyda hwynt. A daeth ato'r un a gawsai'r pum talent a dwyn pum talent eraill, gan ddywedyd, ' Arglwydd, pum talent a roddaist i'm gofal ; dyma bum talent eraill a enillais.' Meddai ei arglwydd wrtho, ' Da, was da a ffyddlon ! Buost ffyddlon ar ychydig, gosodaf di ar lawer ; dos i mewn i lawenydd dy arglwydd.' Daeth ato hefyd yr un a gawsai'r ddwy dalent, a dywedodd, ' Arglwydd, dwy dalent a roddaist i'm gofal ; dyma ddwy dalent eraill a enillais.' Meddai ei arglwydd wrtho, ' Da, was da a ffyddlon ! Buost ffyddlon ar ychydig, gosodaf di ar lawer ; dos i mewn i lawenydd dy arglwydd.' A daeth ato hefyd yr un a gawsai'r un dalent, a dywedodd, ' Arglwydd, deellais dy fod yn ddyn caled, yn medi lle ni heuaist, ac yn casglu o'r lle ni wasgeraist ; a daeth ofn arnaf, ac euthum a chuddio dy dalent yn y ddaear. Dyma i ti dy eiddo.' Ond atebodd ei arglwydd iddo, ' Was drwg a diog, ti wyddit, ai e, fy mod yn medi lle ni heuais, ac yn casglu o'r lle ni wasgerais ? Felly ti ddylasit osod fy arian gyda'r arianwyr, a minnau a ddaethwn ac a gawswn fy eiddo yn ôl gyda llog. Felly cymerwch y dalent oddi arno, a rhowch i'r hwn sydd ganddo'r deg talent. Canys i'r neb sydd ganddo y rhoddir, a bydd ar ben ei ddigon ; ond y neb nid oes ganddo, hyd yn oed yr hyn sydd ganddo a gymerir oddi arno. Ac am y gwas anfuddiol, bwriwch ef i'r tywyllwch tu allan ; yno y bydd wylofain a rhincian dannedd.

—Mathew xxv. 14–30.

DAMEG Y TALENTAU

Mathew xxv. 14-30

WRTH geisio esbonio'r ddameg hon a'r un sydd mor hynod o debyg iddi yn Luc xix. 11-27, dameg y Punnoedd, cyfyd rhai o gwestiynau mwyaf pwysig a diddorol esboniadaeth o'r Efengylau. Rhanedig iawn yw barn esbonwyr ai yr un un yn wreiddiol yw'r ddwy ddameg, ond bod Mathew a Luc wedi eu cofnodi'n wahanol. Ni feddwn ni gymhwyster i farnu rhwng y doctoriaid, mwy na dweud ein barn nad ymddengys ei bod yn bwysig penderfynu'r cwestiwn yn bendant y naill ffordd neu'r llall pan gofiwn fod mwy nag un enghraifft yn nysgeidiaeth Iesu Grist o ddefnyddio yr un thema mewn cysylltiadau ac o dan amgylchiadau gwahanol. Dichon mai yr un o ran syniad oedd y ddwy ddameg hyn ym meddwl yr Arglwydd Iesu, ond eu bod yn ddwy bregeth wahanol.

Yn Llanrwst ceir blaenor ffyddlon o'r enw William Williams, Plas-llecheiddior, a gadwodd gofnodiad o destunau pregethwyr dros gyfnod maith. Un tro anfonodd i'r *Goleuad* i ddweud pwy a bregethodd yr un bregeth ddwywaith yn Seion Llanrwst o fewn hyn a hyn o amser. Ymhlith y troseddwyr, os troseddwyr hefyd, yr oedd y diweddar Barchedig D. J. Lewis, y Waun Fawr, ond anfonodd ef i egluro mai yr un testun oedd ganddo yr eildro ond nad yr un bregeth. Ceir dwy enghraifft o hynny ym mhregethau cyhoeddedig y Dr. Lewis Edwards, y Bala.

Nid yw'n unrhyw anfri ar yr Arglwydd Iesu gydnabod Ei fod yn Ei ailadrodd Ei Hun o dro i dro. Yn hyn o beth y mae gwaith athro a phregethwr yn debyg iawn i'w gilydd, rhaid dweud a dweud. A phe

byddai clywed yr un bregeth ddwywaith yn dram-
gwydd i rai o ddilynwyr yr Iesu, gallai yntau ei esgus-
odi ei Hun, fel llawer ar Ei ôl, fod yr ail-ddweud
by special request !

Eithr y mae gosodiad dameg y Talentau ym
Mathew a rhagymadrodd Luc i ddameg y Punnoedd
yn codi cwestiwn trosglwyddo geiriau Crist o'r ffurf
y llefarwyd hwynt i'r ffurf sydd arnynt yn awr yn ein
Beibl Cymraeg.[1] Nid gwaith hawdd yw bod yn
sicr ynghylch eu ffurf a'u neges wreiddiol. Gosodir
dameg y Talentau ym Mathew yn union ar ôl dameg y
Deng Morwyn, ac ergyd honno yw " Gwyliwch gan
hynny ; am na wyddoch na'r dydd na'r awr y daw Mab
y dyn." I'r efengylwr Mathew yn ddiau ystyr hynny
oedd cyfeirio at Ailddyfodiad yr Arglwydd Iesu,
ac awgryma rhagymadrodd Luc i ddameg y Punnoedd
yr un peth. Llefarodd yr Iesu hi, meddai Luc, " am
ei fod efe yn agos i Jerwsalem, ac am iddynt dybied yr
ymddangosai teyrnas Dduw yn y fan " (xix. 11).
Ond ai cyfeirio meddyliau Ei wrandawyr at Ei Ail-
ddyfodiad oedd bwriad yr Iesu wrth lefaru'r damhegion
hyn ? Y mae hynny'n amheus. Mwy tebygol yw mai
athrawon a chateceiswyr yr Eglwys Fore a roddodd
y gogwydd yna i'r damhegion yng nghwrs amser,
oblegid yr oedd pwnc yr Ailddyfodiad yn bwnc llosg
yn yr Eglwys yn y blynyddoedd y ffurfiwyd yr Efeng-
ylau ynddynt.

Ystyriwn fod sylwadau C. H. Dodd ar y cysylltiadau
hyn yn awgrymog ac yn gynorthwyol. Ei awgrym yw
bod tri gris yn nhrosglwyddiad y ddameg fel y ceir hi
gennym ni yn awr. Yn gyntaf llefarwyd hi gan yr
Iesu gyda'r bwriad o ddysgu gwers arbennig i'w

---

[1] Gweler **Rhagymadrodd, t. xxxi.**

wrandawyr yn y fan a'r lle. Yn ail, gwnaed defnydd
o'r ddameg gan yr Eglwys Fore i ddysgu'r wers gyff-
redinol mai "i bob un y mae ganddo y rhoddir, ac
efe a gaiff helaethrwydd ; ac oddi ar yr hwn nid oes
ganddo y dygir oddi arno, ie, yr hyn sydd ganddo "
(adn. 29). Yn drydydd, gwnaed defnydd pellach o'r
ddameg gan yr Eglwys i osod Cristionogion ar eu
gwyliadwriaeth am Ailddyfodiad Iesu Grist.

Y cwestiwn yw, ynteu, beth oedd ei neges wreidd-
iol ym meddwl yr Iesu ? Etyb Dodd mai dysgu gwers
i'r Phariseaid a'r crefyddwyr Iddewig cul oedd Ei
fwriad. Hwynt-hwy oedd y dyn a guddiodd ei dalent
yn y ddaear ; hwynt-hwy a gadwodd rodd Duw iddynt
eu hunain yn hytrach na'i gyrru ar gerdded ym
marchnad y byd. Ac am iddynt esgeuluso a gwrthod
defnyddio dawn Duw iddynt fe'i dygir oddi arnynt
a'i rhoi i bobl a wna ddefnydd ohoni.

A bwrw bod esboniad Dodd yn ei le y mae amcan
cyntaf llefaru'r ddameg yn neges i grefyddwyr difraw,
eulion, plwyfol o hyd. Y mae Phariseaeth, yn yr
ystyr hon, yn un o demtasiynau mawr yr Eglwys
ym mhob oes. Tuedd llawer ohonom yw cadw rhodd
Duw i ni ein hunain. A'i rodd fawr yw yr Efengyl,
"ei ddawn anhraethol," chwedl Paul. Gwae ni, ynteu,
o'i chadw i ni ein hunain, o beidio â marchnata â
hi a'i gyrru ar gerdded i gyfnewidfa'r byd. Pan fo
unrhyw gangen o'r Eglwys yn euog o hynny cyll ei
charictor, a'r ddawn a roes Duw iddi, fe'i dygir
oddi arni.

Rhywbeth felly a ddigwyddodd yn ein hoes ni i'r
Eglwys yn Rwsia. Aethai'r hen Eglwys Uniongred
i fyw iddi ei hun ; ni fynnai farchnata â'r " ddawn
anhraethol," aeth yn hunanol a difater am gyflwr

y werin. Efengyl mewn napcyn oedd ganddi ac nid
Efengyl ar waith. Pan gyll yr Eglwys ei charictor
cyll ei lle ym mywyd gwlad, a dygir y flaenoriaeth
oddi arni. A thrist yw cyfaddef bod sefydliadau bydol
yn Rwsia wedi gwneuthur mwy o les i'w gwerin hi
mewn chwarter canrif nag a wnaeth yr Eglwys am
ganrifoedd. Dyna'r duedd gyffredinol yn ein dyddiau
ni, ac y mae'r un peth yn bosibl, onid yw'n
digwydd, yn nes atom. Perygl Eglwys Crist o bob
sect yng Nghymru yw bodloni arni ei hun, a chuddio
ei dawn, a thrwy hynny golli ei lle a'i blaenoriaeth yn
achubiaeth y genedl. Nid busnes y Wladwriaeth
yw achub ieuenctid ein gwlad ; gwaith Eglwys Iesu
Grist ydyw, eithr onis gwneir ganddi hi rhoddir y
ddawn i arall. Nid o gyfeiriad plaid wleidyddol nac
unrhyw gyngor bydol y dylid disgwyl arweiniad moesol
ar gwestiynau cymdeithasol ; busnes Eglwys Iesu
Grist ydyw. Eithr oni rydd hi arweiniad yn y pethau
hyn rhoddir yr arweiniad i arall, ac â hithau'n
destun gwawd.

Nod amgen Eglwys Iesu Grist, os myn gadw ei
charictor, yw bod yn anturus a mentrus, fel marchna-
tawr yn buddsoddi'r cyfan a fedd. Ei phriod waith a
diben ei bodolaeth yw efengylu, mynd â'r Efengyl
i'r byd er mwyn achub y byd i safonau ac ysbryd Crist.

Ar ôl canolbwyntio ar yr hyn a gredwn yw prif
neges dameg y Talentau yr ydym at ein rhyddid i
ddilyn gwirioneddau eraill a welwn ynddi. A'r arfer
fu, rhoddi triniaeth fwy personol i'r ddameg, a da yw
hynny oblegid drwy ddysgu ei gwersi personol y
gwneir ni yn fwy anturus a gwasanaethgar a ffyddlon
yn Eglwys Crist.

Dysgwn, ynteu, I. *Mai rhodd Duw yw pob talent,*
" ac a roddes ei dda atynt " (adn. 14). Ni chaiff pawb
yr un faint o dalentau â'i gilydd, eithr nid oes neb heb
yr un, a pha faint bynnag sydd gan neb, Duw a'u
rhoes iddo. Na, ni chaiff pawb yr un faint, a byddai
trefn felly yn annheg pe bai dyn yn cael ei farnu oddi
wrth nifer ei dalentau. (Cawn weld yn y man nad ar
hynny yr edrych Duw). A byddai'n fuddiol i bawb
sy'n gweiddi " Cydraddoldeb " gofio nad oes y fath
beth yn bod â chydraddoldeb dawn a gallu. Cyd-
raddoldeb gwerth a chyfle a manteision, ie, ar bob
cyfrif, ond nid yw cydraddoldeb dawn a chyraedd-
iadau yn bod o gwbl. Cydradd o ran eu gwerth yng
ngolwg Duw yw'r dyn un dalent a'r dyn pum talent,
ond amlwg yw nad ydynt gydradd o ran dawn. Afraid
fyddai galw sylw at beth mor elfennol oni bai fod
llawer o sôn am gydraddoldeb yn anghofio un o
ffeithiau syml bywyd.

Ond hyn sy'n bwysig, pa faint bynnag o dalentau
a feddi, Duw a'u rhoes iti. Byddwn yn dueddol o
sôn weithiau am dalentau naturiol dyn. ' Y mae
Hwn-a-hwn yn naturiol dalentog,' meddem. ' *Self-
made man*,' meddem, dro arall yn yr iaith fain. Purion
iaith, ond cofiwn mai darn o gyfalaf daioni Duw yw
pob dawn a feddwn. Ef yw "ffynhonnell pob daioni
sy". Duw a fuddsoddodd ddarn o gyfoeth Ei ddaioni
ynot ti, ac nid oes gennyt ddim a'r nas derbyniaist.
Pe sylweddolem yn wastadol mai rhodd Duw yw pob
talent a feddwn, byddem yn llawer parotach i'w def-
nyddio er gogoniant yr Hwn a'u rhoes, a byddai
erchyllterau Hiroshima a Nagasaki yn amhosibl.

Dysgwn 2. *Mai'r parotaf i esgeuluso ei dalent
yw'r dyn prin ei dalent.* Sut na ddywedasai'r ddameg

mai'r dyn â'r pum talent neu'r dyn â'r ddwy a esgeul-
usodd eu defnyddio ? Prawf ydyw fel y gwyddai'r
Iesu beth sydd mewn dyn, fel y gwyddai o'r gorau mai
dyn yr un dalent yw'r parotaf i'w esgusodi ei hun.

Bathwyd geiriau mawr am y diffyg hwn bellach,—
cymhlethdod israddoldeb, *inferiority complex*. A
chlefyd cyffredinol iawn ydyw ar bobl gyffredin.
Ond dysgwn hyn, fod Duw yn disgwyl yr un ffyddlon-
deb oddi wrth y dyn lleiaf ei dalent, yn ôl mesur ei
ddawn, ag a wna oddi wrth yr athrylith mwyaf talentog
yn y wlad. Mawr yw cred Duw yn y dyn cyffredin,
yn ôl Abraham Lincoln, onid e ni chreasai gynifer
ohonynt. Rhaid wrth y dyn mawr, wrth gwrs, yr
arweinydd, yr athrylith, y dyn y tyf dynion llai yn
ei gysgod. Rhaid wrth Abraham Lincoln a'i gym-
heiriaid, ond ychydig iawn a allasent hwythau ei
gyflawni heb help y dynion llai i gymynu'r coed a
chario'r dŵr er mwyn sylweddoli breuddwydion y
rhai talentog.

Astudiaeth ddiddorol yn y Beibl yw astudio cyf-
raniad y dynion bach dienw di-nod. Dyna'r gwas
hwnnw[1] a ddywedodd wrth Abigail fod Dafydd a'i wŷr
yn dyfod i ymosod ar ei chartref hi. Abigail a wnaeth
y cymod ond " un o'r llanciau " anhysbys a welodd
y perygl a'i ddangos i'w feistres. Y fath gyfraniad
a ddichon dynion syml cyffredin ei wneuthur i sicrhau
cymod a thangnefedd ar y ddaear ! Pe gwnelai pob
dyn cyffredin ddefnydd o'i dalent ymhlaid cymod fe
alltudid rhyfel o'r gwledydd oll, a gellid gosod beddfaen
arall yn Abaty Westminster " I'r Tangnefeddwr
Dienw," *To the Unknown Peace-maker*.

---

[1] 1 Samuel xxv. 14.

A dyna'r gaethferch fechan honno[1] o wlad Israel a fu'n gyfrwng iachâd i Naaman y tywysog. Yr oedd ef yn " ŵr mawr . . . ac yn anrhydeddus," ond llances fechan ddienw oedd hi, eithr hi wyddai am ffordd iachâd. David Livingstone, tywysog ymhlith cenhadon, a soniai am ei waith fel galwad oddi wrth Dduw, " to heal this open sore in Central Africa," ond cynorthwywyd yntau yn ei waith gan fwy nag un llanc a llances tywyll eu lliw. Ac y mae ymgeleddu'r truan a gweini i anffodusion bro yn waith y gall rhai cyffredin iawn eu talent ei gyflawni.

Pwy bynnag, ynteu, sydd yn teimlo ei fod yn brin ei dalent, nac esgeulused yr hyn sydd ganddo. Os dibris yw dynion ohonot ambell waith ac yn myned heibio i ti fel pe bait heb ddim, gwybydd fod Duw yn credu ynot ac yn disgwyl oddi wrthyt.

A dyma un wers arall,

3. *Nad ar lwyddiant dyn yr edrych Duw ond ar ei ymdrech a'i ffyddlondeb gyda'r hyn sydd ganddo.*

Sylwer bod y dyn â'r ddwy dalent yn y ddameg yn cael yr un gymeradwyaeth â'r dyn pum talent am ei fod wedi marchnata â hwy. Cafodd y ddau *Well done* y meistr. " Da, was da a ffyddlon, dos i mewn i lawenydd dy Arglwydd." A chondemnir dyn yr un dalent, nid am na wnaethai ryw wrhydri mawr, ond am iddo sefyll yn ei unfan ac esgeuluso'r hyn a gafodd, am iddo wrthod ymdrechu. Ac yn y byd moesol, meddai Edward Caird, myned yn ôl yw sefyll yn eich unfan.

Calondid yw cofio'n wastadol nad yn ôl disgleirdeb ein talentau na'u rhif y bernir ni gan Dduw, ond yn

---

[1] 2 Brenhinoedd v. 2.

ôl ein hymdrech a'n ffyddlondeb gyda'r hyn sydd gennym. Ac os buost yn ffyddlon ar ychydig fe'th osodir ar lawer. Dyna lwybr dyrchafiad yn Nheyrnas Dduw. Nid rhif dy deitlau di sydd yn cyfrif gyda Duw, ond " yn gymaint â'i wneuthur ohonoch i un o'r rhai hyn fy mrodyr lleiaf " ; nid amlder dy anrhydeddau di, ond amlder dy dosturiaethau. Nid pa mor ddisglair wyt ti yw cwestiwn Duw, ond pa mor ffyddlon fuost gyda'r gynhysgaeth a gefaist. Nid ' Da, was da a dawnus ' yw cymeradwyaeth y Meistr mawr, ond " Da, was da a ffyddlon, Dos i mewn i lawenydd dy arglwydd."

DAMEG Y GOLUDOG YNFYD

A thraethodd ddameg wrthynt, gan ddywedyd, " Tir rhyw ddyn cyfoethog a gnydiodd yn dda. Ac ymresymai ynddo'i hun, gan ddywedyd, ' Beth a wnaf, gan nad oes gennyf le i gasglu fy ffrwythau ? ' Ac meddai, ' Hyn a wnaf : mi dynnaf fy ysguboriau i lawr, a rhai mwy a adeiladaf, a chasglaf yno fy holl ŷd a'm da, a dywedaf wrth fy enaid, Enaid, y mae gennyt lawer o dda wedi ei ystorio dros flynyddoedd lawer ; gorffwys, bwyta, yf, bydd lawen.' Ond dywedodd Duw wrtho, ' Ynfytyn ! heno gofynnant dy enaid gennyt ; a'r hyn a baratoaist, i bwy y bydd ? ' Felly'r neb a drysoro iddo'i hun, ac nid yw'n gyfoethog i Dduw."

Luc xii. 16–21.

DAMEG Y GOLUDOG YNFYD

PAN gerddai'r Athro mawr ein daear ni ym Mhalesteina gynt yr oedd Ef yn un hawdd mynd ato, a rhan o'i fawredd yw hynny. Teimlai pawb yn rhydd yn Ei gymdeithas, yn rhydd i'w gyfarch, ac i ofyn iddo am gyngor a chyfarwyddyd. " Ac efe a aeth allan drachefn wrth lan y môr ; a'r holl dyrfa a ddaeth ato ; ac efe a'u dysgodd hwynt." [1] A digwyddiad cyffredin oedd clywed rhywun o'r dyrfa yn gofyn cwestiwn neu yn ceisio cymorth. " A rhyw un o'r dyrfa a ddywedodd wrtho, Athro, dywed wrth fy mrawd am rannu â myfi yr etifedddiaeth " (adn. 13). Enghraifft gyffelyb yw hanes y wraig honno yn codi ei llef.—

" A bu, fel yr oedd efe yn dywedyd hyn, rhyw wraig o'r dyrfa a gododd ei llef, ac a ddywedodd wrtho, Gwyn

---

[1] Marc ii. 13.

fyd y groth a'th ddug di, a'r bronnau a sugnaist. Ond efe a
ddywedodd, Yn hytrach gwyn fyd y rhai sydd yn gwrando
gair Duw, ac yn ei gadw." [1]

Camp yr athro yw dyfod yn ddigon agos at ei
ddisgyblion fel y gallont hwy godi i'w fyd ef. Ni
ellir dysgu nac achub neb o bell. Clywais am genhadwr
a fynnai argyhoeddi caethion ei fod yn gyfaill iddynt,
a'r hyn a wnaeth oedd gwisgo fel caethwas a chymryd
ei werthu yn y farchnadfa. Buan y daethant hwy
ato wedyn. A chyffelyb ydoedd darostyngiad Mab
Duw.

Ac fe ddaeth yn agos at ddynion heb golli ei barch
a'i awdurdod. Dengys cwestiwn y cyfaill a fynnai
i'r Iesu farnu rhyngddo ef a'i frawd ar fater yr eti-
feddiaeth (adn. 13) y safle uchel oedd i'r Iesu fel Rabbi
yn Israel, a'r ymddiried oedd gan bobl gyffredin yn
Ei air. Mae'n wir nad peth anghyffredin oedd dwyn
cwestiwn o'r fath at Rabbi Iddewig. (Yr oedd ei air
ef, fel gair Gweinidog yr Efengyl heddiw, cystal â
gair Ynad Heddwch ar ambell fater). Ond clod i'r
Iesu yw iddo gael Ei gyfrif cyn uched ei awdurdod
â'r un Rabbi yn y wlad.

Rhyfedd, er hynny, fel y daw pobl i ymofyn gan yr
Iesu heb ronyn o syniad am yr hyn y saif Ef drosto.
Rhyfedd cynifer o bobl sydd yn barod i wneuthur
defnydd o'r Iesu i bwrpas eu hunan-les, pobl nad oes
ganddynt ddim i'w ddweud wrtho am faterion pwysicaf
y gyfraith. Hwylustod yw'r Iesu iddynt hwy, person
hwylus i ddweud gair o'u plaid pan gyfyd angen
felly, dyn i lanw'r ffurflen ac i ysgrifennu *testimonial*.

---

[1] Luc xi. 27–28.

Nid yw'r hyn y saif Ef drosto yn golygu dim iddynt
hwy. Pobl felly yw'r bobl sy'n gweddïo am i Grist
gymryd eu plaid hwy mewn rhyfel, er enghraifft.
Dylid bloeddio geiriau'r Iesu yng nghlustiau pob
gweddïwr felly. " Y dyn, pwy a'm gosododd i yn
farnwr, neu yn rhannwr arnoch chwi ? " Gwyddai
Ef beth sydd mewn dyn, a phan ddaeth y " rhyw un "
hwnnw ato i ofyn iddo rannu'r stad rhyngddo ef a'i
frawd gwelodd yr Iesu mai cybydd-dod oedd achos
yr helynt. " Ac efe a ddywedodd wrthynt, Edrych-
wch, ac ymogelwch rhag cybydd-dod : canys nid yw
bywyd neb yn sefyll ar amlder y pethau sydd ganddo "
(adn. 15).

Yn y cysylltiadau hyn, yn ôl Luc, y llefarwyd dameg
y Goludog Ynfyd. " Tir rhyw ŵr goludog a gnydiodd
yn dda." Penderfynodd yntau un noson dynnu i
lawr ei hen ysguboriau ac adeiladu rhai mwy, ac
wedi hynny, riteirio. Teimlai fod ganddo ddigon
wrth ei gefn am lawer o flynyddoedd ac y gallai fforddio
treulio'r gweddill o'i oes i fwyta ac yfed a bod yn
llawen. Ond y noson honno bu farw. Bu farw mor
sydyn fel y cafwyd cwest, a dedfryd y cwest oedd,
" O ynfyd ! "

Nid oes awgrym yn y ddameg ddarfod i'r gŵr
goludog gasglu ei olud yn anonest, ac ni cheir ynddi
gondemniad ar gyfoeth fel y cyfryw. Nid nad oes
digon o rybuddion yn y T.N. rhag peryglon cyfoeth,
ond nid yw cyfoeth, mwy na thrydan, yn ddrwg
ynddo'i hun ; y defnydd a wneir ohono sy'n ddrwg
neu'n dda, ac ymagwedd dyn tuag ato. Dyna'r
paham y dywed Paul mai gwreiddyn pob drwg yw
(nid arian ond) ariangarwch (1 Tim. vi. 10). Ac
nid oedd gŵr goludog y ddameg ar fai yn planio i

dynnu i lawr yr hen ysguboriau ac adeiladu rhai mwy. Hynny a ddylid ei wneud rhag i'r cnwd fynd yn wastraff. Ac eto fe'i gelwir yn ynfyd ; ni chofir amdano ond fel y Goludog Ynfyd. Paham ? Am iddo adael tri pheth allan o'r plan.

i. *Ei enaid.* ii. *Ei gymydog.* iii. *Ei farw.*

i. *Dyma ddyn ynfyd am iddo esgeuluso ei enaid.* Gwir ei fod yn sôn am ei enaid, ac yn cyfarch ei enaid (adn. 19), ond nid yn yr un ystyr ag a rydd Duw i enaid (adn. 20). Ystyr y gair enaid yn adnod 19 yw y dyn o ran ei ddyndod, dyn o ran ei anghenion a'i chwantau dynol. Ei ystyr yn adnod 20 yw'r dyn oddi mewn, ei ysbryd, ei gymeriad. Gwahaniaethai Paul rhyngddynt drwy eu galw yn " ddyn oddi allan " a'r " dyn oddi mewn," neu'r " dyn anianol " a'r " dyn ysbrydol."[1] Ystyr bywyd i'r gŵr goludog hwn yw boddio ei anghenion a'i ddyheadau dynol, gorffwys, bwyta, yfed a bod yn llawen, cael amser da yn ystyr arferol y geiriau hynny. Pe gofynnech i hwn, Beth yw bywyd ? atebai yn ddibetrus, Pleser.

Na feier ef yn fwy nag eraill a fu o'i flaen ac a ddaeth ar ei ôl fel pe bai ef y cyntaf, a'r unig un, i gredu hyn. Nid ef yw'r unig un yn y Beibl, canys un felly oedd y Pregethwr.

" Yna mi a ganmolais lawenydd, am nad oes dim well i ddyn dan haul na bwyta ac yfed a bod yn llawen ; canys hynny a lŷn wrth ddyn o'i lafur, ddyddiau ei fywyd, y rhai a roddes Duw iddo dan yr haul."[2]

---

[1] 2 Cor. iv. 16, a 1 Cor. ii. 14, 15 ;   [2] Pregethwr, viii. 15.

Un tebyg iddo oedd Nabal a gafodd drawiad o'r parlys drannoeth ei loddest mewn diod, ac a fu farw ym mhen deng niwrnod.[1] Enillodd y gred hon galon brenhinoedd.

> " Belsassar y brenin a wnaeth wledd fawr i fil o'i dywys-ogion ac a yfodd win yng ngŵydd y mil . . . Yfasant win, a molianasant y duwiau o aur ac o arian, o bres, o haearn, o goed ac o faen . . . Y noson honno y lladdwyd Belsassar brenin y Caldeaid."[2]

A chafodd y gred hon sêl bendith athronwyr o ddyddiau Epicurus heibio i Thomas Hobbes a Bentham a Mill. Tybed a fu oes pryd y cafodd y gred hon fwy o afael ar galon y werin nag yn ein hoes ni ?

I ba gyfeiriad bynnag y trowch yr ydych wyneb yn wyneb â'r meddwl bydol seciwlar, ariangar. Hwn sydd yn ceisio trefnu heddwch yng nghynghorau'r gwledydd, yn ymgiprys am y lle gorau yn yr haul, yn ffraeo am lo ac am olew ac am haearn. Pa faint o sôn am enaid cenedl ac am gymeriad gwareiddiad a fu yn y cynadleddau a gynhaliwyd yn San Francisco, ym Mharis, ym Moscow ? Y meddwl bydol sydd yn teyrnasu ar aelwydydd Cymru. Pennaf uchelgais rhieni yw dod ymlaen yn y byd ac i'w plant gael brafiach byd nag a gawsant hwy ; y nod a osodir o'u blaen yw swydd fras lle ceir y gyflog fwyaf posibl am gyn lleied o waith ag sydd modd. A yw gwaith yn sarhad ar ddyn ? Ai cam â phlentyn yw rhoi ar ddeall iddo mai drwy chwŷs ei wyneb y bwyty fara ? Oni wnâi diwrnod caled o waith les i'w enaid ? Pa

---

[1] 1 Sam. xxv. 37, 38. ;   [2] Daniel v. 1, 4, 30.

hun cyn felysed â hun y gweithiwr ? Ond aeth y
meddwl bydol seciwlar i reoli ein Cynghorau Addysg
â'u planiau at y dyfodol. Darllenais, pa ddydd,
Development Plan Cyngor Addysg un o drefi mwyaf
Cymru, ac y mae'n uchelgeisiol anghyffredin. Bwr-
iedir tynnu i lawr yr hen ysguboriau ac adeiladu rhai
mwy, ond y mae'r cyfan yn nhermau adeiladau,
tiroedd ac arian. Dim gair o sôn am iaith ac ysbryd
a theithi yr addysg a gyfrennir yn yr ysgubor newydd.
Dichon yr atebai'r Awdurdod Addysg dan sylw
nad oedd hynny yn rhan o'u busnes hwy wrth dynnu'r
plan. *Ond fe ddylai fod.* Gwnâi mesur da dwysedig
o Blatoniaeth, heb sôn am Gristionogaeth, les mawr
i Gynghorau Addysg Cymru heddiw. Pennaf tasg
addysg yn ôl Plato, yw gofalu am y maeth priodol i
enaid ar ei brifiant. Daeth y meddwl bydol, chwilio-
am-bleser i mewn i'r Eglwys. Pa faint o enwau sydd
ar lyfrau'r Ysgolion Sul yng Nghymru heb unrhyw
reswm ond er mwyn y trip blynyddol ? Pa nifer o
aelodau eglwysig mewn enw sydd yn cadw eu haelod-
aeth i ddim ond i gadw eu parchusrwydd yng ngŵydd
y byd ? Peth i wneud defnydd ohono yw'r capel ryw
deirgwaith mewn oes, ar fore'r briodas, a bore'r bed-
ydd a phrynhawn yr angladd. Ac o enau Archesgob
yn awr y ceir cymhellion i dorri'r Saboth.

Oherwydd yr esgeuluso mawr hwn ar enaid ym
mhob cyfeiriad aethom i fagu cenhedlaeth feddal,
ddi-asgwrn-cefn, anfoddog. "Cyffelyb yw i blant yn
chwarae yn y farchnadfa," ac nid oes dim a'u boddia,
er mai eu boddio a fynnant. Mewn hen ysguboriau
digon diaddurn y magwyd plant hanner olaf y bed-
waredd ganrif ar bymtheg, ond fe gynhyrchodd yr
hanner canrif honno blant Diwygiad '59, ac etholwyr

cydwybodol 1868,[1] a gwerinwyr parod i golli eu
bywoliaeth yn hytrach na gwerthu eu hegwyddorion,
a stamp Thomas Gee o ddynion, ac arwyr rhyfel y
Degwm. A'r gwahaniaeth yw fod rhywun yn gofalu
am eu henaid. Nid dadl yw hyn dros gadw yr hen
ysguboriau ond dros roddi blaenoriaeth i enaid yn yr
ysgubor newydd. A newid y ffigur, nid yw pobl yn
awr yn eu gosod eu hunain yn y gerddi y gallant
ddisgwyl tyfu ynddynt, fel y clywodd rhyw bagan
gwyn ym mhen uchaf Cwm Tawe gan hen frawd ar
ei ffordd i'r Ysgol Sul. Trin ei ardd a wnâi'r pagan
y prynhawn hwnnw, a phan welodd ben ei gymydog
dros glawdd yr ardd, dyma fwrw cwestiwn, "Pam
'rych chi'n edrych ? Ydych chi'n meddwl na thyf
yr hadau 'ma ddim am fy mod yn eu plannu ar y
Sul ? " " O gwnânt," oedd yr ateb, " fe dyfant hwy
yn iawn, ond ni thyfi di ddim ! "

Ni wna pob daear, na phob bwyd, y tro i enaid.
Fel y sylwa'r Dr. Owen Evans, byddai i ddyn ddisgwyl
i'w enaid fyw ar fara a gwin mor ynfyd â rhoi Beibl yn
lle ebran ym mhreseb anifail. Yn wir, y mae awyr-
gylch a "phethau" sydd yn lladd enaid. Gallai
sinemâu a dawnsfeydd a chlybiau fod yn ddigon
dymunol yn eu lle ac yn eu hamser, ond ni welaf fod
eneidiau'r bobl sy'n byw ac yn bod ynddynt yn tyfu
dim. Ofnaf fod y planhigion yn rhy agos at ei gilydd
i dyfu mewn dawns, ac y mae'r awyr yn rhy fwll mewn
sinema. "O ynfyd, y nos hon y gofynnant dy enaid

---

[1] " Y mae'r etholiad hwn wedi gweled chwdu brawdoliaeth
shon bob ochr oddi ar wyneb y byd politicaidd. Yr oedd
y gwynt yn rhy gryf. Nid oedd dim siawns sefyll ar y
canol, ' Un peth neu'r llall—dewis dy ochr—neu tendia
dy grimogau, a sâf o'r ffordd ! ' "—*Cofiant Thomas Gee,*
T. Gwynn Jones, t. 237.

oddi wrthyt." Nid yw ystyr y frawddeg hon yn gwbl
glir, ond gellir ei hesbonio yn yr ystyr mai'r "pethau"
sydd yn hawlio'r enaid. Onid yw hynny yn esboniad
cywir ar yr adnod y mae'n wir am fywyd.

Nid oes dim gwybodaeth reitiach i ni ei dysgu
wrth draed yr Iesu na dysgu sut i drin pethau'r byd.
Gwyddai'r Athro mawr ein gwendid yn dda, ac y
mae agos i hanner Ei ddywediadau sydd ar gael yn
delio â hynny. Nid mater o ba faint sydd gennym
yw'r pwnc ond ein hagwedd tuag ato. Ceir ambell
un yn fwy crintachllyd ynghylch dimai nag yw arall
ynghylch pum punt, ac ar y llaw arall gall ambell
un wneud mwy o ffŵl ohono'i hun gyda phum punt
nag a wna arall gyda phum mil. "Eithr Duw a
ddywedodd, O ynfyd!" Onid yw'r goludog ynfyd
wedi anghofio'n llwyr y ffordd i weddïo, ail-ddechreu-
ed; a dyweded yng ngeiriau Cynan,—

> "Diolch i Dduw Rhagluniaeth
> Sy'n trefnu tynged dyn
> Am rannu imi gyfoeth mwy
> Na chyfoeth ffermwyr Llŷn!
> I mi fe roes y blodau,
> A'r adar gwyllt bob un,
> A geneth sy'n eu caru hwy
> Mor bur â mi fy hun.

> "Ni cheisiwn, Iôr, Dy nodded
> Rhag lladron daear lawr.
> Ond cadw ni rhag colli'r swyn
> Sydd inni yn y wawr;
> Rhag myned heb ryfeddu
> Heibio i'r rhos a'i sawr;
> Rhag clywed dim yng nghân y llwyn
> Na chân y cefnfor mawr."[1]

---

[1] Caniadau Cynan, t. 28.

ii. *Dyma ddyn ynfyd am iddo anghofio ei gymydog.* [1]

A soniodd dyn erioed gymaint amdano ei hun
mewn ychydig frawddegau ag a wnaeth hwn ? Dar-
llener y ddameg eto a rhodder y pwyslais lle y dyry'r
gŵr goludog bwyslais. " Beth a *wnaf*, am nad oes
gennyf le i gasglu *fy* ffrwythau iddo ? . . . Hyn a
wnaf : Mi a *dynnaf* i lawr *fy* ysguboriau, ac a *adeiladaf*
rai mwy ; ac yno y *casglaf fy* holl ffrwythau *a'm*
da. A *dywedaf* wrth *fy* enaid." I hwn, ef ei hun
yw canolbwynt y greadigaeth ac nid oes neb na dim
yn y cyfrif ond ef ei hun.

Unwaith eto dywedwn nad yw'r ddameg hon yn
condemnio cyfoeth fel y cyfryw. Term perthnasol
yw cyfoeth ; dibynna gymaint ar gyfrifoldeb dyn,
a chyn y condemnier ef rhaid gwneuthur cyfrif o
agwedd y dyn tuag ato. Yr oedd Job yn werth
" saith mil o ddefaid, a thair mil o gamelod, a phum
can iau o ychen, a phum cant o asennod, a llawer iawn
o wasanaethyddion," er hynny yr oedd " y gŵr
hwnnw yn berffaith ac yn uniawn, ac yn ofni Duw, ac
yn cilio oddi wrth ddrygioni." Ynfydrwydd y gŵr
goludog oedd iddo anghofio bod cyfoeth yn gyfrifoldeb
cymdeithasol. Rhoesom glod i'r bedwaredd ganrif
ar bymtheg am un peth ; condemnier hi am beth
arall. Un o'i phechodau mwyaf oedd ei hunigoliaeth,
laissez faire, pawb drosto'i hun a Duw dros bawb.
Dyna ddywedodd yr eliffant wrth ddawnsio ymhlith
y cywion ieir ! Nid i landlordiaid bydol, nid i gwmnïau
mawrion ariangar y rhoes yr Arglwydd y ddaear

---

[1] A'r ' cymydog ' yn ôl Iesu Grist yw " rhyw ddyn " mewn
angen. Gweler *Dameg y Samariad Trugarog*.

ond i'w llafurwyr hi pwy bynnag fônt. A'r sawl sy'n
ei llafurio biau'r hawl gyntaf ar ffrwyth eu llafur—

> " Y neb a fu'n graenu'r mynyddau,
> Ddilladodd y twyni ag ŷd,
> Roes ddaear am esgyrn y creigiau,
> A mêr ar y cyfan i gyd.
> Hil y gewynnau tynion,
> Hi biau'r wenwlad a'i bri,
> Gwerin y graith, bonedd pob gwaith,
> A pherthyn i honno 'rwyf fi." [1]

Dysgasom y wers yna'n bur dda erbyn hyn mewn
un cyfeiriad, ond mewn cyfeiriad arall daw cyfoeth
yn eiddo i'r ychydig drwy ffyrdd cwbl annheilwng
ac anghyfrifol, a'r werin ynfyd sydd yn peri hynny.
Pa gysondeb sydd mewn gwerin yn protestio yn
erbyn cyfalafiaeth y meistr tir neu'r meistr gwaith
ac o'i gwirfodd yn rhoddi miloedd o bunnau yn llogell
paffiwr mewn un noson ? Pa iawnder sydd yng
ngweithred y dyn a all ennill cannoedd o bunnau ar y
teliffon mewn pum munud am fod ci neu geffyl yn
rhedeg ras ? Pa synnwyr o werth cymdeithasol sydd
mewn talu mil o bunnau yr wythnos i *film-star* ?
Nid perchenogion y stadau yw'r eliffantod sy'n
sathru'r cywion ieir dan draed erbyn hyn yng Nghymru,
ond y *bookies* a'r *film-magnets* a goludogion maes y cŵn
a chylch y paffwyr. Eithr Duw a ddywedodd,—O
ynfydion.

Nid " Pa beth a wnaf ? " yw'r cwestiwn i'w ofyn
ynghylch cyfoeth, ond, Pa beth a ddylem ei wneud
ag ef ? Ac y mae'r goludogion a sylweddolodd eu
cyfrifoldeb cymdeithasol wedi dwyn bendithion am-

---

[1] *Cerddi Crwys* (1), t. 12, 13.

hrisiadwy i'r ddynolryw. Ni fyddai raid i'r gŵr
goludog yn y ddameg, mwy na neb arall tebyg iddo,
fynd i'r drafferth i dynnu i lawr ei hen ysguboriau,
oherwydd yr oedd digon o leoedd gwag a fyddai'n
falch o dderbyn popeth a oedd ganddo dros ben ei
angen ei hun. Fel y sylwodd Ambrose, hen esgob
enwog Milan gynt, yr oedd digon o le yng nghypyrddau
y tlodion, ac yn nhai y gweddwon ac yn llogellau'r
amddifaid i'r gŵr goludog gadw ei dda lawer. Fe'i
cyfrifwyd yn ynfyd am iddo anghofio ei gymydog a
phob achos da a fyddai'n falch o rodd ganddo.

iii. *Dyma ddyn ynfyd am iddo anwybyddu ei farw.*

Aeth ynfydrwydd hwn yn rhyfyg pan ddywedodd
wrth ei enaid fod ganddo dda lawer wedi eu rhoi
i gadw "*dros lawer o flynyddoedd*" (adn. 19). Gall
Pobun fynd i'w wely yn eithaf cysurus ond ni ŵyr pa
awr o'r nos y cura Angau wrth y drws. "Pwy sydd
yna?" meddai'r Gŵr Goludog o ganol ei glustogau
pan glywodd y curo. "Myfi sydd yma," medd Angau,
"mae'n amser i ti ddod gyda mi, ac ni elli ddod â
dim gyda thi. Dim ond ti dy hun."

> "Ni ryngir bodd yr angau,
> Dyry gwsg i'r da a'r gau." [1]

Na chamfarner Angau. Nid cosb yw ymweliad
Angau. Ambell dro gall fod yn gymwynaswr ond
nid yw byth yn gosbwr. Trefn yw Angau, oblegid
"gosodwyd i ddynion farw" [2] ar y ddaear hon. Ac
ynfydrwydd y Gŵr Goludog ydoedd iddo anwybyddu

---

[1] "Ymadawiad Arthur," *Caniadau* (1934) T. Gwynn Jones, t. 16.
[2] Hebreaid ix. 27.

un o ffeithiau sicraf y drefn y caiff pob dyn ei hun ynddi. Gallwn ddychmygu amdano y diwrnod cynt yn ymffrostio " o'r dydd yfory " ac yn penderfynu'r planiau i'r ysguboriau newydd gyda'r saer maen a'r saer coed. " Byddwch i fyny acw ben bore yfory," meddai wrth eu gadael. " Yfory yn ddi-ffael," meddent hwythau. Ond pan ddaethant at y tŷ fore trannoeth yr oedd pob man yn dawel, a'r llenni ar y ffenestri. Aeth y saer coed yn ôl i'w weithdy i wneud arch o rai o goed yr ysgubor newydd, a'r saer maen i'r fynwent i weithio bedd !

" O ynfyd, y nos hon y gofynnant dy enaid oddi wrthyt ; ac eiddo pwy fydd y pethau a baratoaist? Felly y mae yr hwn sydd yn trysori iddo ei hun, ac nid yw gyfoethog tuag at Dduw."

Gyfaill, ni bydd o un gwahaniaeth i ti gan mlynedd i heddiw pa un ai cyffredin yw dy amgylchiadau ynteu a wyt ti yn werth dy filoedd. Yn noeth y daethom i'r byd ac yn noeth y dychwelwn, ac eiddo pwy fydd y pethau yr aethost i gymaint trafferth i'w casglu ? Ni wyddost, a mwy na thebyg mai ymrafaelio y bydd dy berthynasau am dy dipyn stad. Fe *fydd* o wahaniaeth i ti gan mlynedd i heddiw a gefaist ti afael yn y rhan dda yr hon ni ddygir oddi arnat. Cystal i ti ofyn i'th enaid yn awr :

> " Cofia f'enaid cyn it dreulio
> D'oriau gwerthfawr yn y byd,
> Cyn it hedeg ffwrdd oddi yma
> P'un a gest ti'r trysor drud."

Ym mha le y cedwch chwi eich trysorau ? Yn y ddaear ? Yn y banc ? Yn eich tŷ ? Rhaid i chwi gael trysorau ar lefel uwch os mynnwch eu cadw.

" Tybia," medd Awstin Sant, " fod rhyw gymydog
yn dyfod atat i'r tŷ ac yn gweld dy fod wedi gosod
ffrwythau dy ardd i gadw ar lawr ystafell laith, a
thybia ymhellach ei fod yn dywedyd wrthyt, Gyfaill,
yr wyt yn debyg o golli y ffrwythau hyn, ar ôl myned
i gymaint o drafferth i'w trin a'u casglu, canys byddant
yn sicr o ddifetha a phydru yn fuan yn y fan hon.
Yna, meddwl dy fod dithau yn gofyn iddo, Wel, beth
a wnaf iddynt ?   Etyb yntau gan ddywedyd, Cyfod
hwynt o'r seler laith yma i ystafell uwch.   Oni
wrandawsit ti ar gyngor caredig felly gan gymydog ?
Paham ynteu na wrandewi di ar gyngor Crist yr hwn
sydd yn dywedyd wrthyt am godi dy drysorau o'r
ddaear i'r nef." [1]

A'r trysor pennaf yw Crist Ei Hun, [2] oblegid n
all Angau ein hysbeilio ohono Ef.

---

[1] Dyfynedig gan y Dr. Owen Evans yn *Dammegion Crist*, t. 245.
[2] Gweler Dameg y Perl, Mathew xiii. 45, 46.   " It is one of the
curiosities of New Testament interpretation that the pearl in
this parable came to be identified, not with the Kingdom, but
with Christ Himself."   *The Mission & Message of Jesus*, t. 489.

DAMEG Y SAMARIAD TRUGAROG

A dyma ryw gyfreithiwr yn codi i'w demtio, gan ddywedyd,
" Athro, beth a wnaf i etifeddu bywyd tragwyddol ? " Dywed-
odd yntau wrtho, "Beth sy'n ysgrifenedig yn y gyfraith ? Pa
fodd y darlleni ? " Atebodd yntau, " Câr yr Arglwydd dy
Dduw â'th holl galon ac â'th holl enaid ac â'th holl nerth ac
â'th holl feddwl, a dy gymydog fel ti dy hun." Dywedodd
yntau, " Iawn yr atebaist ; gwna hyn, a byw fyddi." Yntau,
yn dymuno ei gyfiawnhau ei hun, a ddywedodd wrth yr Iesu,
" A phwy sydd gymydog i mi ? " Gan ddal ar ei air dywedodd
yr Iesu, "Rhyw ddyn oedd yn mynd i lawr o Gaersalem i Iericho,
ac fe syrthiodd ymhlith lladron, y rhai a'i diosgodd a'i guro, a
mynd ymaith a'i adael yn hanner marw. A digwyddodd bod
rhyw offeiriad yn mynd i lawr y ffordd honno, a phan welodd
ef fe aeth o'r tu arall heibio. Yr un modd Lefiad hefyd a ddaeth
i'r fan, a'i weled, a mynd o'r tu arall heibio. Ond rhyw Samar-
iad ar ei daith a ddaeth lle'r oedd, a phan welodd ef fe dostur-
iodd wrtho, ac aeth ato a rhwymo'i archollion a thywallt arnynt
olew a gwin ; a gosododd ef ar ei anifail ei hun, a'i ddwyn i
westy, a chymryd gofal ohono. A thrannoeth tynnodd allan
ddau swllt, a rhoes hwynt i'r gwestywr, a dywedodd, ' Cymer
ofal ohono, a pha beth bynnag a wariech yn rhagor, ar fy ffordd
yn ôl mi a'i talaf i ti.' Pa un o'r tri hyn, dybi di, a fu gymydog
i'r hwn a syrthiodd i blith y lladron ? " Dywedodd yntau,
" Yr un a wnaeth drugaredd ag ef." Dywedodd yr Iesu wrtho,
" Dos, a gwna dithau'r un modd."

Luc x. 25–37.

DAMEG Y SAMARIAD TRUGAROG

Luc x. 25–37

AR dystiolaeth un[1] nad yw'n honni bod yn Gristion
dameg y Samariad Trugarog yw un o'r rhai symlaf a

---

[1] Montefiore, *The Synoptic Gospels*, ii. t. 468.

nobliaf yn oriel wych damhegion yr Efengylau. Ac
o holl ddamhegion yr Arglwydd Iesu dichon mai hon
yw'r fwyaf derbyniol a phoblogaidd gan y byd. Y
mae hon wrth fodd calon dynion y byd os cânt ei
hesbonio yn eu ffordd eu hunain. Dyma ddameg,
meddent, sydd yn dangos yn eglur fod pobl y byd yn
well na phobl yr Eglwys, fod trafaeliwr wrth ei waith
yn well dyn na phregethwr wrth ei swydd ; dim sôn
am gapel, meddent, na chredo na chyffes ffydd. Swm
a sylwedd crefydd yw gwneuthur trugaredd ag unrhyw
un a welwn mewn angen ar ein llwybr.

Ond er symled y ddameg nid yw mor syml â hyn-
yna chwaith ! Y mae a wnelo hon fwy â chredo dyn
nag yr ymddengys ar yr wyneb, ac er mai wrth eu
ffrwythau yr adwaenir credoau yn ogystal â phrennau,
nid yw pren drwg yn dwyn ffrwythau da. Cam dybryd
a wneir â'r ddameg enwog hon wrth ei halegoreiddio'n
fanwl[1] ar un llaw neu ei symleiddio'n ormodol ar y
llaw arall.

Nid oes hafal i Iesu Grist am ennill clust ei wran-
dawyr. Dim ond crybwyll rhywbeth am y ffordd
o Jerwsalem i Jericho, a lladron a lladd, a byddent
yn glustiau i gyd. " Rhyw ddyn oedd. yn myned i
waered o Jerwsalem i Jericho." Ffordd ramantus
yw honno ers llawer oes, a phery felly hyd y dydd
hwn. Dyma ddisgrifiad un a fu ar hyd-ddi yn 1934 :

" Rhed y ffordd o Jerwsalem i Jericho, ac y mae'n
un o'r ffyrdd mwyaf rhyfeddol, mwyaf anghyffredin yn
y byd, oherwydd y mae Jerwsalem 2,300 o droedfeddi
uwchlaw, a Jericho 1,300 o droedfeddi islaw'r môr. Gall

---

[1] Gweler y Rhagymadrodd, tt. xxiv–xxviii.

modurwr gychwyn ei gar yn Jerwsalem, troi'r peiriant i
ffwrdd, ac olwyno ymlaen i Jericho heb ddefnyddio rhagor
o betrol. Mewn tair milltir ar hugain disgynna'r ffordd
dros dair mil o droedfeddi. Cellwch gychwyn o Jerwsalem
ym mis Chwefror ar dywydd gaeafol a phan gyrhaeddwch
Jericho gall fod mor gynnes a heulog â Mehefin yn Lloegr.
Nid yw ' Dos i Jericho ' cynddrwg melltith â hynny wedi'r
cyfan ! Y mae'n daith ddymunol ond hyd heddiw'n
beryglus. Gelwir y ffordd honno yn Ffordd y Gwaed.
Mwy na thebyg mai disgyn ymhlith lladron a wna teithiwr,
hyd yn oed heddiw, ar y ffordd hon. Yn 1934 bu i ni
gyfarfod â llu o blismyn a oedd yn chwilio am garn-ladron.
Codasai un ohonynt wal o gerrig ar draws y ffordd, ataliodd
bedwar ar ddeg o geir modur a lladrata popeth a berthynai
iddynt y gellid ei ladrata ar frys. Ffordd beryglus yw
hi o hyd . . . ac nid yw'r ddameg yn arfer gormodiaith.
Saif gwesty hyd heddiw hanner y ffordd rhwng Jerwsalem
a Jericho, a adeiladwyd, yn ôl pob tebyg, ar sylfeini hen
lety fforddolion. Bu lle felly yno, mae'n sicr bron, oher-
wydd dyma'r unig le yn yr haf y gellir cael dwfr rhwng
Jerwsalem a Jericho." [1]

Ond nid er mwyn diddori y dywedai Iesu Grist
ei stori. " Rhyw gyfreithiwr a gododd, gan ei demtio
ef, a dywedyd, Athro, pa beth a wnaf i gael etifeddu
bywyd tragwyddol ? " Un o'r ysgrifenyddion oedd
hwn, dyn a oedd wrth ei swydd yn ymwneud â chre-
fydd ac yn egluro ffordd Duw i'r bobl. Os dylai
rhywun wybod y ffordd i'r bywyd dylai hwn. Gwydd-
ai'r gorchymynion yn iawn ar ei gof, ond dyma'r
ergyd, " Gwna hyn, a byw fyddi," h.y., caru Duw
â'i holl galon, a'i gymydog fel ef ei hun. " Eithr efe
yn ewyllysio ei gyfiawnhau ei hun, a ddywedodd

---

[1] *In Quest of a Kingdom*, Leslie D. Weatherhead, tt. 149, 150.
Darllener hefyd *In the Steps of the Master*, H. V. Morton,
tt. 85, 86. Byddai dosbarth o blant wrth eu bodd yn
clywed am Abu Jildah y carn-leidr !

wrth yr Iesu, A phwy yw fy nghymydog ? "[1] Atebiad i'r cwestiwn hwn yw dameg y Samariad Trugarog a'i neges yn amlwg yw bod gan bob dyn, pwy bynnag yw, hawl i'n cydymdeimlad a'n cymorth pan fo mewn perygl ac mewn angen ; hwnnw yw ein cymydog.

Diddorol yw sylwi ar yr Athro mawr yn defnyddio cryn dipyn o dact wrth gyflwyno'r neges hon. Wrth gyfreithiwr y siaradai ond am offeiriad a Lefiad y soniai. Taro'r post i'r pared glywed oedd hynny !

Ac yn ôl y ddameg y mae o leiaf dri pheth yn rhwystro cymdogaeth dda,—y gymdogaeth dda a fyddai'n fywyd tragwyddol i'r sawl a'i gweithredai, a thr wyddynt hwy i'r byd.

I. *Culni cenedlaethol.* II. *Caethiwed i lythyren cyfraith.* III. *Crefydd anghywir.*

I. *Culni cenedlaethol.* " Rhyw ddyn oedd yn myned i waered o Jerwsalem i Jericho." Gallwn gymryd yn ganiataol mai Iddew oedd y dyn, oblegid Iddewon yn fwy na neb arall a ddefnyddiai'r ffordd honno. " Eithr rhyw Samariad[2] wrth ymdaith, a ddaeth ato ef : a phan ei gwelodd a dosturiodd " (adn. 33). Cerddodd ei gyd-Iddewon o'r tu arall heibio iddo, a'r Samariad dienwaededig hwn a actiodd y cymydog tuag ato. Y mae ystyr ddofn i'r gwahaniaeth cenedl hwn. O ba gyfeiriad bynnag yr edrychir

---

[1] Awgryma amryw esbonwyr mai Luc piau adn. 29, i gysylltu dau ddarn a safai cyn hynny ar wahân yn nhraddodiad yr Efengylau.

[2] Gwan, gallem dybio, a diddychymyg, yw'r esbonio sy'n amau i'r Iesu sôn am Samariad fel y cyfryw, ac yn awgrymu mai lleygwr ' *am ha-ares* ' o'i gyferbynnu â'r offeiriad a'r Lefiad oedd yn y stori yn wreiddiol. " The parable is fiction not history." Gweler, *The Mission and Message of Jesus*, t. 554.

arno yr un wers a ddysgir, sef bod Efengyl Crist yn
goresgyn gwahaniaethau cenedlaethol. Gwelodd Sam-
ariad fod Iddew yn ei waed yn gymydog iddo, a gwêl
pawb a welodd hwn yn gosod yr Efengyl ar waith fod
Samariad a gelyn yn gymydog i Iddew.

Cofier pa fodd yr edrychai Iddewon oes yr Iesu
ar Samariaid. Ni siaradent â'i gilydd os gallent
beidio. Bu clywed Iddew yn ei chyfarch yn syndod
mawr i'r wraig o Samaria, " Pa fodd yr ydwyt ti,
a thi yn Iddew, yn gofyn diod gennyf fi, a myfi yn
wraig o Samaria ? oblegid nid yw yr Iddewon yn
ymgyfeillach â'r Samariaid." (Ioan iv. 9). Cyth-
reuliaid oedd Samariaid yng ngolwg Iddewon, mell-
tithient hwynt yn eu synagogau ac ni dderbynient
eu tystiolaeth yn eu llysoedd barn. Pan geisiodd yr
Iddewon crefyddol ddifenwi'r Iesu ni allent sarhau
mwy arno yn eu tyb eu hunain na thrwy ei alw'n
Samariad. " Onid da yr ydym ni yn dywedyd mai
Samaritan wyt ti, a bod gennyt gythraul ? " (Ioan
viii. 48). Yr oedd awgrymu bod Samariad wedi
ymgeleddu clwyfau Iddew fel pe dywedid bod Sais
wedi estyn *first-aid* i German drannoeth y *blitz*.

Ond hynny a wnaeth Iesu Grist yn nameg y
Samariad Trugarog gan ddysgu nad oes ffiniau i'r
gymdogaeth dda sydd yn ffrwyth caru Duw â'n holl
galon, ac â'n holl enaid. Dyma nodyn newydd a
gwreiddiol yn nysgeidiaeth foesol y byd. Iesu Grist
piau'r meddwl hwn ac nid yw'n bod lle nad yw Ef.
Tynnai hen wareiddiadau'r byd i gyd linell derfyn yn
rhywle rhwng Groegwr a Barbariad, rhwng dinesydd
Rhufeinig ac estron, rhwng caeth a rhydd, rhwng
Iddew a Chenedl-ddyn. Eithr yng Nghrist, fel y
gwelodd Paul, " nid oes na Groegwr nac Iddew, en-

waediad na dienwaediad, Barbariad na Scythiad,
caeth na rhydd : ond Crist sydd bob peth ac ym mhob
peth '' (Col. iii. 11). Ni chododd cyfraith Moses
erioed cyn uched â hyn. Cododd honno'n uchel ar ei
gorau megis pan gyfarwydda, '' Na orthryma, ac na
flina y dieithr.'' '' Os gweli asyn yr hwn a'th gasâ
yn gorwedd dan ei bwn, a beidi â'i gynorthwyo ?
gan gynorthwyo cynorthwya gydag ef.''[1] A thrachefn,
'' Na ddiala, ac na chadw lid i feibion dy bobl ; ond
câr dy gymydog megis ti dy hun.''[2] Ond amlwg yw mai
o fewn cylch 'meibion dy bobl,' o fewn cylch y genedl
y dylid gweithredu'r trugareddau hyn. Iddew galluog
sy'n cydnabod yn agored nad oes dim mewn Iddew-
aeth ar lefel dameg y Samariad Trugarog.

> '' Love, it tells us, must know no limits of race and ask
> no enquiry. Who needs me is my neighbour. Whom at the
> given time and place I can help with my active love, he is
> my neighbour and I am his. If the grudging Jewish critic
> should still seek to argue that even this parable, though
> ' true ' is not (as regards the Old Testament) ' new,' he
> must surely admit that the exact parallels to it in that book
> are very few. Nor can he deny that nowhere in the Old
> Testament parallels is the doctrine so exquisitely and
> dramatically taught.''[3]

A barn Oesterley am yr '' exact parallels '' yw,
'' there are, in truth, none.'' [4]

O na ellid lladd culni cenedlaethol fel y delai'r byd
i ffordd y bywyd ! Hyderwn fod cenhedloedd y byd
wedi gweld digon o Ffordd y Gwaed (The Bloody
Way) yn yr ugeinfed ganrif i ddysgu bod yn rhaid
iddynt ymddiosg o'u balchder cenedlaethol ac ym-

---

[1] Exodus xxii. 21, xxiii. 5.   [2] Lefiticus xix. 18 ; [3] Montefiore,
op. cit. t. 468 ; [4] The Gospel Parables, t. 165.

ostwng i helpu ei gilydd os mynnir arbed tywallt
gwaed gwirion. Nid Ffordd y Gwaed yw'r *Via
Dolorosa* ond Ffordd y Groes, a honno yw ffordd y
waredigaeth.

Ond y mae cymdogaeth dda fel cymwynasgarwch
i ddechrau gartref. Pa faint o ' Gristionogion ' sy'n
fawr eu sêl dros helpu y ' *poor Chinese* ' ond nad ydynt
ar delerau siarad â'r dyn drws nesa' ! Y mae gormod o
bleidwyr Heddwch i'r Byd sy'n gwbl gecrus â phawb
o'u cwmpas. Ynfydrwydd yw siarad am un genedl
fyd-eang ac un iaith i'r holl fyd, canys nid yw'r bobl
sy'n siarad felly yn breuddwydio mabwysiadu un
genedl nac un iaith ond eu cenedl a'u iaith eu hunain.
Mewn amrywiaeth gogoneddus y'n crewyd ac mewn
amrywiaeth y mae ein gogoniant, ond braint a rhwym-
edigaeth pob cenedl, a Chymru yn eu plith, yw meithrin
y fath serch at wlad a fydd yn cynnwys dynolryw,
ac ni welaf ffordd well o wneuthur hynny na phlannu
cyfamod Urdd Gobaith Cymru yng nghalon ieuenctid
ein cenedl.

    i. Ffyddlondeb i Gymru.   ii. Ffyddlondeb i'm
cyd-ddyn.   iii. Ffyddlondeb i Grist.

Pe cadwem hyn o gyfamod ni byddai angen gofyn na
diffinio, " A phwy yw fy nghymydog ? "

Peth arall sy'n rhwystr i gymdogaeth dda yw :

II. *Caethiwed i lythyren cyfraith.* Dyma wendid
amlwg yr offeiriad a'r Lefiad. Cynrychiolent hwy'r
Gyfraith Iddewig ar ei gorau, a dysgai honno pwy
yw'r cymydog, eithr syrthiai'n fyr iawn o safon yr

Iesu. Eu cynddelw mewn llenyddiaeth Gymraeg yw Abel Huws.[1]

Rhennid y Gyfraith Iddewig yn ddwy ran, y Gyfraith Ysgrifenedig a'r Gyfraith Lafar. Gwelsom eisoes beth oedd dysgeidiaeth y Gyfraith Ysgrifenedig ar fater cymydog,—Lefiticus xix. 18, "Na ddiala, ac na chadw lid i feibion dy bobl, ond câr dy gymydog megis ti dy hun." Gwendid amlwg hon wrth safon Crist, yw ei bod yn cyfyngu rhwymedigaeth dyn i'w gymydog i gylch ei genedl ei hun. Yn ôl Oesterley[2] ni chydnabyddir ac ni ddysgir yn y Gyfraith, nac yn unman arall yn Ysgrythurau yr Hen Destament, y dylid estyn cariad dyn at ei gymydog i neb y tu allan i genedl Israel. A'r un yw barn Montefiore :

> "Nationalist hatreds could get support from the Scripture to any desired extent, and the close relationship of Israel to God, so exquisitely conceived as it was in many ways, and so productive of a vivid consciousness of God's nearness and love, had, as its dark shadow accompanying it, the exclusion of the 'nations' from God's care and providence and compassion. He is mine ; and I am His. And inasmuch as He is mine and I am His—Lover and beloved—others are outside the range and glory of that love.' Such would seem to have been the feeling." [3]

Yn awr, dealler hyn, yr oedd Samariad yn cydnabod yr un Gyfraith Ysgrifenedig â'r Iddew, ond yn y ddameg dyma estron yn torri dros ben ei llythyren ac yn trin un nad oedd o fewn cylch ' meibion ei bobl '

---

[1] "'Roedd Abel Huws yn gywir
  Dan orfod Duw a Deddf."
Baled Tomos Bartley. Richard Hughes. Cyfansoddiadau Buddugol Eisteddfod Cenedlaethol Rhosllanerchrugog. t.98.
[2] *The Gospel Parables*, t. 165.
[3] *Rabbinic Literature and Gospel Teachings*, t. 74.

fel ei gymydog. Ni chymerodd hwn ei gaethiwo gan lythyren y Gyfraith ond cerddodd y ffordd o Jerwsalem i Jericho yn ddyn rhydd i weithredu trugaredd yn ôl y galw. Am yr offeiriad a'r Lefiad ni ddaethant hwy, y tro hwn, i fyny â llythyren y Gyfraith heb sôn am godi uwchlaw iddi, eithr pe delent, byddai'r Gyfraith yn eu hatal rhag cyflawni cymwynas ag estron ar lawr. Nid oes ryfedd i'r Iesu ddweud, a'i ddweud lawer gwaith ar wahanol achlysuron ac mewn gwahanol eiriau, " Oni bydd eich cyfiawnder yn helaethach na chyfiawnder yr ysgrifenyddion a'r Phariseaid, nid ewch i mewn i deyrnas nefoedd."[1]

Ac yr oedd Cyfraith Lafar. Y " rhyw gyfreithiwr " (adn. 25) a'i debyg a fu'n gyfrifol am dyfiant honno. Tyfodd yng nghwrs y canrifoedd fel caseg eira i egluro yr hyn a ddylid ei wneuthur mewn achosion nad oedd sôn amdanynt ar ddu a gwyn yn y Gyfraith Ysgrifenedig. Er enghraifft, os dywedai'r Gyfraith Ysgrifenedig, "Câr dy gymydog megis ti dy hun," manylai'r Gyfraith Lafar ar bedair neu bump, neu chwech efallai, o ffyrdd o garu cymydog, eithr oni ddigwyddai y manylion hynny gynnwys, " Ymgeleddu truan ar y ffordd rhwng Jerwsalem a Jericho," ni chredai offeiriad a Lefiad fod a wnelent hwy dim oll â'r mater. Yr oeddynt mor gaeth i lythyren y Ddeddf Ysgrifenedig nes anghofio ei hysbryd, a dyna'r ddeddf sydd yn lladd pob brawdgarwch a chymdogaeth dda.

Mor greulon y gall y rhai sy'n gaeth i'w tipyn cyfraith fod ! Gallant gerdded yn ddidaro heibio i'r trueni mwyaf a'u cyfrif eu hunain yn ôl y cyfiawnder sydd yn eu deddf yn ddiargyhoedd, ond ni ddysgasant un o'r gwersi cyntaf yn ysgol yr Iesu, sef mai o ba ysbryd y mae dyn yw'r peth mawr a'r peth pwysicaf. Ac angen dyn, pwy bynnag fo, sydd i benderfynu ein hymlyniad wrth unrhyw gyfraith neu ddefod neu draddodiad, a'r ' cymydog ' yw'r sawl a ddeallodd hynny.

Un peth arall sy'n rhwystro cymdogaeth dda yw :

III. *Crefydd anghywir.* "Ac ar ddamwain rhyw offeiriad a ddaeth i waered y ffordd honno : a phan ei gwelodd, efe a aeth o'r tu arall heibio. A'r un ffunud Lefiad hefyd, wedi dyfod i'r fan, a'i weled ef, a aeth o'r tu arall heibio." Paham ? Paham yr aeth dau ddyn da, crefyddol, cydwybodol heibio i druan ar lawr ? Ai am eu bod mor greulon â'r lladron a'i harchollodd " gan ei adael yn hanner marw " ? Nid o fwriad yn ddiau ond am fod eu meddwl a'u calon yn gaeth i grefydd anghywir.

Awgrymir dau reswm yng ngolau syniadau eu cyfnod. (*a*) Mwy na thebyg y credai'r offeiriad a'r Lefiad mai barn Duw oedd yn cyfrif am drueni'r dyn a syrthiasai ymhlith lladron, a'i fod yn cael ei gosbi felly am ei bechodau ei hun neu bechodau ei gyndadau. Y mae hon yn gred gyffredin drwy'r Hen Destament a llenyddiaeth yr Iddew. Ceir enghraifft hysbys ohoni yn Llyfr Job. "A phan glybu tri chyfaill Job yr holl ddrwg yma a ddigwyddasai iddo ef, hwy a ddaethant bob un o'i fangre ei hun." Ac awgrym Eliphas yw mai oherwydd ei bechodau cudd y dioddefai Job. "Hyd y gwelais i, y rhai a arddant anwiredd, ac a heuant ddrygioni a'u medant. Gan anadl Duw y difethir hwynt."[1]

---

[1] Job ii. 11 ; iv. 8, 9.

A phrawf fod y gred hon yn yr awyr hyd ddyddiau'r
Iesu yw cwestiwn Ei ddisgyblion iddo. " Rabbi, pwy
a bechodd, ai hwn, ai ei rieni, fel y genid ef yn ddall ?"[1]
Os barn Duw oedd trueni'r dyn ar y ffordd o Jerw-
salem i Jericho pwy oeddynt hwy, offeiriad a Lefiad
i ymyrryd â'r drefn ?

(b) Yn ôl y ddameg mynd " i waered " o Jerw-
salem yr oedd yr offeiriad a'r Lefiad hwythau, ar ôl
cyflawni eu gorchwylion yn y deml yn ddiamau.
Dichon eu bod yn eu llongyfarch eu hunain ar gael
oedfa dda, ond dacw ddyn ar lawr, yn noeth, yn
gwaedu. A aent hwy ato i'w gynorthwyo ? Beth
pe bai wedi marw ? Beth pe bai ef yn marw wrth ei
ymgeleddu ? Byddent wedi cyffwrdd â chorff, a'u
halogi eu hunain, a'u hanghymhwyso eu hunain i
gynnal gwasanaeth crefyddol am ddyddiau. Felly
dyma gerdded o'r tu arall heibio. Yr oedd oedfa'r
deml yn rhwystr iddynt i gyflawni trugaredd ar y
ffordd fawr.

Melltith Duw fo ar bob cwiblan crefyddol ynghylch
pethau dibwys ! Chwerthinllyd, oni bai'r tramgwydd
a bery i ledaeniad Teyrnas Nefoedd, yw dawn ar-
weinwyr crefydd i ddyfeisio esgusion ' cydwybodol '
dros atal cariad i wneud ei waith. Dylai anghariad
yr Eglwys swyddogol yn y rhan fwyaf o'i ffurfiau
godi gwrid cywilydd i wyneb pawb sy'n perthyn iddi.
Y mae gan Babyddion resymau ' crefyddol ' dros
alw Ymneilltuwyr yn hereticiaid a nacáu iddynt
allweddau Teyrnas Nefoedd. Ac onid oes Ymneill-
tuwyr a droai allan Babydd o bob swydd dan haul ?
Gwrthyd Eglwyswyr, a'u geilw eu hunain yn Gatholig,
gladdu plentyn bychan nas bedyddiwyd, perthynol

---

[1] Ioan ix. 2.

i'r Ymneilltuwyr, mewn mynwent nas cysegrwyd gan esgob. A phagan yw esgob i bobl Grŵp Rhydychen! Byddai'n drais ar gydwybod y rhan fwyaf o Fedyddwyr estyn y Cymun Sanctaidd i Grynwr, ac oni roes gweinidog gyda'r Bedyddwyr ei chymun olaf i ferch ieuanc a briododd weinidog gyda'r Annibynwyr? Dichon mai'r hyn a barodd i'r offeiriad a'r Lefiad fynd o'r tu arall heibio i'r truan ar eu ffordd i'r deml oedd dweud yn eu calonnau, ' Na, nid yw hwn acw yn dilyn gyda ni, nid yw'n perthyn i'n henwad ni.'

Nid yn eu sectyddiaeth y mae gwerth sectau crefyddol ond yn eu tystiolaeth gadarnhaol i agweddau o'r gwirionedd fel y mae yn yr Iesu. A'r dystiolaeth effeithiolaf i achub y byd yw tystiolaeth ddistaw cariad ar waith, ac ni raid i neb wrthod rhan i arall yn y dystiolaeth honno.

Y dylanwad mwyaf dyrchafol yn y byd cas lladronllyd, y dylanwad mwyaf dyngarol a chymwynasgar yw dylanwad crefydd gywir, lawn o ysbryd y Crist. Y dylanwad mwyaf niweidiol i bob brawdgarwch a chymdogaeth dda yw crefydd anghywir, lawn o syniadau cyfeiliornus am Dduw a dynion. Ysbryd Crist a achubo'i Eglwys i ffordd y Samariad Trugarog.

DAMEG Y DDAFAD GOLLEDIG

Yr oedd y trethwyr a'r pechaduriaid i gyd yn dynesu ato i wrando arno. A grwgnachai'r Phariseaid a'r ysgrifenyddion, gan ddywedyd, " Y mae hwn yn croesawu pechaduriaid, ac yn cyd-fwyta â hwynt." A dywedodd wrthynt y ddameg hon, " Pa ddyn ohonoch a chanddo gant o ddefaid, ac wedi colli un ohonynt, nid yw yn gadael y cant namyn un yn yr anialwch, ac yn mynd ar ôl yr hon a gollwyd nes ei chael hi ? Ac wedi ei chael fe'i gesyd hi ar ei ysgwyddau yn llawen, ac wedi dyfod adref geilw ei ffrindiau a'i gymdogion ynghyd, gan ddywedyd wrthynt, ' Cyd-lawenhewch â mi, canys cefais fy nafad a oedd ar goll.' Dywedaf i chwi y bydd llawenydd felly yn y nef am un pechadur a edifarhao, yn fwy nag am gant namyn un o rai cyfiawn, nad oes arnynt angen edifeirwch."

—Luc xv. 1–7.

DAMEG Y DDAFAD GOLLEDIG

Luc xv. 1–7, *Mathew xviii.* 12–14

Pe gofynnai athro i'w ddosbarth pa un yw'r ddameg fwyaf nodweddiadol o Iesu Grist, tybed a fyddai rhyw-un am fynd y tu allan i'r bymthegfed bennod o Luc i chwilio am ateb? Y mae pawb ohonom yn ei dro yn llefaru geiriau hollol nodweddiadol ohono ef ei hun. Pan lefarodd yr Arglwydd Iesu ddamhegion y Ddafad Golledig a'r Mab Afradlon trawodd dant sydd wedi cludo'i lais a'i feddwl i lawr drwy'r canrifoedd, a phawb a'i clyw yn gwybod ar unwaith—dyna Iesu Grist.

Ac y mae dyfod at y bennod hon fel dyfod at Dduw. Y peth cyntaf a deimla dyn yw ei annheilyngdod i ddyfod i ŵydd y perffaith, a rhyw barchedig ofn rhag halogi daear sanctaidd. Teimlwn mai'r peth gorau yw gadael llonydd i'r damhegion hyn i ddweud eu neges ym mherffeithrwydd eu ffurf a'u sŵn. Clywir sŵn digamsyniol yr Efengyl ynddynt fel y maent, a hawdd iawn i glebrwyr fel nyni yw mynd allan o diwn, a gwneud cam â thelyn yr Efengyl. Iesu Grist y Damhegwr digyffelyb a luniodd y damhegion hyn, a Luc yr artist llenyddol a'u rhoes ar gof a chadw. Clywsom ambell bregethwr yn rhuthro yn hy ac yn eofn i foderneiddio'r damhegion hyn, a'u gwneud yn *up to date* yn ôl ei syniad ef. Dyna'r pryd y byddwn yn cyd-weld â'r dyn a ddywed y caiff fwy o fendith drwy ddarllen ei Feibl gartref nag yn yr oedfa. A dyna'r pryd, efallai y canodd Elfed :—

" Mae'r oesau yn dieithrio'th lais—
Pa fodd mae'th ddilyn Di ? "

Er hynny, o ddod at y damhegion hyn yn yr ysbryd a weddai i ni, dichon y gallwn gynorthwyo ein gilydd ynghylch eu neges. Nid yr un gogoniant a wêl pawb mewn gardd o flodau, dibynna o ba gyfeiriad yr edrychir arni, ac y mae gan bawb ei gyfeiriad ei hun.

Un ffordd sicr o andwyo dameg y Ddafad Golledig yw gofyn cwestiynau amherthnasol iddi, megis pwy yw'r cant namyn un ? ac onid oedd y bugail yn esgeulus wrth eu gadael yn yr anialwch ? Hollol bwysig gyda'r damhegion hyn yw hoelio'n meddwl ar yr un pwynt mawr sydd ynddynt—sef dweud pa fath un yw Duw yn Ei berthynas â phublicanod a phechaduriaid. Ond beth am gysylltiadau dameg y Ddafad Golledig ym Mathew xviii? Yno dywedir i'r Iesu ei llefaru i ddysgu gwerth plentyn bach, ond nid yr un " wers " sydd ar ei diwedd yn Efengyl

Luc. Oherwydd yr anghytuno hwn barna C. H. Dodd nad yw'r " gwersi " ym Mathew na Luc yn wreiddiol i'r Iesu.[1] Ond tybed fod rhaid inni dderbyn hynny ? Onid yw'n bosibl ac yn debygol i'r Iesu lefaru amryw o'i ddamhegion lawer gwaith, ac ar achlysuron gwahanol ac i bwrpas gwahanol ? Nid yw'n hawdd gennym gredu mai dim ond unwaith erioed y llefarodd Iesu Grist ddameg y Ddafad Golledig. Ac wrth geisio cysoni Mathew â Luc yn y cysylltiadau hyn ystyrier geiriau W. O. E. Oesterley, " It is simply that we have here another instance of a parabolic theme being used for more than one purpose."[2]

Ei phrif bwrpas, a'i phrif achlysur er hynny, ni gredwn, ydoedd argyhoeddi Ysgrifenyddion a Phariseaid fod Duw yn derbyn pechaduriaid, ac yn ceisio y rhai colledig. Dysgai'r Iesu hynny ar air ac mewn gweithred. "Ac yr oedd yr holl bublicanod a'r pechaduriaid yn nesáu ato ef." Dyna'r dystiolaeth mewn bywyd, mewn ffordd o fyw. Ac yr oedd hon yn dystiolaeth newydd. "Surely," meddai C. G. Montefiore, "this is a new note." Dyma nodyn newydd. Dyma un o newyddion da newydd sbon yr Efengyl. Clywir weithiau gan rai tra gwybodus na ddysgodd yr Arglwydd Iesu ddim newydd i'r byd, dim na cheir ei gyffelyb, neu ryw gysgod ohono yn yr Hen Destament neu yn noethineb Groeg a Rhufain. Ond nid yw hynny mo'r gwir i gyd :

" What is new and striking in the teaching of Jesus," meddai Montefiore eto, " is that this process of repentance takes an

---

[1] *The Parables of the Kingdom*. t. 119. [2] *The Gospel Parables*. t. 177.

active turn. Man is bidden not merely to receive the penitent gladly, but to *seek out* the sinner, to try, to redeem him and *make* him penitent."[1]

A'r patrwm i ddyn yw Duw yn chwilio am ddyn fel bugail yn ceisio dafad a gollasid. Yn union fel y bydd un ohonom ni yn teimlo'n fawr o golli unrhyw beth, yn enwedig os bydd y peth hwnnw yn werthfawr yn ein golwg, yn union fel y byddwn yn chwilio ac yn chwilio amdano, ac yn llawenhau'n fawr pan gawn ef, felly y mae Duw, meddai Iesu Grist, yn ei berthynas â phechaduriaid. Dyna neges fawr dameg y Ddafad Golledig, dweud dwy stori y mae, stori dyn a stori Duw.

I. *Stori dyn yw stori'r ddafad ar grwydr.*

Gwna'r Arglwydd Iesu, yn y fan hon, ddefnydd o un o gyffelybiaethau mawr y Beibl. Yn y Beibl, droeon, cyffelybir dyn i ddafad ; y mae dyn yn debycach i ddafad nag i un creadur arall yn ôl yr Ysgrythur. Weithiau bydd dyn yn debyg i lwynog, megis Herod gynt. Bryd arall tebyg yw i farch neu ful, ond gan amlaf tebyg i ddafad ydyw. A chlywais y Parchedig Joseph James, Llandysilio, yn dweud mai hwn yw'r pechod gwreiddiol—dafadeiddiwch ! " Nyni oll a grwydrasom fel defaid, troesom bawb i'w ffordd ei hun " (Eseia liii. 6). " Cyfeiliornais fel dafad wedi colli," meddai Salmydd y Salm fawr (cxix. 176). A golwg felly a welodd yr Iesu ar ddynion yn dorfeydd o'i gwmpas, " fel defaid heb ganddynt fugail " (Marc vi. 34). Pa fath greadur yw hon, y ddafad grwydrol ?[2]

---

[1] *Synoptic Gospels* ii. t. 679.

[2] Ni chredaf fod eisiau darllen mwy i mewn i'r gair " colledig," i bwrpas y ddameg, nag sydd yn y gair "crwydrol." Camgymeriad yw ei ystyried yn gyfystyr â " damnedigaeth" a syniadau diwinyddol oes ddiweddarach.

(a) Creadur dwl, diamcan, difeddwl yw hi. Cymerodd yn ei phen wthio drwy un gwrych, ac wedyn drwy un arall, ac aeth ymhellach bellach o hyd. Tybiodd, mae'n debyg, fod y borfa yn frasach yr ochr arall i'r clawdd, ac y byddai hithau yn brafiach ei byd yn rhywle arall. Am a wn i, rhywbeth fel yna sydd yn peri iddi grwydro ond ni ŵyr neb yn iawn, amhosibl yw rhoi rheswm am y peth. Hen ddylni diystyr ydyw. Gan amlaf â dwy neu dair i grwydro gyda'i gilydd, a'r ail yn mynd am fod y gyntaf wedi mynd, a'r drydedd yn dilyn y ddwy arall.

Ac onid rhywbeth felly yw llawer o stori dyn,— " crwydrasom fel defaid." Anodd yw gwybod paham y cychwynnodd y dyn ar gyfeiliorn. Gofynnwch iddo, ac ni ŵyr. Rhyw gymryd yn ei ben a wnaeth. Teimlo'n dipyn o lanc, efallai, a thybio ei bod hi'n brafiach mewn tafarn nag mewn cartref. Bu gennyf rai cyfeillion yn y Coleg ym Mangor oedd yn ymhél â diod, ac weithiau'n meddwi. Pan ymresymech â hwy nid oedd ganddynt reswm yn y byd dros eu cyfeiliorni, er cydnabod yn ddigon onest mai cyfeiliorni yr oeddynt. Ffwlbri ydoedd gan amlaf, a rhyw fynd ar ôl ei gilydd,—dafadeiddiwch !

(b) Dyma nod arall ar y ddafad grwydrol,—nid oes ganddi reddf o gwbl i ddyfod yn ôl. Ceir digon o greaduriaid yn meddu ar reddf ddigyfeiliorn i ddychwelyd o'u crwydriadau. Creadur felly yw ci fel rheol (er i mi feddu un, unwaith, heb ddod o hyd i'w *home-instinct* !). Pan elo'r cenau llew allan am ysglyfaeth y mae ganddo ryw synnwyr i ddod yn ôl i'w ffau ; â'r wennol ar grwydr dros foroedd a chyfandiroedd, ond daw'n ôl gyda'r gwanwyn i'r un hen fondo

Ond am y ddafad, pan â hi ar grwydr ofer dis-
gwyl iddi ddychwelyd, rhaid ei chyrchu hi yn ôl.

A rhai felly ydym ninnau. Fel y dywedai Morgan
Llwyd : " Mae gallu yn yr ewyllys i ysgog, ond nid
oes mo'r ewyllys gyda gallu i ddychwelyd." Pan â dyn
ar gyfeiliorn, dyna drafferth yw ei gael yn ôl ! Pur an-
aml y daw ohono'i hun, a bydd yn rhaid i rywun
bledio a gofyn a pherswadio llawer cyn y daw. Mor
anodd yw perswadio rhywun a aeth i afael hen arfer-
iad llygredig i'w adael ! Mor anodd yw diddyfnu
meddwyn ! Mor anodd yw cael arian o gybydd !
Unwaith y cyfeiliorna dyn anodd iawn yw ei gael yn
ôl o lwybrau disberod. Ei stori yntau yw—" Cyf-
eiliornais fel dafad wedi colli."

(c) Y mae tair cengl ar y ddafad grwydrol, a
dyma'r drydedd,—creadur bach diamddiffyn iawn yw
hi. Tra erys hi yn y gorlan gofala rhywun amdani,
ond unwaith yr â ar grwydr y mae at drugaredd y cŵn
a'r bleiddiaid i gyd, ac, fel rheol, bydd ei diwedd yn
llawer gwaeth na'i dechreuad. Daw rhyw hwsmon
heibio a hysio arni gi, a dacw hithau ar ei chyfer dros
y clogwyn. Neu efallai mai ymglymu am y drain a'r
mieri fydd ei hanes, heb allu i symud yn y man. Neu
efallai drachefn y daw'r pryfed i'w hysu a hithau heb
allu i'w hymgeleddu ei hun.

A stori drist fel yna gan amlaf yw stori pechadur.
Po bellaf y cyfeiliorna mwyaf diamddiffyn yr â.
Haws syrthio i demtasiwn yr eildro na'r tro cyntaf,
a'r trydydd tro na'r eildro. Po bellaf y crwydra dyn
oddi ar lwybrau unionderb, amlaf yw'r temtasiynau, a
gwannaf yw yntau i'w gwrthsefyll. A gwrthrych
tosturi yw'r ddafad golledig. Ni chofiaf i mi weld neb

erioed yn curo dafad am fynd ynghlwm mewn mieri, dim ond ei gollwng yn rhydd, a gresynu ei bod mor ddwl.

Felly'n union yr ymddygai Iesu Grist tuag at bechaduriaid, gresynu, gofidio, tosturio am eu bod mor ynfyd ac mor ddi-les iddynt eu hunain. A ellir dychmygu am yr Iesu yn rhoi cic i greadur ar lawr ? Na, plygu'n dosturiol drosto a wnâi'r Gwaredwr, a dywedyd,

> " ' A Sionyn, Sionyn,' meddai,
> ' Afradlon wirion hoff ;
> Rhaid im dy gario dithau,
> Fel pob rhyw ddafad gloff'."

Dyna stori dyn, drwy lygaid Iesu Grist, stori'r ddafad golledig.

II. *Stori Duw yw stori perchen y ddafad golledig.*

Y peth mwyaf naturiol mewn bod i ddyn a gollodd ddafad yw myned i chwilio amdani, a hynny nid yn unig am ei bod yn werth hyn a hyn ar y farchnad ac y byddai'n golled ariannol iddo ei cholli. (Petasai fater am hynny, hwyrach y gallai fforddio ei cholli). Ond fe â am yr unig reswm ei bod ar goll ac am na fedr yntau ddygymod â'r syniad o adael iddi.

Un felly yw Duw yn Ei berthynas â phechaduriaid, yn ôl y ddameg. Peth dirmygus a diraddiol iawn yng ngolwg Phariseaid fyddai ymgymysgu â phublicanod a phechaduriaid. ' Ond y mae hynny mor naturiol i mi,' meddai'r Iesu, ' ag yw i ddyn a gollodd ddafad fynd ar ei hôl.' A daeth Iesu Grist i'n daear ni i wneuthur ewyllys Ei Dad, ac am hynny y derbyniai bechaduriaid ac y bwytâi gyda hwynt, am mai un felly yw Duw. Nid oes neb islaw sylw Duw, ac nid yw Duw dderbyniwr wyneb. Ni chyfeiliornodd neb yn rhy bell i Dduw anobeithio amdano, a'i natur yw chwilio am ei blant crwydredig. Anniddig yw yn Ei fynwes nes eu cael i'w gysgod, ac i gylch Ei ofal Ei Hun.

> " Os Duw sydd ar f'enaid i eisiau,
>   *Mae eisiau fy enaid ar Dduw.*
> O gariad heb ddiwedd na dechrau,
>   Ar gariad mor rhyfedd 'rwy'n byw."

Y mae'n werth sylwi hefyd fod perchen y ddafad golledig yn mynd i chwilio amdani *ei hun* ac yn ei chyrchu adref ar ei ysgwyddau *ei hun.* Nid danfon ei weision, nid gyrru rhywun arall yn ei le i'w arbed ei hun a wna hwn, ond mynd ei hunan i'r anialwch heb gyfri'r draul. A dyna a wêl Cristion yn Iesu Grist, gweld Duw Ei Hunan yn cerdded i ganol anialwch y byd hwn er mwyn cyrchu'r rhai crwydredig. Gwir fod gan Dduw Ei weision i'w helpu yn y gwaith, ond ni fu, ac nid oes, yr un gwas yn ddigon o waredwr i ddynion. Dweud bod y Gwaredwr ar y ffordd a wnâi gweision yr hen fyd. Dweud Ei fod wedi cyr-raedd a wna gweision oes y Crist. Ond Ef ei Hunan yw'r Achubydd. Ac fel y cân Gwenallt yn un o'i sonedau, nid rhyw feudwy mud yw Duw, nid rhyw fathemategwr mawr fel y sieryd gwyddonwyr weithiau amdano.—Na,

> " Ef ydyw Ef ; a chariad yn Ei fron
> Fel berw ymhlith Ei holl feddyliau i gyd
> A hwnnw yn bwrw i'r wyneb don ar don
> O angerdd ar hyd traethau broc ein byd,
> A bwrw'r nawfed don ar Galfari,
> A'r llong ymwared ar ei hewyn hi."

Ac apêl eithaf yr Efengyl yw apêl Calfaria, fod y Bugail Da yno wedi rhoddi ei einioes dros y ddafad golledig er mwyn ei chyrchu o'r anial i'r gorlan yn ôl. Yno y gwelwn ffolineb ein cyfeiliorni, a chymaint o'n bywyd a dreuliwn yn ofer a dilesâd. Yno hefyd y gwelwn faint y cariad a roes y Tad arnom gan iddo yno ein caru hyd yr eithaf. Pan welwn y ddeubeth hyn gyda'i gilydd, "pa galon mor galed na thodd ?" Odid na ddeuwn adref o bob crwydro a phob afradlonedd.

Pwy bynnag yw'r pechadur mwyaf sy'n gwrando dameg y Ddafad Golledig, pwy bynnag a aeth bellaf ar gyfeiliorn, gwybydd fod Duw, yng ngolau Iesu Grist, yn dal i gredu ynot, yn meddwl yn uchel amdanat, ac yn dal i gredu bod gwell dyn ynot nag sy'n ymddangos yn awr. A bydd Ef yn anfodlon a diorffwys nes dy gael yn ôl i'w lwybrau. Am hynny gelli dithau ddiolch, "Dyma Geidwad i'r colledig."

DAMEG Y MAB AFRADLON

A dywedodd, " Yr oedd gan ryw ddyn ddau fab. A dywed-odd yr ieuangaf ohonynt wrth ei dad, ' 'Nhad, dyro i mi fy nghyfran o'r eiddo.' A rhannodd yntau rhyngddynt ei dda. Ac ar ôl ychydig ddyddiau gwerthodd y mab ieuangaf y cwbl ac ymfudodd i wlad bell, ac yno gwasgarodd ei eiddo, gan fyw'n afradlon. Ac wedi iddo dreulio'r cwbl, bu newyn tost trwy'r wlad honno, a dechreuodd ddioddef eisiau. Ac aeth a glynodd wrth un o ddinaswyr y wlad honno, ac anfonodd yntau ef i'w feysydd i borthi moch. A chwenychai lenwi ei fol â'r cibau a fwytâi'r moch, ac ni roddai neb iddo. A phan ddaeth ato'i hun, fe ddywedodd, ' Pa sawl gwas cyflog i'm tad sydd ganddynt eu gwala o fara, a minnau'n marw yma o newyn ! Codaf ac af at fy nhad, a dywedaf wrtho, 'Nhad, pechais yn erbyn y nef ac o'th flaen dithau ; nid wyf deilwng mwyach i'm galw yn fab i ti ; gwna fi fel un o'th weision cyflog.' A chododd ac aeth at ei dad. A phan oedd eto ymhell oddi wrtho, fe'i gwelodd ei dad ef, a thosturiodd, a chan redeg syrthiodd ar ei wddf a chusanodd ef. A dywedodd y mab wrtho, ' 'Nhad, pechais yn erbyn y nef ac o'th flaen dithau ; nid wyf deilwng mwyach i'm galw yn fab i ti.' A dywedodd y tad wrth ei weis-ion, ' Brysiwch i ddwyn allan y wisg orau, a gwisgwch amdano, a rhowch fodrwy ar ei law ac esgidiau am ei draed, a dygwch y llo pasgedig, lleddwch ef, a bwytawn a byddwn lawen ; canys fy mab hwn oedd farw a daeth yn fyw drachefn, yr oedd ar goll ac fe'i cafwyd.' A dechreuasant fod yn llawen. Yr oedd ei fab hynaf yn y maes ; a phan ddaeth a nesáu at y tŷ, clywodd ganu a dawnsio, ac wedi galw un o'r gweision ato holodd beth oedd hyn. Dywedodd yntau wrtho, ' Dy frawd a ddaeth, a lladdodd dy dad y llo pasgedig, am iddo'i gael yn ôl yn iach.' Digiodd yntau, ac ni fynnai fynd i mewn. Ac aeth ei dad allan i ymbil ag ef. Atebodd yntau i'w dad, ' Edrych gynifer o flynyddoedd yr wyf yn dy wasanaethu, ac ni throseddais i erioed orchymyn o'r eiddot, ac eto i mi ni roddaist erioed fyn, i fod yn llawen gyd-a'm cyfeillion. Eithr pan ddaeth dy fab hwn, yr un a ddifaodd dy dda gyda phuteiniaid, lleddaist iddo ef y llo pasgedig.' Dywed-odd yntau wrtho, ' Fy mhlentyn, yr wyt ti gyda mi yn wastad,

a thi biau'r cwbl sydd gennyf ; iawn oedd bod yn llon a llawen,
canys dy frawd hwn oedd farw, a daeth yn fyw; bu ar goll,
ac fe'i cafwyd."

—Luc xv. 11–32.

DAMEG Y MAB AFRADLON

FEL y dywedai David Roberts, Wrecsam, "Dyma
ddarlun wedi ei dynnu gan law Ddwyfol, ac yr ydym yn
teimlo gwylder i osod ein llaw arno, rhag effeithio
dim ar y lliwiau sydd ynddo."[1] Pe gorfodid Cristion-
ogion a phawb sydd yn caru llenyddiaeth aruchel, i
ddewis dameg y damhegion, mae'n ddiamau gennym
mai hon a gaffai'r flaenoriaeth gan y mwyafrif.

Yn ffodus, cefais fy ngeni mewn digon o bryd i
glywed Syr John Morris-Jones yn darllen barddoniaeth
Gymraeg, ac ar ôl darllen cwpled neu ddau rhagorach
na'r cyffredin apeliai at ei ddosbarth, "Don't you
like it ?" Rhywsut felly y dylid gwneuthur â dameg y
Mab Afradlon. Nid oes ddameg haws gwneud cam â
hi wrth ei hesbonio, a'r ffordd sicraf o wneud hynny
yw ei halegoreiddio a gofyn cwestiynau dwl megis,
paham *dau* fab ? neu, beth yw ystyr y fodrwy a'r
esgidiau a'r wisg orau a'r llo pasgedig ? Un stori sydd
yma, a honno wedi ei dweud mor gelfydd ac mor goeth,
pob brawddeg yn ei lle, fel mai'r peth gorau i bob
esboniwr yn gyntaf yw diosg ei esgidiau oddi am ei
draed, a sylweddoli ei fod ar ddaear sanctaidd.

Mae'n wir i'r ddameg hon gael ei beirniaid yn
ogystal â'i diwygwyr. Ei bai gan y byd yw ei bod yn
rhy dda i fod yn wir ; dyna ffordd barotaf y byd o
wrthod yr Efengyl. Ei bai gan yr Eglwys yw nad oes

---

[1] *Pregethau.* Ail gyfrol, t. 37.

digon o le ynddi i Iesu Grist Ei Hun a'i waith yn marw dros bechaduriaid er mwyn eu hennill yn ôl o'r wlad bell. Yn ôl y ddameg maddeua'r Tad yn rhydd a rhad i bob afradlon a ddaw ato yn edifeiriol. Ond beth am yr Iawn ? ebe'r diwinyddion. Dyna ffordd barotaf yr Eglwys o beri i bobl wrthod yr Efengyl drwy ei gwneud yn astrus. Yn rhy fynych bu sêl rhywrai dros athrawiaethau arbennig o'r Iawn yn rhwystr i eraill i dderbyn yr Efengyl. Yn ei hanfod ac yn ei hapêl at galon y byd y mae'r Efengyl yn seml fel dameg y Mab Afradlon.

Ac o gofio achlysur ei llefaru onid yw'r ddameg hon yn llawn o Iesu Grist Ei Hun ?

" Ac yr oedd yr holl bublicanod a'r pechaduriaid yn nesáu ato ef, i wrando arno. A'r Phariseaid a'r ysgrifenyddion a rwgnachasant, gan ddywedyd, Y mae hwn yn derbyn pechaduriaid, ac yn bwyta gyda hwynt " (xv. 1, 2).

Sefyll dros y publicanod a'r pechaduriaid a wna'r mab afradlon ; sefyll dros y Phariseaid a'r ysgrifenyddion y mae'r mab hynaf, ac y mae'r tad yn y ddameg yn union fel Iesu Grist Ei Hun. Ac un felly yw Duw. Os chwilio am y Groes yr ydys, na thybied neb mai peth rhwydd a rhad i'r Arglwydd Iesu oedd derbyn publicanod a phechaduriaid, a pheth mwy costfawr na hynny oedd ceisio achub Phariseaid. Onid yw'r Groes uwchben dameg y Mab Afradlon gorwedd oddi tani gan gadarnhau sylw Horace Bushnell pan ddywedodd fod y Groes yng nghalon Duw cyn bod y pren yn weledig ar Galfaria fryn, yn arwydd tragwyddol " bod Duw yng Nghrist yn cymodi'r byd ag ef ei hun heb gyfrif iddynt eu pechodau."

Y gair sy'n allwedd i'r tair dameg yn y bennod fawr hon, dybiwn ni, yw'r gair ' colledig,'—dafad ar

goll, darn arian ar goll, mab ar goll. Ac arbenigrwydd
yr Efengyl yw ei phryder a'i gofal am y colledig.
Dywedwyd ac ysgrifennwyd droeon yn y ganrif hon,
ar bwys yr wyddor o gymharu crefyddau'r byd, nad
oes dim yn newydd yn Efengyl Iesu Grist. Ond dywed
Iddew anghrediniol fel C. G. Montefiore yn amgen.
Nid oes unrhyw grefydd drwy'r holl fyd yn arddangos
pryder yr Efengyl dros bechaduriaid. Y grefydd
agosaf i'r orau, yn ddiau, yw crefydd yr Iddew fel
yr adlewyrchir hi yn yr Hen Destament, ond nid yw
nodyn y bymthegfed bennod o efengyl Luc yno :

"Surely this is a new note," ebe Montefiore,[1] "something
which we have not yet heard in the Old Testament or of *its*
heroes, something which we do not hear in the Talmud or of
its heroes."

Un o dasgau anodd pregethu'r Efengyl heddiw
yw gwneud y gair ' colledig ' yn air rhiniol, byw un-
waith eto i'w gwrandawyr hi. Gair cynefin yw hwn,
un o hen eiriau'r seiat, ond, fel y seiat, wedi colli llawer
o'i rin ac o'i ystyr yn ein dyddiau. Tybiwn iddo golli
ei hen ystyr bron yn llwyr. Pan geisiai hen bregeth-
wyr dawnus Cymru argyhoeddi eu cynulleidfaoedd o
bechod a'u rhybuddio rhag bod yn dragwyddol goll-
edig, ystyr hynny i'r pregethwr a'r gwrandawr oedd
colli nefoedd ar ôl marw, a hynny yn golygu treulio
tragwyddoldeb yn uffern dân. Nid yw hynny, ysy-
waeth, yn cyffroi neb bellach. Ac eto daliwn i ganu,

" Dyma Geidwad i'r colledig."

O am i ni gael ein donio gan Dduw i gyflwyno'r
Efengyl mewn modd a fydd yn cyffwrdd â meddwl
a chalon a chydwybod ein hoes !

---

[1] *The Synoptic Gospels*, Cyf. ii, t. 520.

Yn wyneb dameg y damhegion gwelwn,

I. *Mai peth mawr iawn yw bod yn golledig.* Ystyrier y mab afradlon.

II. *Mai peth mwy, h.y., peth gwaeth, yw gwrthod arddel y colledig.* Gweler y mab hynaf.

III. *Mai'r peth mwyaf sy'n bod yw'r cariad na fyn i neb fod yn golledig.* Ymofynner â'r tad.

Ystyriwn (i) *Mai peth mawr iawn yw bod yn golledig.*

Yn rhyfedd iawn haws gennym sylweddoli hyn ym myd *pethau* nag ym myd enaid a chymeriad. Pan fo dafad, neu ei gwerth hi mewn arian, ar goll, sylweddola'r perchennog ei golled a mawr yw ei ffwdan yn chwilio am yr hyn a gollasid. Paham yr aethom oll mor ddidaro ynghylch cymeriadau ac eneidiau ar goll ? Cyn y daw'r Efengyl yn rym achubol yng Nghymru eto rhaid bendithio dilynwyr Iesu Grist â gweledigaeth yr Apostol Paul ynghylch dinas Corinth :

" A'r Arglwydd a ddywedodd wrth Paul trwy weledigaeth liw nos, Nac ofna ; eithr llefara, ac na thaw : Canys yr wyf fi gyda thi, ac ni esyd neb arnat i wneuthur niwed i ti : oherwydd y mae i mi bobl lawer yn y ddinas hon " (Actau xviii. 9 a 10).

Pa beth yw bod yn golledig ? Pen y llwybr sydd yn arwain i golledigaeth yw mynd yn hunangar a hunanol, yn anystyriol o hawliau Duw a chyd-ddyn. " Dyro i mi y rhan a ddigwydd o'r da " (adn. 12). Pan êl dyn i feddwl mwy amdano ei hun nag am neb arall, am yr hyn a all ei gael yn fwy na'r hyn a all ei roi, pan êl yn fwy o lanc nag o fab neu frawd, a'r ' fi fawr ' yn amlwg ar ei dalcen, y mae traed hwnnw eisoes ar y llithrigfa. Bod yn golledig yw mynd yn fydol a daearol gan dybio bod " bywyd neb yn sefyll ar amlder y pethau sydd ganddo." " Ac ar ôl ychydig ddyddiau y mab ieuangaf a gasglodd y cwbl ynghyd " (adn. 13). Casglu *pethau* yw bywyd i hwn, pentyrru arian, chwyddo ei logellau a hynny mewn cyn lleied o amser ag sydd modd. Os gall hwn gael " y cwbl " mewn " ychydig ddyddiau " gorau i gyd. Paham y mae cynifer o'r *newly rich*, y bobl a wna eu cyfoeth mewn ychydig ddyddiau, yn bobl mor ddi-les ? Paham y mae cynifer o gamblwyr llwyddiannus yn bobl mor ddigymeriad ? Yn eu hawch am ' y cwbl ' crebachodd eu henaid, " a pha lesâd i ddyn, os ennill efe yr holl fyd, a cholli ei enaid ei hun?"

Bod yn golledig yw troi eich cefn ar y gorau a welsoch ac a gawsoch erioed, ar garedigrwydd a chariad a gofal amdanoch ; mynd yn anniolchgar a dideimlad ac anfoddog, " ac a gymerth ei daith i wlad bell " (adn. 13). " To have seen the better and embraced the worse does not leave one in the same position as at first ; it means moral decline."[1] Yn nychymyg y mab afradlon mae'n sicr fod y wlad bell yn llawer amgen na thŷ ei dad, ond y mae pob gwlad bell yn fwy atyniadol o bell nag ar ôl mynd iddi. Dyna paham y dywedodd y sawl a gafodd brofiad, " 'Does unman yn debyg i gartref." A'r wlad bellaf o dŷ ein Tad yw'r wlad orau i bechu ; mae'n llawer haws pechu pan fo Duw, i'n tyb ni, " ar drai ar orwel pell."

Bod yn golledig yw rhoi rhaff i nwydau a blysiau, a diystyru pob disgyblaeth ar reddfau a chwantau corff ; " ac yno efe a wasgarodd ei dda gan fyw yn afradlon." Dyma'r pryd, fel rheol, y daw afradlonedd

---

[1] *The Bible To-day*, C. H. Dodd, t. 136.

dyn i'r golwg, am ei fod yn taro yn erbyn un o ddeddfau moesol y cread. "Wele pechu yr ydych yn erbyn yr Arglwydd ; a gwybyddwch y goddiwedda eich pechod chwi."[1] Y mae'n debygol mai gwrthryfela yn erbyn disgyblaeth ei gartref a wnaeth y mab ieuangaf a thybio bod perffaith ryddid yn y wlad bell, ond dyna'r pryd y daeth i'w adnabod fel y mab afradlon. Nid rhwng disgyblaeth a rhyddid y mae'r dewis mewn byd fel hwn, ond rhwng hunan-ddisgyblaeth a chaethiwed pechod. Bod yn golledig yw colli rheolaeth arnoch eich hun.

A phendraw hynny yw disgyn i lefel yr anifeiliaid. "Ac efe a chwenychai lenwi ei fol â'r cibau a fwytâi y moch." Nebuchodonosor yn pori glaswellt ! Brenin ar ei bedwar—fel mochyn ! A dyna yw'r afradlon, brenin y cread wedi ei ddarostwng ei hun i lefel yr aflanaf o'r creaduriaid. Bod yn golledig yw colli'r orsedd a ordeiniwyd i chwi gan Dduw, mynd yn llai na dyn, yn ddigartref a diberthynas mewn byd a fwriadwyd gan Dduw i fod "yn aelwyd gyfannedd i fyw" ynddo ; mynd yn ddiwerth i gymdeithas ac yn anifail gerbron Duw. Yn bendifaddau, peth mawr iawn yw bod yn golledig.

Ond yn wyneb rhai tueddiadau diwinyddol diwedd-ar y mae eisiau dweud nad yw bod yn 'golledig' yn gyfystyr â bod y tu hwnt i bob gobaith am adferiad, neu yn gwbl ddrwg. Onid rhan o ystyr 'colledig,' yn y bennod hon yw bod ar gael yn rhywle ? Y mae gan y mab afradlon allu i ddod "ato ei hun " (adn. 17), ac y mae hynny yn awgrymu nad oedd ef fel ef ei hun yn y wlad bell. Yr oedd posibilrwydd pethau gwell ynddo. Ac ni allodd holl bechu'r wlad bell rwystro

[1] Numeri xxxii, 23.

ei dad i'w adnabod o hirbell. "A phan oedd efe eto
ymhell oddi wrtho ei dad a'i canfu ef." Dylem fod yn
ymarhous iawn cyn cyhoeddi ar sail y T.N. fod pechod
yn gallu dinistrio'r ddelw nefol mewn dyn. O dan
haenau o laid y mae pan fo dyn yn y wlad bell, ond
i Dduw y byddo'r diolch fod modd golchi'r aflanaf
yn wyn. Cydnebydd hyd yn oed Reinhold Niebuhr
(ac y mae ef yn un o'r pesimistiaid mwyaf ynghylch
y natur ddynol) fod dyn yn ei bechod yn amgen na
mochyn.

" It is not true, however, that habitual sin can ever destroy
the uneasy concience so completely as to remove the individual
from the realm of moral responsibility to the realm of unmoral
nature."[1]

Ein braint ni yn yr Efengyl yw cyhoeddi bod
gobaith i bechadur a chartref i afradloniaid, gan gredu
bod ym mhawb allu i ddod ato ei hun pe gallai rhywun
seinio cloch yr hen gartref yn ei enaid. A'r nwyd
sanctaidd hwn am achub eneidiau a bair i ni ddweud
a theimlo mai peth mawr iawn yw bod yn golledig.

(ii) *Peth mwy, h.y., peth gwaeth, yw gwrthod arddel
y colledig.* Dyna'r brawd hynaf.

Hwn sydd yn gwrthod arddel ei frawd afradlon,
yn gwrthod hyd yn oed ei gydnabod fel brawd. "Dy
fab hwn " (adn. 30), meddai, wrth sôn amdano wrth
ei dad. Hwn sydd yn gwrthod ei groesawu ac yn
awgrymu na ddylid maddau iddo ; hwn sydd yn codi
ensyniadau fod yr afradlon yn waeth nag yw. Ei
frawd hynaf, o bawb, sy'n awgrymu iddo dreulio ei
amser gyda phuteiniaid, oblegid nid yw hynny yn
rhan o gyffes yr afradlon ei hun. Er mor hunan-

[1] *The Nature and Destiny of Man.* Cyf. 1.

gyfiawn yw'r mab hynaf mae'n amlwg fod ganddo
feddwl digon aflan. Efallai mai gan ei frawd hynaf y
clywodd yr ieuangaf fod puteiniaid i'w cael. P'run
bynnag awgryma Rudyard Kipling mai mursendod a
gor-dduwioldeb ei frawd hynaf a yrrodd yr ieuangaf
oddi cartref. Ac yn wir y mae duwioldeb hunan-
gyfiawn ambell un yn ddigon i yrru dyn i bechu yn
rhyfygus. Dysged pob Pharisead nad oes pechod mwy
yng ngolau'r Efengyl na snobyddiaeth moesol ; dyna
paham y dywedwn fod cau'r drws yn wyneb afradlon-
iaid yn waeth nag afradlonedd ei hun, er mai anfynych
y sylweddolir hynny gan y saint.

Y mae'r brawd sydd am gau'r afradlon allan o
Deyrnas Dduw ymhellach o'r Deyrnas na'r afradlon
ei hun. Nid yw protestio eich bod yn gadwedig yn
ddim cymhwyster i fynd i mewn i Deyrnas Dduw.
Sylwer mai'r tu allan i dŷ ei dad y gesyd y ddameg
y brawd hynaf yntau. " Ac nid âi i mewn " (adn. 28).
Yn wir, ni allai fynd heb ddysgu gwyleidd-dra a
gostyngeiddrwydd.

Yn ôl y Parch. Leslie Weatherhead y mae pedwar
peth yn rhwystr i'r brawd hynaf i fyned i mewn i
Deyrnas Dduw, a ddiffinnir ganddo ef fel teyrnas
perthynasau dedwydd. (i) Gwrthododd arddel ei
berthynas â'i frawd. Ac yng Nghrist deallwn ein bod
yn perthyn i bawb. (ii) Gwasanaethodd am wobr.
Yn wahanol i Dafydd Jones o Gaeo[1] yr oedd ei lygad
ef ar hyd y blynyddeodd ar y wobr (adn. 29). Credodd
y gallai ennill ei le yn y teulu heb sylweddoli nad

---

[1] " Mae arnaf eisiau sêl
A chariad at Dy waith ;
Ond nid rhag ofn y gosb a ddêl
Nac am y wobr chwaith."

oes ond dwy ffordd i mewn i deulu, genedigaeth neu
fabwysiad. Rhodd ydyw p'run bynnag. (iii) Ei
uwchraddoldeb moesol, fel y Pharisead hwnnw a
weddïai yn y deml ac a ddiolchai i Dduw nad oedd ef
fel dynion eraill. Yr oedd gormod o chwydd moesol
ynddo i fynd i mewn drwy ddrws y Deyrnas. (iv) Ei
ffug-dduwioldeb. Nid oedd ei galon agos cyn laned
â'i ymddangosiad, a phan yw'n ymliw â'i dad am
fyn " i fod yn llawen gyda'm cyfeillion " cawn ein
hatgofio am grefyddwyr y menig *kid* a ffieiddiai
Puleston ym Mangor gynt.

Gresyn i'r brodyr hyn gael cymaint o le ac o awdur-
dod yn yr Eglwys. Cadwasant lawer o afradloniaid
draw oddi wrthi a llawer heblaw afradloniaid sy'n
caru byw'n naturiol. Nid yw'r Eglwys eto wedi
dysgu mesur pechodau â llinyn mesur Iesu Grist.
Nid oes eisiau esgusodi pechodau rhyfygus bid siŵr,
ond pan ddysgwn edrych ar genfigen a chasineb a
balchder drwy lygaid Iesu Grist fe welwn mai y rhai
hyn yw'r pechodau mawr. Dyna un peth a ddysgodd
Abraham Lincoln a barnu oddi wrth ei brotest yn
erbyn agwedd rhai o'r ' brodyr hynaf ' yn ei ddydd
tuag at wehilion cymdeithas.

" If," meddai, " they believe as they profess that Omni-
potence condescended to take upon Himself the form of sinful
man, and as such die an ignominious death, surely they will not
refuse submission to the infinitely lesser condescension, for the
temporal and perhaps eternal salvation of a large, erring, and
unfortunate class of their fellow creatures ! Nor is the con-
descension very great. In my judgment such of us as have never
fallen victims have been spared more from absence of appetite
than from any mental or moral superiority over those who
have'.[1]

---

[1] *Abraham Lincoln*, Lord Charnwood, tt. 76, 77.

(iii) *Y peth mwyaf sy'n bod yw'r cariad na fyn i neb fod yn golledig.*

Henry Drummond sy'n dweud[1] ar sail yr Apostol Paul mai cariad yw'r peth mwyaf sydd yn bod, a'r cariad mwyaf yw cariad at yr annheilwng. Dyna gariad y tad yn nameg y Mab Afradlon.

Cariad sydd yn llywodraethu perthynas hwn â phawb. Caiff ei weision cyflog eu gwala a'u gweddill o fara (adn. 17). Ac y mae popeth a fedd yn eiddo i'w blant. " Ac efe a rannodd iddynt ei fywyd " (adn. 12). Ni all soriant ac eiddigedd y mab hynaf dramgwyddo'r cariad hwn, " Am hynny, y daeth ei dad allan, ac a ymbiliodd ag ef " (adn. 28). Mae'n werth sylwi bod y tad yn mynd allan i gyfarfod â'r *ddau* fab. Ef yw'r cyntaf i estyn ei law i Pharisead a phechadur. Ac nac anghofiwn, yng ngoleuni'r ddameg hon, fod gobaith a derbyniad i Pharisead. Y mae pob enaid yn werthfawr yng ngolwg Duw, ac nid yw Ef yn ewyllysio bod neb yn golledig :

" The soul of the ' bad Pharisee ' must be as dear to God as the soul of the ' outcast ' and the ' sinner.' God must want to save one as much as the other."[2]

Ond yn ei gariad tuag at yr afradlon y gwelir y tad ar ei orau. Dyma gariad sy'n gallu anghofio pob ystyriaethau ond caru. Aristotles sy'n dweud nad yw dynion mawr byth yn rhedeg yn gyhoeddus. Ond sylwch ar hwn, " A phan oedd efe eto ymhell oddi wrtho, ci dad a'i canfu ef, ac a dosturiodd, ac a redodd, ac a syrthiodd ar ei wddf ef, ac a'i cusanodd" (adn. 20). Pa mor hir y bu'r mab afradlon yn y wlad

---

[1] *The Greatest Thing in the World.*
[2] Montefiore. *The Synoptic Gospels,* Cyf. ii, t. 520.

bell, ni wyddom, ond dyma gariad nad yw amser
yn ei oeri. Pa sawl gwaith y pechodd yr afradlon ni
wyddom, ond dyma gariad nad yw'n cyfrif pechodau
cyn eu maddau ;

> " Nis gall maint nac amledd beiau
> Atal Duw i drugarhau.''

Dyma gariad na folltiodd y drws er pan aeth yr afrad-
lon oddi cartref, ac a'i hagorodd led y pen i'w groes-
awu'n ôl. Dyma gariad sy'n maddau cyn i'r afradlon
ddweud ei stori, ac na newidia ar ôl iddo ei dweud.
Dyma gariad sy'n cofleidio a chusanu cyn i'r afradlon
gael amser i newid ei ddillad, ond sydd wedi rhoi
ordor am " y wisg orau " ar ei gyfer. Er i'r afradlon
droi ei gefn ar dŷ ei dad ni throdd y tad ei wyneb
oddi wrth yr afradlon. Y mae wyneb y tad yn wastadol
i gyfeiriad y wlad bell ac iaith yr edrychiad hwnnw
yw,

> " Adre, adre, blant afradlon,
> Gadewch gibau gweigion, ffôl ;
> Clywaf lais y Brenin heddiw
> 'N para i alw ar eich ôl.''

Gallai'r mab anghofio'i dad ond nid yw'r tad yn
anghofio ei fab nac yn ei ddiarddel ; gall pechod godi
cymylau lawer rhyngom ac wyneb Tad, ond ni all
pechod ddileu'r berthynas rhwng Duw a'i blant am
mai perthynas cariad yw hi.

A'n hunig sail ddigonol dros ddweud bod y cariad
hwn yn bod yw Iesu Grist Ei Hun. Fel y darllennwn
ddameg y Mab Afradlon ac yr ymdrown yn ei chwmni
ymrithia Mab arall i'r golwg, ein Brawd hynaf mewn

gwirionedd. A'r Mab Hwn a hysbysodd i ni pa fath
un yw'r Tad. Yn wir, rhagora'r Mab Hwn ar dad yr
afradlon yn y ddameg. Rhagora Duw mewn cnawd
ar bob portread o Dduw mewn geiriau. Aeth Hwn
ei hun i'r wlad bell " i geisio ac i gadw yr hyn a gollasid"
(Luc xix. 10). Ac er y gellir dweud yn ddibetrus ar
sail dameg y Mab Afradlon y caiff pob enaid a edifar-
hao am ei bechod ac a ddychwelo at Dduw dderbyniad
a maddeuant llawn,

> " P'le'r enynnodd fy nymuniad ?
> P'le ca'dd fy serchiadau dân ?
> P'le daeth hiraeth im am bethau
> Fûm yn eu casáu o'r blaen ?
>   Iesu, Iesu
> Cwbwl ydyw gwaith dy law."

Ef, yn anad neb, sy'n codi hiraeth arnom am dŷ
ein Tad ; Ef, o bawb, sydd yn ein hargyhoeddi o'r
golled a gawn wrth aros yn y wlad bell ac o'r bywyd
a fydd yn eiddo i ni os dychwelwn. Ef sy'n codi
cywilydd arnom am yr hyn ydym ac ar yr un pryd yn
ein sicrhau o'r hyn a allwn fod drwy Ei ras.

A'n cred yw bod y cariad hwn yn anorchfygol.
Yn nameg y Mab Afradlon fe *ddaw'r* afradlon adref.
Yn hwyr neu'n hwyrach caiff y cariad dwyfol afael
ar bawb. 'Roedd Whittier yn amheus o hynny
weithiau,

> " A tenderer light than moon or sun,
> Than song of earth a sweeter hymn,
> May shine and sound for ever on,
> And thou be deaf and dim.
>
> For ever round the Mercy-seat
> The guiding lights of Love shall burn ;
> But what if, habit bound, Thy feet
> Shall lack the will to turn ?"

Ond gallai Whittier, hefyd, sôn am "The patience
of Immortal love out-wearing mortal sin." Ac yn
hwnnw y credwn ni gyda Dafydd Wiliam, Llandeilo
Fach,—

> "Daw'r hen delynau adref,
> Fu'n segur ar y coed,
> I foli'r Hwn fu farw
> Yn fwynach nag erioed."

1949

ARGRAFFWYD GAN

R. EVANS A'I FAB,

GWASG Y BALA